Renate Luscher

# Landeskunde Deutschland

## Politik - Wirtschaft - Kultur

Aktualisierte Fassung
2020/21

**für Deutsch
als Fremdsprache**

VERLAG für DEUTSCH
Renate Luscher

*Umschlagfoto: Ausschnitt aus der Installation Beethoven Skulptur des Konzept-*
*künstlers Ottmar Hörl auf dem Münsterplatz in Bonn. Die Bürgeraktion mit*
*700 goldenen und grünen Beethoven-Figuren im Mai 2019 zog 75 000 Besucher*
*an und war ein Erfolg auf der ganzen Linie.*

*Kolleginnen, Kollegen und Freunde haben mit Vorschlägen, auch juristischen Sach-*
*kenntnissen, zur Entstehung dieses Lesebuchs beigetragen. Ihnen allen danke ich*
*sehr herzlich für Mitarbeit und Beistand. Ganz besonders danke ich Wolf Schreyer*
*und Winfried Melchers für die redaktionelle Durchsicht und für die Überprüfung*
*der Daten und Andreas Oft für die Bereitstellung von Fotos und für wertvolle*
*kreative Vorschläge.*

| 3. | 2. | 1. | Die letzten Ziffern bezeichnen |
|------|------|------|---------------------------------|
| 2023 | 22 | 21 | Zahl und Jahr des Druckes. |

16. Auflage 2020

© 2005 Verlag für Deutsch Renate Luscher e.K., Max-Beckmann-Str. 4,
81735 München, Deutschland

Layout: Andreas Oft, München
Druck: MERKUR Druck- und Kopierzentrum, Püchau
Printed in Germany

ISBN 978–3–19-381741–9  (Hueber Verlag)

Das Jahr 1989 – die Wende genannt – war der größte Einschnitt in der jüngeren Geschichte Deutschlands. 1989 fiel die Mauer in Berlin, eine vierzigjährige Teilung war beendet. Die Zeit bis heute bildet deshalb den Schwerpunkt dieser Landeskunde. Die Auswirkungen, der Wandel der Befindlichkeiten und der Stimmungen wie auch die wirtschaftlichen Konsequenzen beschäftigen die Menschen und die Politik bis heute. Die Landeskunde bezieht die EU mit ein und beschreibt auch die Rolle Deutschlands in der Staatengemeinschaft und der Euro-Zone.

So ist das Lesebuch am Ende zu einer Sammlung von Bausteinen geworden, die wie ein Puzzle verschiedene Aspekte des heutigen Deutschland zusammenstellt und dabei Fakten berücksichtigt, die speziell mit der Vereinigung Deutschlands und Deutschlands Rolle in Europa zu tun haben. Ein Kriterium für die Themenauswahl war auch die Beobachtung, dass bestimmte Fragestellungen Politik und Öffentlichkeit über einen längeren Zeitraum beschäftigt haben. Dazu gehören die Diskussionen über soziale Fragen, die Energiewende, das Thema Flüchtlinge und Integration und vor allem die Sorge um die Zukunft Europas sowie den Klimawandel. Diese sowie verschiedene Themen aus dem Bereich der Wirtschaft bergen noch ungelöste Probleme und es ist anzunehmen, dass sie uns noch länger begleiten werden.

Informationen für Deutschlehrer und -lerner mit guten Sprachkenntnissen (B2 –C2) zu liefern, ist der Hauptzweck dieses landeskundlichen Lesebuchs. Es kann auch als Referenzmaterial in fortgeschrittenen Klassen oder auswahlweise zum Lesen und Diskutieren eines bestimmten Themas verwendet werden. Die Kapitel sind im Allgemeinen so aufgebaut, dass sich an den informativen Teil ein authentischer Text – entsprechend dem Thema ein Sach- oder Fachtext bzw. ein literarischer Text anschließt. Verschiedene Textsorten,

je nach Anlass ausgewählt, schaffen weitere Abwechslung. Die sich anschließenden Aufgaben sind als Anregung für den Lehrer gedacht oder als konkrete Aufforderung an den Sprachlerner zur Weiterarbeit am Thema. Die Aufgaben betreffen meist einen neuen Aspekt, der sich aus dem Text ergibt und oft nur mit Eigeninitiative zu lösen ist. Bei einigen schwierigen Texten werden Vorschläge für das globale Verstehen gemacht. Wichtige Schlüsselwörter – wie zum Beispiel „Asyl", „Brexit", „Mindestlohn" und viele mehr – werden als Stichwörter aus dem laufenden Text herausgezogen und kurz erklärt.

Über den engeren Rahmen eines landeskundlichen Lesebuchs geht das Kapitel „Kulturelles" hinaus, indem es auch die deutschsprachigen Nachbarländer mit einbezieht und historisch zurückgreift. In diesem Zusammenhang kann aber nur eine bescheidene Auswahl geboten werden, die an bestimmte Orte und bekannte Namen anknüpft. Nicht berücksichtigt sind außerdem Architektur und Malerei, die bei der Kürze der Darstellung nur zu einer Aufzählung von Namen ohne entsprechende Bebilderung geführt hätten. Ebenfalls nicht enthalten ist eine Darstellung von Sitten und Gebräuchen, die von der aktuellen Thematik zu weit abgewichen wäre.

Wir bemühen uns, jede Auflage so zu kalkulieren, dass wir in kürzeren Abständen eine völlig überarbeitete Neuauflage herausbringen können. Dadurch ist die Aktualität weitgehend gesichert. Ergänzende Informationen veröffentlichen wir laufend auf unserer Homepage unter „Aktuelle Wörter".

*Renate Luscher* - Verfasserin und Verlag

*Die vorliegende Auflage haben wir mit größter Sorgfalt und viel Engagement durchgesehen und aktualisiert. Sofern Artikel ein älteres Datum tragen, sind sie unverändert aktuell geblieben.*

# 1. Geografische Lage und Bevölkerung

*Ausbilder erläutert jungen Flüchtlingen die Arbeit*

**WELTOFFENE HOCHSCHULEN GEGEN FREMDEN- FEINDLICHKEIT**

bfdt:
Bündnis für Demokratie und Toleranz
gegen Extremismus und Gewalt

*Das „grüne Band" – vor der Wende „Todesstreifen, heute ein Biotop*

**Großgliederung Europas**
- nach heutigen Staatsgrenzen
- nach kulturräumlichen Kriterien

B.-H.  Bosnien-Herzegowina
K.     Kosovo
L.     Liechtenstein
M.     Montenegro
Maz.   Mazedonien
S.     Slowenien

Island

Nordeuropa

Schweden      Finnland

Norwegen                    Russland

Estland                     Osteuropa

Lettland

Dänemark    Ostsee    Litauen

Nordsee                Weißrussland

Irland

Großbritannien    Nieder-    Polen    Ukraine
                  lande
        Deutschland

Belgien                          Moldawien

Luxemburg   Mitteleuropa

         Tschechien
                    Slowakei

Westeuropa    Öster-   Ungarn   Rumänien
              reich

Frankreich  Schweiz              Schwarzes Meer

                    S.

              Kroatien   B.-H.  Serbien
Monaco                          Bulgarien
Andorra              Italien   M.  K.  Südost-
                          Albanien  europa
Spanien   Portugal
                                    Türkei
        Südeuropa        Griechenland

        Mittelmeer
                                    Zypern

Vorschlag des
Ständigen Ausschuss für geographische Namen (StAGN)      Malta

Albanien – Belgien – Bosnien und Herzegowina – Bulgarien – Dänemark – Deutschland
(die Bundesrepublik Deutschland) – Estland – Finnland – Frankreich – Griechenland –
Großbritannien – Kosovo – die Niederlande (Holland) – Irland – Island – Italien – Kroatien –
Lettland – Litauen – Luxemburg – Moldawien – Montenegro – Nordmazedonien – Serbien –
Norwegen – Österreich – Polen – Portugal – Rumänien – Russland – Schweden – die Schweiz –
die Slowakische Republik – Slowenien – Spanien – die Tschechische Republik (Tschechien) –
die Türkei – die Ukraine – Ungarn – Weißrussland

# Die Bundesrepublik Deutschland seit der Vereinigung

(3. Oktober 1990)

## ■ *Auf einen Blick*

**Staatsform:** Demokratisch-parlamentarischer
      Bundesstaat

| | |
|---|---|
| **Fläche:** | **357 124 km²** |
| *Zum Vergleich:* | |
| Frankreich | 543 965 km² |
| Polen | 312 683 km² |
| Italien | 301 302 km² |
| Großbritannien | 242 100 km² |
| Österreich | 83 858 km² |
| Schweiz | 41 293 km² |
| | |
| Nord-Süd-Ausdehnung: | 876 km |
| West-Ost-Ausdehnung: | 640 km |

Gliederung: 16 Bundesländer
Hauptstadt: Berlin

## Das Stichwort ☞ Hauptstadt

*1948 wurde Bonn provisorische Bundeshauptstadt. Die alte Hauptstadt Berlin stand seit Kriegsende unter der Verwaltung der vier Siegermächte (Frankreich, Großbritannien, Sowjetunion, USA = Vier-Mächte-Status Berlins). Nach der Vereinigung beschloss der Bundestag im Juni 1991 die Verlegung von Bundesregierung und Parlament von Bonn nach Berlin. Einige Ministerien residieren aber noch immer in Bonn. Ein kompletter Umzug wird gefordert, um die vielen Flüge zwischen Bonn und Berlin aus Umweltschutzgründen zu vermeiden.*

## Das Stichwort ☞ Wende
## (= Vereinigung / Wiedervereinigung)

*Mit diesem Begriff wird die Ablösung des kommunistischen Regimes im Herbst 1989 bezeichnet.*

Deutschland liegt wie auch die übrigen deutschsprachigen Länder – Österreich und ein großer Teil der Schweiz – in Mitteleuropa. Seit der Vereinigung der Bundesrepublik Deutschland mit der Deutschen Demokratischen Republik am 3. Oktober 1990 und der Öffnung der Grenzen auch zu den östlichen Nachbarstaaten ist Deutschland Durchgangsland im Austausch zwischen Ost und West.

Deutschland gehört zu den Schengener Staaten, d.h. im Schengener Abkommen sind die Personenkontrollen an den Binnengrenzen abgeschafft worden. Zu den Mitgliedsländern gehören heute fast alle EU-Staaten, dazu Island, Norwegen, die Schweiz und Liechtenstein. Viele rechtliche und praktische Regelungen sollen Sicherheit und Recht im Schengen-Raum garantieren (siehe S. 92). Deutschland führt aber derzeit wie auch andere Länder zeitweise Grenzkontrollen durch. Grund ist die Gefahr von Terroranschlägen und die Abwehr illegaler Einwanderung.

## Aufgaben

1. Vergleichen Sie die geografische Lage Deutschlands mit der Ihres Landes.
2. Welche Länder sind Schengener Staaten?

*Schengener Staaten (Erklärungen siehe Seite 171)*

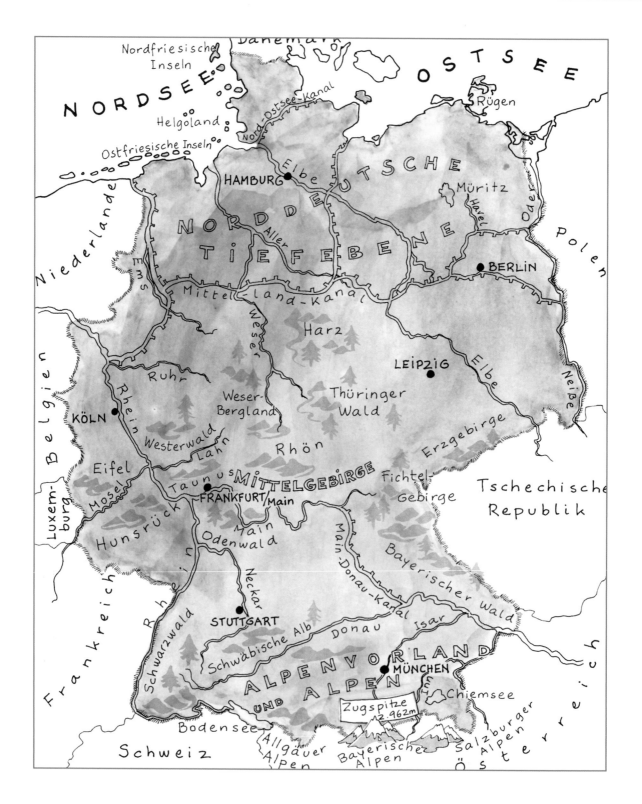

# Wechselhaft mit sonnigen Abschnitten

## ■ Auf einen Blick

*Der höchste Berg:* die Zugspitze (2962 m)

*Die wichtigsten Flüsse:* der Rhein, die Elbe, die Donau, die Weser

*Die größten Seen:* der Bodensee (539 km², davon 305 km² Deutschland. Auf der Seemitte Grenze zur Schweiz und zu Österreich.), die Müritz (113 km²; Mecklenburg), der Chiemsee (82 km²; Bayern)

*Jahresdurchschnittstemperatur:* Freiburg (Baden-Württemberg) 10,7°C, Oberstdorf (Bayern) 6,1°C

Deutschland liegt in einer gemäßigten Klimazone, die durch wolken- und regenreiche Westströmungen vom Atlantik her geprägt ist. Das Wetter wechselt häufig. Niederschlag fällt zu allen Jahreszeiten. Nach Osten und Südosten macht sich der Übergang zu mehr kontinentalem Klima bemerkbar. Die Temperaturschwankungen sind aber nirgends extrem. Charakteristisch für den nördlichen Alpenraum ist der Föhn, ein Fallwind, der die Temperaturen sprunghaft ansteigen lässt und für Stunden oder auch Tage strahlend blauen Himmel beschert.

Am kältesten wird es im Winter in den Alpen und in den Hochlagen der Mittelgebirge; am wärmsten ist es im Rheintal und am Bodensee, wo auch die Baumblüte am frühesten beginnt. Der Anteil des Hochgebirges beschränkt sich auf den Süden Bayerns. Die höchste Erhebung ist die Zugspitze.

Die Auswirkungen der globalen Erwärmung auf das Klima sind bereits spürbar: Die Sommer werden heißer und trockner und die Winter milder. Extreme Wetterlagen, Starkregen, Dürre, Flutkatastrophen und Sturmschäden nehmen zu und die Alpengletscher schmelzen. Der Meeresspiegel steigt an und die Zugvögel ändern ihr Verhalten. Das Umweltbundesamt dokumentiert regelmäßig die Veränderungen.

## Aufgaben

1. Nehmen Sie eine Landkarte zu Hilfe und stellen Sie die Länge der Flüsse und die Höhe der Mittelgebirge fest. Vergleichen Sie mit Ihrem Land.
2. Sprechen Sie über mögliche Klimaveränderungen in Ihrem Land.

# Die Bevölkerung

## Das Stichwort ☞ die neuen Bundesländer und die alten Bundesländer

*Die geografischen Begriffe – im Osten, im Westen – waren auch immer politische Bezeichnungen. Neben „Westdeutschland" sagt man heute auch „die alten Bundesländer". Den östlichen Teil der Bundesrepublik bezeichnet man als „Ostdeutschland" oder als „die neuen Bundesländer". Die Jahre nach der Wende wurden die Bewohner umgangssprachlich auch „Ossi" und „Wessi" genannt.*

*Föhn in den Alpen*

## ■ Auf einen Blick

| | |
|---|---|
| **Einwohnerzahl:** | **83,0 Mio.** |
| alte Bundesländer | 66,8 Mio. |
| (31.12.2018) (ohne Berlin) | |
| neue Bundesländer | 12,6 Mio. |
| (31.12.2018) (ohne Berlin) | |

*Zum Vergleich (Stand 2019):*
*(Quelle: EU-Kommission)*

| | |
|---|---|
| Frankreich | 67,5 Mio. |
| Italien | 60,7 Mio. |
| Polen | 38,0 Mio. |
| Österreich | 9,0 Mio. |
| Schweiz | 8,6 Mio. |

EU (27 Länder; Großbritannien ist Ende 2020 aus dem Binnenmarkt und der Zollunion ausgetreten, bleibt aber durch ein Handels- und Partnerschaftsabkommen mit der EU verbunden.) 447,1 Mio.
(= ca. 5,8% der Weltbevölkerung)

### Bevölkerungsdichte:

(Stand 31.12.2018)
232 Einwohner pro km²
(Nordrhein-Westfalen 526
Mecklenburg-Vorpommern 69)

*Zum Vergleich (Stand 2019):*

| | |
|---|---|
| Italien | 205 pro km² |
| Schweiz | 214 pro km² |
| Polen | 124 pro km² |
| Frankreich | 122 pro km² |
| Österreich | 106 pro km² |

| | |
|---|---|
| **Städtische Bevölkerung:** | **76 %** |

### Religion:

(Stand 2018)

| | |
|---|---|
| 25,5 % | Protestanten |
| 27,7 % | Katholiken |
| 5,1 % | Muslime |
| 39,9 % (= 33,1 Mio.) | konfessionslos |

Minderheiten: Orthodoxe, orientalische Kirchen, Angehörige jüdischen Glaubens, Buddhisten, Hindus, Sonstige: 3,6%

*Quelle: Statistisches Bundesamt; Eurostat, Statista*

## Stadt und Land

Deutschland gehört zu den am dichtesten besiedelten Regionen Europas. Trotzdem sind fast 90% der Gesamtfläche Äcker, Wiesen, Wälder und Wasserflächen. Der frühere Grenzstreifen, der „Todesstreifen", ist in vierzig Jahren der Teilung ein 1393 Kilometer langes „Grünes Band" geworden, ein Biotop, in dem seltene Tier- und Pflanzenarten zu Hause sind (S. 7). Der Bau von Straßen und Bahnlinien sowie von Gewerbegebieten und Einkaufszentren außerhalb der Städte unterstützt die wirtschaftliche Entwicklung, reduziert allerdings laufend die landwirtschaftlichen Flächen. Dagegen wehren sind Bauern und der Bund Naturschutz (BUND, S. 148).

*Gewerbegebiet in Hamburg*

## Bevölkerungsentwicklung

Die Zahl der Geburten ist durch die Familienpolitik angestiegen, gleicht aber die Zahl der Sterbefälle nicht aus. Da die durchschnittliche Lebenserwartung bei fast 80 Jahren, bei Frauen sogar bei über 83 liegt, wird der Anteil der Älteren an der Gesamtbevölkerung immer größer, mit dramatischen Folgen. Schon heute hat Deutschland einen akuten Mangel an Berufseinsteigern und Fachkräften. Notwendige Reformen betreffen das gesamte Sozialwesen.
Seit Anfang 2019 führen Geburtenregister das dritte Geschlecht divers. Anzeigen wenden sich an drei Geschlechter: w / m / d (= weiblich / männlich / divers).

Klosterkirche (um 1100)
in Fischbachau (Bayern)

Moschee in Berlin

Neue Hauptsynagoge in München

## Religion

**1.** In Deutschland sind Kirche und Staat getrennt. Die Trennung ist aber nicht strikt durchgeführt: Der Staat zieht die Kirchensteuer ein, der Religionsunterricht ist Lehrfach an öffentlichen Schulen. Der Staat profitiert von der karitativen Tätigkeit der Kirche und die Kirche hat Einfluss in vielen gesellschaftlichen Bereichen. Die katholische und die evangelische Kirche sind Träger von sozialen Einrichtungen, von Schulen, Kindergärten und Hospizen, die aber zum großen Teil vom Staat bezahlt werden. Die Kirchen beschäftigen ca. 236 Tausend Mitarbeiter, 1,1 Millionen sind ehrenamtliche Mitglieder, aber das kirchliche Arbeitsrecht ist nicht mehr zeitgemäß: kein Streikrecht, kein Betriebsverfassungsgesetz (s. S. 141). Der Druck auf die Kirchen wächst, auch andere Lebenswirklichkeiten anzuerkennen.

Die Zahl der Mitglieder der römisch-katholischen und der evangelischen Kirche geht zurzeit zurück. Missbrauchsdelikte und Skandale haben wesentlich dazu beigetragen.

In den neuen Bundesländern sind historisch bedingt ca. 75 % der Einwohner konfessionslos. Kirchlichkeit hatte im Osten mit Protest zu tun, während sie im Westen eher konservativ-traditionellen Vorstellungen entspricht.

**2.** Heute leben über 200 000 jüdische Mitbürger in 105 Gemeinden in Deutschland. Rechtsextremistische Vorfälle mit psychischer und auch physischer Gewalt haben viele in letzter Zeit verunsichert. Hass gegen Migranten verbindet sich mit Antisemitismus. So mancher überlegt sich dann, ob er das Land verlassen soll. Dennoch ist zu hoffen, dass die meisten auf die demokratische Mehrheit vertrauen, für die eine Wiederholung der nationalsozialistischen Vergangenheit undenkbar ist. In Deutschland ist zur Bewältigung der Vergangenheit in jüngerer Zeit viel getan worden. Das Erschrecken ist aber groß, wenn alte Vorurteile aufbrechen. Der Anschlag auf die Synagoge in Halle 2019 hat allgemein

KEIN PLATZ FÜR ANTISEMITISMUS

aufgerüttelt, aktiver gegen Antisemitismus vorzugehen. Alle jüdischen Einrichtungen werden von der Polizei bewacht.

### Das Stichwort ☞
### Zentralrat der Juden in Deutschland

*Gegründet 1950 in Frankfurt am Main als Dachorganisation von heute 105 jüdischen Gemeinden in der Bundesrepublik. Er unterstützt deren Wiederaufbau und übernimmt soziale Aufgaben (Zentralwohlfahrtsstelle der deutschen Juden).*

Die Jüdische Gemeinde in Berlin ist mit mehr als 10 000 Mitgliedern die größte in der Bundesrepublik. Sie hatte Ende der 1920er-Jahre 160 000 Mitglieder. Heute stammt die Mehrzahl nicht mehr aus

Deutschland. Bereits in den 1960er- und 1970er-Jahren hat die Zuwanderung aus der ehemaligen Sowjetunion begonnen. Nach der Wiedervereinigung sind Zehntausende aus der GUS (= Gemeinschaft Unabhängiger Staaten) und Polen eingewandert. Die Gemeinde bietet ein vielseitiges Kulturprogramm. Die Grundschule und die Jüdische Oberschule vermitteln jüdische Erziehung. Die Jüdische Volkshochschule bietet Sprachkurse sowie Kurse zu jüdischer Religion, Geschichte und Kultur an.

Am 9. November 2006 wurde in München die neu errichtete Hauptsynagoge eröffnet. Das neue Gemeindezentrum liegt in der Mitte der Stadt und kehrt damit an seinen ursprünglichen Ort zurück.

Ein großer Teil der jüdischen Bevölkerung verteilt sich auf liberale Gemeinden und ist in der Union der progressiven Juden in Deutschland organisiert. Ein religiöser Pluralismus (liberale Gemeinden, weibliche Rabbiner) ist entstanden. Seine Ursprünge sind vor allem in Deutschland des 18. und 19. Jahrhunderts zu finden und gehen auf Ideen u.a. von Moses Mendelssohn zurück.

**3.** Fast 4 Millionen Muslime leben heute in Deutschland und werden auch in Deutschland bleiben, weil sie Teil der deutschen Gesellschaft geworden sind. Durch den Zustrom von Flüchtlingen aus Syrien, dem Irak und Afghanistan erhöht sich ihre Zahl in Deutschland erheblich. In Schulen wird Islam-Unterricht erprobt, um Islamfeindlichkeit entgegenzuwirken. An der Humboldt-Universität wurde 2019 das Berliner Institut für Islamische Theologie (BIT) gegründet. In einer Islamischen Charta stellte der Zentralrat der Muslime 2002 fest, dass die im Zentralrat vertretenen Muslime die rechtsstaatliche und demokratische Grundordnung der Bundesrepublik Deutschland einschließlich des Parteienpluralismus, des aktiven und passiven Wahlrechts der Frau und der Religionsfreiheit bejahen. In Deutschland sind viele neue Moscheen mit Begegnungszentren entstanden, um Brücken für den interreligiösen und interkulturellen Dialog zu bauen. Voraussetzung ist die Geltung des Grundgesetzes.

## Das Stichwort ☞ Zentralrat der Muslime in Deutschland (ZMD)

*Es gibt in Deutschland keine Vereinigung, die für alle Muslime spricht und damit auch keine einheitliche Regelung für islamische Religionsgemeinschaften. Diese haben bisher nicht wie z.B. die christlichen Kirchen den Status einer Körperschaft des öffentlichen Rechts mit verschiedenen Rechten und Privilegien erhalten.*

*Der Zentralrat ist ein Spitzenverband der islamischen Dachorganisationen in Deutschland, neben den türkisch geprägten Verbänden DITIB (Türkisch-Islamische Union der Anstalt für Religion), dem Islamrat, dem Verband der Islamischen Kulturzentren und der Alevitischen Gemeinde Deutschland. Er sieht sich als Interessenvertretung und als Ansprechpartner gegenüber Staat und Behörden.*

# Deutsch und andere Sprachen

## Wo wird Deutsch gesprochen?

### Das Stichwort ☞ Deutsch

*Von althochdeutsch diutisc = das Adjektiv zu diot(a) (das Volk). In der Form theodiscus wird das Wort ins Lateinische übertragen. Theodisca lingua hieß dann die Sprache der germanischen Stämme im Reich Karls des Großen. In einem Dokument des 8. Jahrhunderts wird theodiscus im Gegensatz zur lateinischen Sprache gebraucht und meint die Sprache des Volkes.*

*Deutsch ist Landessprache in Deutschland, Österreich, in der Schweiz, in Liechtenstein und in Südtirol (Italien). In der Schweiz sind alle vier Sprachen – Deutsch, Französisch, Italienisch und Rätoromanisch – auch Amtssprachen. Außerhalb der Staatsgrenzen der Bundesrepublik gibt es auch deutschsprachige Gebiete in Luxemburg, Belgien und in Frankreich (das Elsass), in der Tschechischen Republik und in Polen.*

In den 1990er-Jahren sind Aussiedler, Angehörige von deutschen Minderheiten, aus der GUS (= Gemeinschaft

Unabhängiger Staaten, besonders aus Kasachstan und Russland) und aus Rumänien in Deutschland eingewandert. Der Strom der Spätaussiedler ist noch nicht verebbt, weil Familienangehörige zuwandern. Ehemalige Aussiedler, vor allem Russlanddeutsche, sind heute gut integriert, vertreten aber oft eher konservative Lebenseinstellungen, in Abgrenzung zu der sich wandelnden pluralistischen Gesellschaft.

## Minderheiten in Deutschland

**1.** Deutschland hat 1998 als zehntes Europaratsland die Minderheitenschutz-Konvention ratifiziert. Die „Charta zum Schutz der Regional- und Minderheitensprachen" ist am 1.1.1999 in Kraft getreten. Anerkannte Minderheiten sind etwa 30 000 Dänen in Schleswig-Holstein, die friesische Volksgruppe an der Nordseeküste (Sprache: Plattdeutsch, die aber von immer weniger Menschen gesprochen und verstanden wird), ca. 30 000 Sinti und Roma und rund 60 000 Sorben in Brandenburg und Sachsen. Sorbische Osterbräuche im Spreewald und sorbische Ostereier sind berühmt. Sie zeigen Ornamente und Symbole, die bis ins 17. Jahrhundert zurückreichen und oft Schutz oder gute Wünsche bedeuten.

**2.** Die Sorben und Wenden sind im 7. Jahrhundert eingewandert und siedeln in der Gegend zwischen Cottbus (Brandenburg) und Bautzen (Sachsen). Sie sind das westlichste slawische Volk, das sich aber schon fast vollständig integriert hat. Die sorbischen Sprachkenntnisse nehmen ab; der Braunkohleabbau hat viele Dörfer zerstört. Deshalb verlassen viele Sorben ihre Heimat auf der Suche nach Arbeit und Lehrstellen. Der Bund unterstützt die „Stiftung für das sorbische Volk" mit Zuschüssen und fördert Projekte zur Stärkung der sorbischen Kultur: Schulen unterrichten die sorbische Sprache, es gibt sorbische Programme im Mitteldeutschen Rundfunk (MDR) und im Rundfunk Berlin-Brandenburg, eine sorbische Tageszeitung und ein Theater. Ortsschilder und öffentliche Gebäude sind 2-sprachig ausgeschildert (mehr unter www.sorbe.de). Ein lebhafter Tourismus mit Rad- und Kahnfahrten ist im Spreewald entstanden. Berühmt sind Spreewaldrezepte und Spreewaldgurken.

**Das Stichwort** ☞ **Sinti und Roma**
*Als ethnische Minderheit mit besonderen Rechten gelten die Sinti und Roma seit 1998. 1982 wurde die Verfolgung der Sinti und Roma unter der NS-Diktatur als Völkermord anerkannt. Erst 30 Jahre später errichtete man ein Denkmal für die ermordeten Sinti und Roma in Berlin.*

**3.** Die Roma stammen aus Nordwestindien. Sie sind vor fast sechshundert Jahren nach Europa eingewandert. Die in Deutschland Geborenen bezeichnen sich selbst als „Sinti". Roma leben als Minderheit auf allen Kontinenten; die größte Minderheit sind sie jedoch in Europa, vor allem in Südosteuropa und einigen mitteleuropäischen Staaten sowie in Spanien und Frankreich. Die gemeinsame, in viele Dialekte aufgegliederte Sprache ist das Romani/Romanes. Das frühere Wort „Zigeuner" gilt in Hinblick auf die Verfolgung im Nationalsozialismus als diskriminierend und ist aus den Medien verschwunden. Obwohl die meisten inzwischen in Siedlungen wohnen und sesshaft geworden sind, werden sie oft aus dem sozialen und gesellschaftlichen Leben ausgegrenzt und fühlen sich nicht willkommen.

*Spreewald*

Der Zentralrat der Sinti und Roma vertritt die Interessen dieser Minderheiten; auch die EU setzt sich für die Verbesserung der Lebensbedingungen ein.

## Verstehen Sie Dialekte?

**1.** Wer nach Deutschland kommt, wird bemerken, dass er es mit ganz verschiedenen Sprachschichten zu tun hat: mit der Hochsprache, die früher nur geschrieben wurde, der Umgangssprache und dem Dialekt. Zwischen der Hochsprache und der Umgangssprache existiert in Wort und Schrift – zum Beispiel in Vorträgen und in Essays, in Funk und Fernsehen und in der Presse — eine gehobene Umgangssprache. Der Dialekt ist im Gegensatz zur Hochsprache an eine bestimmte Region gebunden.

**2.** Nicht nur Ausländer, auch Deutsche haben es oft schwer mit ihren Dialekten: Ein Norddeutscher, der zum ersten Mal nach Süddeutschland kommt, hat Schwierigkeiten, sich mit einem „echten" Bayern oder Schwaben zu verständigen; ebenso ergeht es dem Bayern und Schwaben im Norden.

**Bairisch ist laut Umfrage Lieblingsdialekt der Jugend**
Hamburg (dpa) – Bairisch ist der Lieblingsdialekt der jungen Leute zwischen 19 und 29 Jahren. Nach einer repräsentativen Umfrage unter 700 Jugendlichen in Deutschland hören 35,1 Prozent von ihnen am liebsten diesen Dialekt. Zweitbeliebteste Sprache ist Berlinerisch mit 14 Prozent vor Kölsch (13 Prozent). Seitdem Berlin Hauptstadt ist, gilt dem Berliner Dialekt ein besonderes Interesse. Charakteristisch für die berühmte „Berliner Schnauze" sind Schnelligkeit, Schlagfertigkeit und Witz. „Zum Weghören" finden viele der Befragten vor allem Sächsisch (40,7 Prozent) und Schwäbisch (18,1 Prozent).

### *Aufgaben*
1. Stimmen Sie der Umfrage zu?
2. Welche Dialekte haben Sie schon gehört?

## Das Stichwort ☞ Hochdeutsch

*1. Bezeichnung für die Schriftsprache im Gegensatz zu den Dialekten 2. Die Luther-Bibel (erste Ausgabe 1534), die erste Übersetzung der Bibel ins Deutsche, ist die Grundlage des Hochdeutschen. Martin Luther (1483-1546) wählte statt Latein die gesprochene Sprache, um der gesamten Bevölkerung, auch den einfachen Leuten, den Zugang zur Schrift zu ermöglichen.*

### Die Reformation
Martin Luther wurde 1483 in Eisleben, einer Kleinstadt in Sachsen-Anhalt geboren, und starb dort 1546. Am 31. Oktober 1517 soll er seine 95 Thesen gegen den Ablasshandel der römisch-katholischen Kirche (Zahlung von Geld an den Papst, um sich von Höllenstrafen und Schuld freizukaufen) an der Tür der Schlosskirche in dem

100 km entfernten Wittenberg veröffentlicht haben. In dieser Kirche ist er auch begraben, gemeinsam mit seinem Mitstreiter Philipp Melanchthon. Die auf Latein geschriebenen Thesen sind der Beginn der Reformation, die die Welt verändert hat und zur Entstehung der Evangelischen Kirchen und zur Trennung vom römischen Katholizismus geführt hat. 500 Jahre Reformation wurden ein Jahr lang bis zum 31. Oktober 2017 gefeiert.

## Sprachen in der Eurpäischen Union

**1.** Deutsch ist keine Weltsprache, aber mit 95 Millionen Sprechern in Europa (132 Mio. weltweit) und als Amtssprache in 7 Ländern eine wichtige Regionalsprache. Deutsch ist anerkannte Minderheitssprache in

Ostbelgien und Südtirol, wo es jeweils auch regionale Amtssprache ist, sowie in Dänemark (Nordschleswig), Frankreich (Elsass-Lothringen), Polen (Schlesien), Tschechien, Ungarn und Rumänien.

**2.** Weltweit gibt es 80 Millionen, die Deutsch als Fremdsprache sprechen, 55 Millionen davon in Europa.

**3.** In der Europäischen Union spielt Deutsch als Verhandlungssprache eine untergeordnete Rolle: Englisch und Französisch geben den Ton an. Die EU-Kommission (siehe S. 92) unterscheidet 24 Amtssprachen – von Bulgarisch bis Ungarisch –, in die alle Dokumente nach außen übersetzt werden, und drei interne Arbeitssprachen: Englisch, Französisch und Deutsch.

### Das Stichwort ☞ Amtssprachen der EU

*Die Institutionen der EU haben 24 gleichberechtigte Amtssprachen: Bulgarisch, Dänisch, Deutsch, Englisch, Estnisch, Finnisch, Französisch, Griechisch, Irisch, Italienisch, Kroatisch, Lettisch, Litauisch, Maltesisch, Niederländisch, Polnisch, Portugiesisch, Rumänisch, Schwedisch, Slowenisch, Slowakisch, Spanisch, Tschechisch, Ungarisch. Daneben existieren 60 Regional- und Minderheitensprachen. Baskisch und Katalanisch in Spanien gelten als halbamtliche Sprachen. Die EU erklärt, die Sprachenvielfalt zu achten und zu respektieren.*

### *Aufgaben*

1. Diskutieren Sie die Rolle der Fremdsprachen in der EU.
2. Wie würden Sie die Weichen stellen?

#### Sprachen in Europa

Sprachpolitik ist ein sensibles Thema, das oft den Nerv trifft und Konflikte schafft. Im Vertrag von Rom legten die Mitgliedsländer der EU fest, dass die offiziellen Sprachen gleichberechtigt sind. Und bei der Aufnahme der neuen Mitglieder im Jahr 2004 wurde nochmals festgehalten: „Um sicherzustellen, dass die neuen Bürger der EU das EU-Recht und die Tätigkeit ihrer

Organe verstehen können, werden die neuen Sprachen genauso behandelt wie die bisherigen Amtssprachen" (Europäische Gemeinschaften, 1995–2003). Die Institutionen bekamen aber das Recht, sich auf Arbeitssprachen zu beschränken. Ergebnis: In informellen Treffen wird Englisch, Französisch und Deutsch gesprochen. Mit der Erweiterung der EU wäre die Verwendung von allen Sprachen unbezahlbar – und vor allem auch äußerst ineffizient.

In dem Augenblick jedoch, da EU-Richtlinien in das Recht der Mitgliedsländer eingreifen und Produkte grenzüberschreitend gehandelt werden, spielen Sprachen eine besondere Rolle. Nichtverwendung hätte Wettbewerbsverzerrungen zur Folge. Beim Export müssen deshalb Produktbeschreibungen und technische Dokumentationen in der jeweiligen Landessprache mitgeliefert werden. Mehrsprachigkeit ist ein Merkmal der EU, das sich u.a. in der Förderung des Jugendaustauschs und internationaler Schulen niederschlägt.

## Deutsche und ausländische Mitbürger

# Geschichte der Zuwanderung

**1.** Vor dem Ersten Weltkrieg lebten in Deutschland weit über eine Million Ausländer. Die Zahl ging in den folgenden Jahrzehnten stark zurück und stieg erst lange nach dem Zweiten Weltkrieg wieder an. Ausländische Arbeiter, genannt Gastarbeiter, kamen seit Anfang der 1960er–Jahre vor allem aus Italien, dann aus Jugoslawien, Spanien, Portugal, Griechenland und aus der Türkei. 1973 erfolgte schließlich ein Anwerbestopp.

**2.** Nach jahrelangen Diskussionen ist das Aufenthalts- und Zuwanderungsgesetz am 1. Januar 2005 in Kraft getreten. Damit wurde signalisiert, dass Deutschland ein Einwanderungsland ist. Legale Einwanderung gibt es für EU-Bürger und bestimmte Personen- und Berufsgruppen. Später erfolgten Reformen des Gesetzes. Hochqualifizierte können über die Blue Card kommen.

Studenten bekommen nach einem erfolgreich abgeschlossenen Studium die Aufenthalts- und Arbeits—erlaubnis für ein Jahr.

Die deutsche Wirtschaft braucht Zuwanderung. Das Fachkräfte-Einwanderungsgesetz von 2020 soll den Mangel an Fachkräften beheben. Arbeitnehmer aus Nicht-EU-Ländern, die die notwendige Qualifikation und einen Arbeitsvertrag besitzen, haben die Möglichkeit, in Deutschland zu arbeiten. Beruflich Qualifizierte dürfen sechs Monate lang eine Stelle in Deutschland suchen. Es besteht ein Rechtsanspruch, dass Berufsabschlüsse der Heimat innerhalb von 3 Monaten überprüft werden, ob ihre Qualifikation für Deutschland genügt. Qualifikationen im Gesundheitswesen, von Ingenieuren, Lehrern und Erziehern werden vollständig oder eingeschränkt als gleichwertig eingestuft. Hürden sind die langen Wartezeiten. Auch hat die Corona-Pandemie die Einwanderung ausgebremst, obwohl viele Branchen dringend auf Fachkräfte warten.

## Das Stichwort ☞
### Deutsche Staatsbürgerschaft

*Wer sich mindestens acht Jahre rechtmäßig in der Bundesrepublik aufgehalten hat, kann die deutsche Staatsbürgerschaft erwerben. Ausländer müssen dann in der Regel ihre bisherige Staatsangehörigkeit aufgeben (Ausnahme: EU-Bürger).*
*Die Gesetzesreform von 1999 brachte nur Kindern*

*ausländischer Eltern, die in Deutschland geboren wurden, eine gewisse Erleichterung. Sie erhalten automatisch die deutsche Staatsbürgerschaft, wenn ein Elternteil mindestens seit 8 Jahren in Deutschland lebt. Zwischen dem 18. und dem 23. Lebensjahr müssen sie entscheiden, ob sie die deutsche Staatsangehörigkeit behalten oder ob sie eine andere Staatsangehörigkeit vorziehen. Kinder, die in Deutschland geboren und aufgewachsen sind, können die doppelte Staatsangehörigkeit behalten.*

Enttäuschend ist die geltende Regelung für die seit Jahrzehnten in Deutschland lebenden ausländischen Mitbürger der älteren Generation. Für sie ist eine Reform, z.B. auch das kommunale Wahlrecht, politisch nicht durchsetzbar. Das kommunale Wahlrecht gilt nur für EU-Staatsbürger, die in Deutschland einen festen Wohnsitz haben.

## Die Flüchtlingskrise seit 2015

### Das Stichwort☞ Flüchtlinge / Geflüchtete
*Vom Juli 2015 bis Ende 2018 haben mehr als 1,3 Millionen Menschen aus dem Nahen Osten, aus Syrien, dem Irak und Afghanistan sowie aus den Krisengebieten Afrikas Asyl beantragt. Nachdem die Türkei-Route geschlossen war, kam die Mehrzahl über Libyen und das Mittelmeer. Mitte 2018 lebten über 900 000*

## Ausländische Bevölkerung in Deutschland 2018

| | Anzahl 2017 | Anzahl 2018 | Anteil Ausländer 2017 | Anteil Ausländer 2018 | Veränderung Anzahl 2018/2017 |
|---|---|---|---|---|---|
| Europa | 7.507.310 | 7.636.615 | 70,7% | 70,0% | 1,72% |
| (davon EU) | (4.701.290) | (4.789.755) | (44,3%) | (43,9%) | (1,88%) |
| Afrika | 539.385 | 570.115 | 5,1% | 5,2% | 5,70% |
| Amerika | 271.425 | 283.585 | 2,6% | 2,6% | 4,48% |
| Asien | 2.184.410 | 2.297.970 | 20,6% | 21,1% | 5,20% |
| Australien, Ozeanien | 17.360 | 17.795 | 0,2% | 0,2% | 2,51% |
| staatenlos, ungeklärt und ohne Angabe | 104.055 | 109.375 | 1,0% | 1,0% | 5,11% |
| **Gesamt:** | **10.623.945** | **10.915.455** | **100,0%** | **100,0%** | **2,74%** |

*Die größte Nationalitätengruppe stellten 2018 die Türken mit 1,48 Millionen (= 13,5% der ausländischen Bevölkerung). Ende 2018 lebten etwa 10,9 Millionen Menschen mit ausländischer Staatsangehörigkeit in Deutschland (1990: 5,6 Mio, 2000 7,3 Mio). Die Einbürgerungsquote betrug 2018 1,3% (= 112 300 Einbürgerungen). (Statistisches Bundesamt)*

anerkannte Flüchtlinge in Deutschland. 185 000 Menschen stellten 2018 Asylanträge (37,5% werden anerkannt), 23 000 wurden abgeschoben oder reisten freiwillig wieder aus.

## Das Stichwort ☞ Helferkreise

*Zu Beginn der Flüchtlingskrise bildeten sich in Städten und Gemeinden Helferkreise aus Bürgern, die spontan ihre Hilfe anboten, weil die staatlichen Stellen*

*anfangs hoffnungslos überfordert waren. In der deutschen Geschichte waren diese zivilgesellschaftlichen Initiativen etwas ganz Neues. Heute kümmern sich die Helfer um bezahlbaren Wohnraum für anerkannte Flüchtlinge, um Sprachunterricht, Jobs und helfen bei Problemen des Alltags (Willkommenskultur). Sie beklagen aber auch die bürokratischen Hürden, vor die Flüchtlinge und ihre Helfer gestellt sind. Viele haben schon aufgegeben.*

Integrationsziele sind ein Schulabschluss, der Beginn einer Ausbildung oder eines Arbeitsverhältnisses. Ehrenamtliche Asylhelfer haben den Bundesverband ehrenamtlicher Flüchtlingshelfer „Unser Veto" gegründet, das ihrer Arbeit gegen eine restriktive Flüchtlingspolitik eine Stimme gibt und gegen Kritik stärkt.

## Das Stichwort ☞ Asyl

*„Politisch Verfolgte genießen Asylrecht" heißt es in Artikel 16a des Grundgesetzes. Dieses Grundrecht wurde aus der Erfahrung der Vergangenheit heraus formuliert: Für Deutsche, die vor der Naziherrschaft ins Ausland fliehen mussten, und später auch für Deutsche, die aus der DDR geflohen sind. 1993 wurde nach heftigen politischen Auseinandersetzungen das Recht auf Asyl modifiziert. Asylbewerber, die aus sicheren Drittstaaten (= Länder, in denen die Genfer Flüchtlingskonvention und die europäische Menschenrechtskonvention gelten) einreisen, haben kein Anrecht mehr auf Asyl (Schengener Abkommen und Dubliner Verfahren, siehe S. 92).*
*Für Flüchtlinge, die heute vor Bürgerkrieg und Terror fliehen, gilt das breitere europäisches Recht und die Genfer Flüchtlingskonvention.*

**1.** Bundesweit sind Erstaufnahmeeinrichtungen und zentrale Unterkünfte geschaffen worden, in denen Flüchtlinge Asyl beantragen.
Die Entscheidung über die Anerkennung von Asyl fällt in Deutschland das Bundesamt für Migration und Flüchtlinge in Nürnberg (= BAMF) und seine Außenstellen. Anerkannte Flüchtlinge können ihre nächsten Angehörigen – Kinder, Eltern, Ehegatten – nach Deutschland nachholen. Abgelehnte Asylbewerber aus sicheren Drittstaaten können relativ schnell abgeschoben (= zurückgeschickt) werden. Deutschland versucht inzwischen, die Zahl „sicherer" Drittstaaten zu erhöhen, um mehr Flüchtlinge zurückschicken zu können. Der Druck auf ausreisepflichtige Asylsuchende ist ständig gewachsen. Sogenannte Gefährder, von denen Terrorgefahr ausgehen kann, und Straftäter müssen sofort das Land verlassen. Es ist nicht zu übersehen, dass die Praxis der Abschiebung auch zu Härtefällen führt. Flüchtlinge, die nicht abgeschoben werden können (es droht ernsthafter Schaden im Herkunftsland), können einen subsidiären Schutz, ein begrenztes Bleiberecht für ein Jahr, bekommen. Seit Juli 2018 dürfen maximal 100 Familienangehörige im Monat nach Deutschland kommen.
Für die meisten gibt es keine legale Möglichkeit, ein sicheres EU-Land zu erreichen. Deshalb flüchten viele

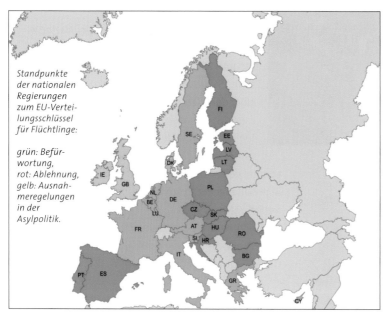

*Standpunkte der nationalen Regierungen zum EU-Verteilungsschlüssel für Flüchtlinge:*

*grün: Befürwortung, rot: Ablehnung, gelb: Ausnahmeregelungen in der Asylpolitik.*

Initiativen helfen, aber die Asylentscheidungen sind wegen der komplexen Probleme oft langsam und die Behördenwege mühsam. Gerichte sind überfordert, weil Zweidrittel der abgelehnten Asylbewerber klagen. Viele Geflüchtete waren in ihrer Heimat selbstständig und wollen es auch in Deutschland wieder werden. Die KfW Förderbank stellt bereits fest, dass 2016 die Zahl der ausländischen Gründer im Vergleich zu einheimischen Gründern relativ hoch war. Inzwischen ist die Eingliederung in den Arbeitsmarkt auf einem guten Weg.

mit falschen Papieren und auf lebensgefährlichen Wegen und bezahlen das oft mit ihrem Leben. Europa braucht ein einheitliches Asylverfahren und eine Agentur für Migration, die Asyl und Einwanderung regelt.

**2.** Ein Teil der Geflüchteten sind inzwischen in Arbeit oder Ausbildung. Ein Teil lernt Deutsch in Deutschkursen. Die meisten Kinder sprechen Deutsch und fühlen sich in der Schule wohl.

Das Gesetz über Duldung bei Ausbildung und Beschäftigung gilt seit Januar 2020 für Menschen, die nicht als Flüchtlinge anerkannt sind, aber aus humanitären Gründen auch nicht ausreisen können. Sie müssen ihre Identität geklärt haben, gut integriert sein, seit eineinhalb Jahren eine Arbeit haben, von der sie leben können, und gut Deutsch sprechen. Sie können nach 30 Monaten, wenn alles gut läuft, das Aufenthaltsrecht bekommen. Besonders kleine, engagierte Firmen sind froh, wenn ihre Azubis bleiben dürfen.

Nicht zu unterschätzen sind Schwierigkeiten, die einer schnellen Integration entgegenstehen. Erschwerend ist, dass viele neben der deutschen Sprache erst einen Beruf erlernen müssen. Alle staatlichen Stellen, Kommunen, Arbeitsagenturen, Firmen, Schulen und private

**3.** Brüssel appellierte an die Solidarität der Länder und schlug einen Verteilerschlüssel mit bestimmten Aufnahmequoten vor. Das Ergebnis war niederschmetternd. Viele Länder, allen voran die neuen EU-Länder im Osten, lehnen die Aufnahme von Flüchtlingen bis heute strikt ab, trotz der Appelle des EU-Präsidenten für Menschlichkeit und Solidarität. Der Ausspruch der Kanzlerin „Wir schaffen das", d.h. die Aufnahme der Flüchtlinge, rief begeisterte Zustimmung, später aber auch Kritik und heftige Ablehnung hervor. Dieser Satz spaltet die Bevölkerung in Unterstützer und Gegner bis heute. Unsicherheit, Angst vor sozialer Benachteiligung und Angst vor Kriminalität, Angst vor rasanter Veränderung entstanden und der Rechtsextremismus verstärkte sich bedrohlich. Massive Drohungen gegen Menschen, die sich in Ämtern oder ehrenamtlich für Flüchtlinge einsetzen, schreckt die Politik auf. Rechtsradikale Kräfte verbreiten Hassbotschaften über das Internet; rechte Pöbler und verblendete Mitläufer setzten bereits Flüchtlingsunterkünfte in Brand und verübten Gewalttaten. Neu ist die hohe Emotionalisierung, die zu Gewalt führt (siehe S. 158).

**4.** Angesichts wechselnder Fluchtwege haben sich die EU-Mitgliedsländer geeinigt, die EU-Außengrenzen besser zu schützen (siehe Frontex, S. 147). Innerhalb Europas wurden zum Schutz sogar Mauern und Zäune errichtet: eine weltweite Entwicklung, die große Sorgen bereitet. Nationale Kontrollen an den EU-Innengrenzen sollen das Schengener-Abkommen der offenen Grenzen aber nur vorübergehend außer Kraft setzen.

Die Bekämpfung der Fluchtursachen vor allem in afrikanischen Ländern wird zu einem dringenden Problem. Die Politik macht Gelder frei, um private Investitionen zu fördern, damit Jobs vor Ort entstehen. Vor allem mittelständische Firmen können trotz vieler Risiken der Schlüssel zur wirtschaftlichen Entwicklung sein, damit Afrika nicht nur Rohstoffe liefert, sondern auch selbst verarbeitet und Werte schafft. Das Freihandelsabkommen zwischen afrikanischen Staaten könnte ebenfalls die Bereitschaft zu investieren fördern.

**5.** Das „NETZWERK Unternehmen integrieren Flüchtlinge" bringt Betriebe aller Größen, Branchen und Regionen zusammen, die geflüchtete Menschen beschäftigen oder sich ehrenamtlich engagieren wollen. Es ist eine Initiative des Deutschen Industrie- und Handelskammertages (DIHK) und wird vom Bundeswirtschaftsministerium gefördert. Es mangelt nicht an Offenheit und Bereitschaft, aber an Wissen und Praxis. Die will das Netzwerk vermitteln, damit Integration aktiv angepackt wird. Viele Firmen sind schon Mitglied geworden und die Zahl wächst.

Über 100 Unternehmen haben das Integrationswerk www.wir-zusammen. de gegründet. Sie haben Integrationsprojekte unterstützt, Praktikumsplätze angeboten und Patenschaften übernommen. Inzwischen sind die Aktionen abgeschlossen, da die meisten die Ausbildung durchlaufen haben. Die Hürden waren hoch, da oft die Deutschkenntnisse nicht ausreichten und die Asylverfahren noch liefen. Dass die Flüchtlinge den Fachkräftemangel in Deutschland lindern können, sehen mehr als die Hälfte der Deutschen skeptisch. Der Weg in eine qualifizierende Ausbildung braucht Zeit, mindestens zwei Jahre. Kleine und mittelständische Betriebe bieten Jobs an, oft nur Aushilfejobs. Vermittelt wird die Arbeit von den Arbeitsagenturen und den Jobzentren. Besonders begehrt sind Akademiker, die aber nur 8% der Flüchtlinge ausmachen. Integration wird somit zu einem Kraftakt. Bund und Bundesländer stellen Geld für Wohnraum, Bildung und Arbeit zur Verfügung. Der Malteser-Hilfsdienst ist an mehr als 100 Standorten in der Flüchtlingshilfe tätig und kümmert sich um Unterbringung, Betreuung und Verpflegung von Asylsuchenden in Erstaufnahmeeinrichtungen und kommunalen Unterkünften. Der Caritasverband, ein Hilfswerk, unterstützt mit der Tagesbetreuung von Kindern, mit einem Mittagstisch, mit Sozialarbeit und der Betreuung von Flüchtlingskindern und unbegleiteten minderjährigen Flüchtlingen.

„Hilfreich sind Organisationen wie der Trägerkreis Junge Flüchtlinge e. V. in München, der sich mit seinen ganzheitlichen Angeboten – SchlaU (= schulanaloger Unterricht), Übergang Schule-Beruf (ÜSB) und SchlaU-Werkstatt für Migrationspädagogik – dafür einsetzt, dass junge Geflüchtete ein Recht auf Bildung und gesellschaftliche Teilhabe haben. Der Fachbereich ÜSB begleitet die SchlaU-Schüler*innen in eine nachhaltige Integration. Der Trägerkreis setzt sich seit 20 Jahren durch Stabilisierung und Sofortbeschulung, politische Arbeit und Bildungsarbeit in der Migrationsgesellschaft für die Integration und Verbesserung der Lebensbedingungen junger Geflüchteter in Deutschland ein."

Inzwischen haben eine viertel Million Geflüchtete einen sozialversicherungspflichtigen Job gefunden, aber fast eine halbe Million sucht eine Arbeit, weitere beziehen Hartz IV. Akademiker arbeiten oft unter ihrer Qualifikation. Frauen sind deutlich weniger berufstätig wegen der Betreuung der Kinder und geringer Berufserfahrung.

# Was wir sind und was wir wollen

*Textauszug aus: „Wir neuen Deutschen" von Özlem Topçu, Alice Bota und Khuê Pham, S. 7, 8, 10, 11, 167, 174/75*

*Wir finden, dass es sich verdammt gut hier lebt in diesem Land, von dem wir nicht wissen, wie wir es nennen sollen: Heimat? Zuhause? Fremde? Unser Deutschland – oder doch: euer Deutschland?*

*Wir sind hier aufgewachsen, wir haben hier Deutsch gelernt, sind hier zur Schule gegangen und haben uns an den Wohlstand gewöhnt, der uns immer dann bewusst wurde, wenn wir die Kargheit in der Heimat unserer Eltern sahen. ... Erst sehr spät haben wir verstanden, dass es einen großen Unterschied macht, ob man Heranwachsender in Deutschland ist oder deutscher Heranwachsender. ...*

*Nach und nach haben wir begriffen, dass wir trotz aller Anstrengungen immer anders bleiben. ... Die Deutschen fühlen mit ihrem Herzen, dass sie von hier kommen und hierhergehören. Wir wissen es nur mit unserem Verstand. Und so kommen wir uns manchmal wie Hochstapler vor, wenn wir versuchen unser deutsches Leben zu führen...*

*Unsere Biographien sind sperrige Hybriden, die für Eindeutigkeiten nicht taugen. Khuê Pham mag ein vietnamesischer Name sein und Özlem Topçu ein türkischer, aber weder ist die eine Vietnamesin noch die andere Türkin. Beide wurden in Deutschland geboren; die eine wuchs hier auf, die andere lebte lediglich als Kind für drei Jahre in der Türkei. Der Name Alice Bota klingt deutsch, aber er hat diesen Klang erst angenommen,*

*als aus einer Alicja eine Alice gemacht wurde. Sie kam als Achtjährige nach Deutschland, als Einzige von uns dreien besitzt sie zwei Pässe. Khuê Pham stammt aus einer aufgestiegenen Bildungsbürgerfamilie; Özlem Topçu ist ein Arbeiterkind und hat als Erste in der Familie studiert. Alice Bota hat erlebt, wie ihre Akademikereltern in Deutschland wieder von vorn anfangen müssten. Unsere größte festzustellende Gemeinsamkeit: Wir haben einen Migrationshintergrund.*

*Es ist ein merkwürdiges Wortungetüm. Die deutsche Verwaltung hat es vor einigen Jahren eingeführt, um Ordnung zu schaffen, weil die Dinge unübersichtlich geworden sind. ...Es versucht eine Definition, die offenbart, wie vage das Konzept von Deutsch-Sein und Nicht-deutsch-Sein ist. ...*

*Jeder Vierte unter 25 hat einen Migrationshintergrund – eine zerrissene Generation wächst in Deutschland heran. Identifiziert sie sich mit diesem Land oder damit, nicht dazuzugehören? In den letzten Jahren betonen immer mehr neue Deutsche ihren Platz hier, in Büchern wie „Sie sprechen aber gut Deutsch" oder dem „Manifest der Vielen", ... sie beschreiben ein anderes deutsches Lebensgefühl, eines, das sich selbst benennen will. Es besteht nicht nur aus Wut über Ausgrenzung, sondern auch aus Sehnsucht nach Zugehörigkeit. Eine dritte Identität jenseits von Deutschsein und Fremdsein wächst heran. ...*

*Die Erfahrungen, die wir drei in diesem Land machen, stehen für die Erfahrungen von Millionen anderen neuen Deutschen. Sie stehen aber auch für die Erfahrungen von Millionen Deutschen. Wer kennt es nicht, das Gefühl, am falschen Platz zu sein, weil er aus einem anderen Milieu kommt, von einem anderen Ort? Wer kennt sie nicht, die Sehnsucht anzukommen, weil etwas in der Familie oder in einem selbst zerrissen ist? Wer kennt nicht den Wunsch aufzusteigen und die Angst abzusteigen? Der Wunsch, akzeptiert zu werden: Ist das nicht ein universeller Wunsch? Und ist nicht die Fähigkeit, andere zu akzeptieren, genauso universell?*

# 2. Die Bundesländer

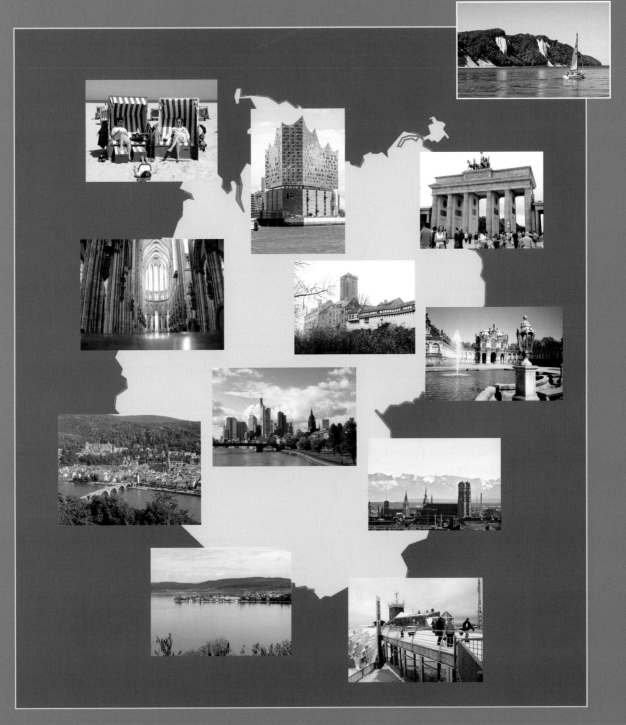

Schleswig-Holstein
Kiel
Lübeck
Rostock
Hamburg
Schwerin
Mecklenburg-Vorpommern
Bremerhaven
Bremen
Niedersachsen
Brandenburg
Hannover
Berlin
Sachsen-Anhalt
Frankfurt (Oder)
Braun-schweig
Potsdam
Magdeburg
Witten-berg
Cottbus
Dessau
Nordrhein-Westfalen
Meißen
Düsseldorf
Leipzig
Dresden
Köln
Thüringen
Hessen
Bonn
Weimar
Koblenz
Fulda
Erfurt
Jena
Zwickau
Chemnitz
Gera
Sachsen
Wiesbaden
Frankfurt
Rheinland-Pfalz
Mainz
Bayreuth
Trier
Würzburg
Saarland
Saarbrücken
Mannheim
Nürnberg
Heidelberg
Bayern
Karlsruhe
Stuttgart
Regensburg
Baden-Württemberg
Augsburg
Freiburg
München

## ■ Auf einen Blick

| Die Bundesländer und ihre Hauptstädte (2018) | Fläche (km²) | Einwohner (1000) | Einwohner (km²) | Seite |
|---|---|---|---|---|
| Baden-Württemberg (Stuttgart) | 35.748 | 11.070 | 310 | 52 |
| Bayern (München) | 70.542 | 13.077 | 185 | 52 |
| Berlin | 891 | 3.645 | 4.090 | 35 |
| Brandenburg (Potsdam) | 29.654 | 2.512 | 85 | 34 |
| Bremen | 419 | 386 | 1.629 | 30 |
| Hamburg | 755 | 1.841 | 2.438 | 27 |
| Hessen (Wiesbaden) | 21.116 | 6.266 | 297 | 44 |
| Mecklenburg-Vorpommern (Schwerin) | 23.295 | 1.610 | 69 | 31 |
| Niedersachsen (Hannover) | 47.710 | 7.982 | 167 | 29 |
| Nordrhein-Westfalen (Düsseldorf) | 34.112 | 17.933 | 526 | 41 |
| Rheinland-Pfalz (Mainz) | 19.858 | 4.085 | 206 | 50 |
| Saarland (Saarbrücken) | 2.571 | 991 | 385 | 51 |
| Sachsen (Dresden) | 18.450 | 4.078 | 221 | 47 |
| Sachsen-Anhalt (Magdeburg) | 20.454 | 2.208 | 108 | 39 |
| Schleswig-Holstein (Kiel) | 15.804 | 2.897 | 183 | 26 |
| Thüringen (Erfurt) | 16.202 | 2.143 | 132 | 45 |

*(Statistisches Bundesamt 2019)*

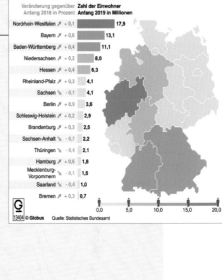

**Die Bevölkerung in den Bundesländern**

Veränderung gegenüber Anfang 2018 in Prozent — Zahl der Einwohner Anfang 2019 in Millionen

| | | |
|---|---|---|
| Nordrhein-Westfalen | ↗ + 0,1 | 17,9 |
| Bayern | ↗ + 0,6 | 13,1 |
| Baden-Württemberg | ↗ + 0,4 | 11,1 |
| Niedersachsen | ↗ + 0,2 | 8,0 |
| Hessen | ↗ + 0,4 | 6,3 |
| Rheinland-Pfalz | ↗ + 0,3 | 4,1 |
| Sachsen | ↘ - 0,1 | 4,1 |
| Berlin | ↗ + 0,9 | 3,6 |
| Schleswig-Holstein | ↗ + 0,2 | 2,9 |
| Brandenburg | ↗ + 0,3 | 2,5 |
| Sachsen-Anhalt | ↘ - 0,7 | 2,2 |
| Thüringen | ↘ - 0,4 | 2,1 |
| Hamburg | ↗ + 0,6 | 1,8 |
| Mecklenburg-Vorpommern | ↘ - 0,1 | 1,6 |
| Saarland | ↘ - 0,4 | 1,0 |
| Bremen | ↗ + 0,3 | 0,7 |

0,0    5,0    10,0    15,0    20,0

13404 © Globus    Quelle: Statistisches Bundesamt

**1.** Die Bundesrepublik hat eine föderalistische Struktur: Jedes Bundesland hat eine eigene Verfassung, eine eigene Regierung und ein eigenes Parlament, den Landtag. Berlin, Bremen und Hamburg haben einen Senat. Die Bundesländer sind für die Verwaltung, das Verkehrswesen, das Schulwesen, den Kulturbereich, den Strafvollzug und die Polizei verantwortlich. Die Städte und Gemeinden kümmern sich um die sozialen Einrichtungen.

**2.** Der Bund ist für nationale und internationale Angelegenheiten, z.B. für die Außen- und Verteidigungspolitik, die Atomenergie, den Schutz deutschen Kulturguts, das Passwesen, die Währung, für Einwanderung und Abwehr des internationalen Terrorismus zuständig. Der Bund ist auch für die Autobahnen und den Bau von Schulen zuständig.

**3.** Immer mehr innenpolitische Entscheidungen sind an die Europäische Union gegangen. Die Mitgliedsländer möchten aber Mitspracherechte bewahren und das Subsidiaritätsprinzip stärken: D.h. bestimmte Aufgaben in den Bereichen Beschäftigung, Umwelt, Bildung und Gesundheit werden nur dann an die Union abgegeben, wenn sie regional nicht erfüllt werden können. Der „Ausschuss der Regionen" ist z.B. die Stimme der Bundesländer in der EU.

**4.** Heute gehen zunehmend landwirtschaftliche Flächen verloren. Erosion und vor allem eine industriell betriebene Landwirtschaft machen dem Boden zu schaffen. Auch beansprucht der Ausbau der Infrastruktur wertvolle Flächen: Autobahnen und Straßen entstehen, Kommunen fördern Gewerbegebiete am Rande der Städte und Dörfer. Die Folge: Kleinere Geschäfte in den Innenstädten schließen und die Stadtkerne verändern sich.

**5.** Die großen Städte und ihre sogenannten Speckgürtel ziehen immer mehr Menschen an; die Landflucht lässt ländliche Gegenden zurückfallen: In Dörfern fehlen öffentliche Verkehrsmittel, Geschäfte, Kitas und Schulen, auch stabiler Internetanschluss. Der Bund ist im Zugzwang, denn das Grundgesetz garantiert gleichwertige Lebensverhältnisse, sonst haben Rechtsextreme leichtes Spiel.

## Aufgaben

1. Die Bundesrepublik Deutschland ist ein Bundesstaat, d.h. die Bundesländer sind zu einem Gesamtstaat miteinander verbunden. Nennen Sie andere Staatsformen. Versuchen Sie, die Europäische Union (S. 91ff. und S. 160) zu charakterisieren.
2. Finden Sie europäische und außereuropäische Staaten, die auch Bundesstaaten sind.
3. Nennen Sie die fünf neuen Bundesländer.

## Schleswig-Holstein

Das nördlichste Bundesland. – Fläche und Bevölkerung siehe S. 25. Kiel (= Landeshauptstadt): 243 000 Einwohner; Lübeck: 214 000 Einwohner

**Aus der Geschichte:** Bis zum 14. Jahrhundert regierten dänische Herzöge den nördlichen Landesteil. Auch später bildete Schleswig-Holstein für lange Zeit eine politische Union mit Dänemark.

*Wattwanderung*

**Wattwandern ohne Gefahr**

Immer mehr Urlauber und Besucher des Nordseeheilbades Cuxhafen wollen den Nationalpark Wattenmeer kennenlernen – eine der letzten Naturlandschaften Europas, seit 2009 Weltnaturerbe, erweitert 2011 und 2014. Viele Gäste schließen sich aus Sicherheitsgründen informativen Wattführungen an. Damit die Gefahren von Flut und Ebbe nicht unterschätzt werden, haben „Die Seenotretter" eine Mobilfunknummer eingerichtet und geben auf ihrer Homepage Anweisungen zum Verhalten im Watt.

Nach dem Ersten Weltkrieg kamen schließlich Nordschleswig zu Dänemark und Südschleswig zu Deutschland. Die dänische Minderheit in Schleswig-Holstein ist heute mit drei Abgeordneten im Kieler Landtag vertreten.

**Klima und Landschaft:** Zwei Meere umschließen Schleswig-Holstein: Nordsee und Ostsee. Der Nordseeküste vorgelagert sind kleine und größere Inseln: die sogenannten Halligen, die Nordfriesischen Inseln und Helgoland. Zwischen diesen Inseln und dem Festland erstreckt sich das flache Wattenmeer. Die Nordseeküste liegt zum Teil unter dem Meeresspiegel. Die Sicherung der Küsten, d.h. der Bau von Klimadeichen, ist deshalb immer wichtiger geworden, denn der Meeresspiegel steigt und die Gefahr von Sturmfluten nimmt zu. Die Ostseeküste hat mehr Sonne als die Nordseeküste, dazu eine landschaftlich reizvolle Seen- und Hügellandschaft im Hinterland, genannt „Holsteinische Schweiz".

**Wirtschaft:** Der Fremdenverkehr in den Nord- und Ostseebädern und auf den Inseln Sylt, Föhr, Amrum, Helgoland, Juist und Fehmarn ist neben der Landwirtschaft der wichtigste Wirtschaftsfaktor. Die Nordsee ist fischreich, aber für Nutzfische wie den Kabeljau gelten Fangquoten, um den Bestand nicht zu gefährden; in der Ostsee ist der Dorsch in Gefahr. Der Nord-Ostsee-Kanal verbindet beide Meere.

*Möchten Sie hier wohnen, auf einer Insel, umgeben von der Nordsee?*

Holstentor
in Lübeck

# Hamburg
## (Freie und Hansestadt Hamburg)

Stadtstaat. – Hafenstadt. – Zweitgrößte Stadt Deutschlands. – Fläche und Bevölkerung siehe S. 25. An der Elbe gelegen, ca. 110 km von der Nordsee entfernt.

**Städte:** *Kiel* liegt an einem Naturhafen. Sitz der Howaldtswerke – Deutsche Werft (HDW), fusioniert zu ThyssenKrupp Marine Systems, bekannt für den Bau von nicht-nuklearen U-Booten und Marineschiffen. Hier findet die „Kieler Woche" statt mit internationalen Segelwettbewerben, verbunden mit einem großen Volksfest.

*Lübeck*, früher das Herz der Hanse, ist auch die Stadt der „Buddenbrooks" (Roman von Thomas Mann über den Niedergang einer hanseatischen Kaufmannsfamilie). Die Schriftsteller Thomas Mann, der 1929 den Nobelpreis für Literatur erhielt, und sein Bruder Heinrich Mann wurden hier geboren. Das Wahrzeichen Lübecks ist ein 500 Jahre altes Stadttor, das Holstentor.

## Das Stichwort ☞ die Hanse

*1358 gegründeter Städtebund aus insgesamt 70 bis 80 Städten unter der Führung Lübecks. Ziele: nur Handelsinteressen und gegenseitiger Schutz. Die Hanse hatte etwa 200 Jahre das Handelsmonopol im Ostseeraum. Hamburg, Bremen und Lübeck bezeichnen sich heute noch als „Hansestädte". 2015 öffnete das europäische Museum zur Geschichte der Hanse in Lübeck, das Details aus 500 Jahren Handelsimperium präsentiert. Der Zusammenschluss freier Bürger und Städte war etwas Neues in Europa. Der Niedergang begann mit der Entdeckung Amerikas.*

**Aus der Geschichte:** Hamburg war jahrhundertelang eine freie Reichs- und Hansestadt. Noch heute nennen sich ihre Minister „Senatoren". Die Lage machte Hamburg schon im 13. Jahrhundert zu dem wichtigsten Seehafen an der Nordsee. Im Zeitalter der Entdeckungen verloren die Ostseehäfen an Bedeutung, Hamburg dagegen erlebte einen großen Aufschwung. Seine Schiffe fuhren auf den neuen Handelswegen bis nach Indien und Amerika.

Im Jahr 1842 wurde die mittelalterliche Altstadt durch ein Feuer vernichtet. Das Wahrzeichen der Stadt, der Michel – die St.-Michaelis-Kirche aus dem 18. Jahrhundert – wurde 1906 durch einen Brand zerstört und später originalgetreu wieder aufgebaut. Im Zweiten Weltkrieg wurde die Innenstadt von Hamburg fast völlig in Schutt und Asche gelegt.

Für die Besucher ist eine Hafenrundfahrt ein bleibendes Erlebnis. Jedes Jahr am 7. Mai wird der „Hafengeburtstag" gefeiert; seit diesem Tag im Jahr 1189 besitzt der Hafen Zoll- und Schifffahrtsprivilegien (heute „Freihafen"-Status).

**Allgemeines:** Hamburgs Hafen, das „Tor zur Welt", hat eine Fläche von 100 km²; hier arbeiten ca. 140 000 Menschen. Hamburg ist der drittgrößte Hafen in Europa nach Rotterdam und Antwerpen (NL) und einer der zehn wichtigsten Häfen im Containerumschlag der Welt. Er ist der größte Importhafen für Kaffee, einer der führenden Umschlagplätze für Gewürze und

Transithafen Nummer eins für Kakao in Europa.

Der Hafen muss neuen Ansprüchen an Landeanlagen, Umschlag und Lager gerecht werden und will seine internationale Stellung behaupten. Damit die immer größer werdenden Containerschiffe den Hafen auch in Zukunft anfahren können, soll die Elbe auf 100 km zwischen Hamburg und der Mündung bis auf 17 m vertieft werden. Containerschiffe folgen internationalen Handelsrouten rund um den Globus und der Export ist auf sie angewiesen.

Hamburg ist eine weltoffene Stadt. Die Hamburger nennen sich gern „Hanseaten", weil sie stolz sind auf den Geist und die Geschichte ihrer Stadt. Aushängeschild dieses Weltgefühls ist die achteinhalb Kilometer lange Hamburger Elbchaussee mit ihren klassizistischen Villen, den Herrensitzen und Parks. Keine deutsche Großstadt hat so viele ausländische Konsulate wie Hamburg. Ausländische Kaufleute sind hier ebenso zu Hause wie Handelsdelegationen aus aller Welt.

Hamburg lebt aber nicht von seinem Hafen und den vielen Besuchern allein. In Hamburg wird ein Teil des europäischen Airbus gebaut, hier befindet sich auch DESY (= Deutsches Elektronen-Synchrotron), eine Forschungsstätte für Teilchenphysik (Hier wurde 2019 ein vielfach verwendbarer Biofaden aus einem neuen Werkstoff erfunden, der fester als Stahl ist), und eine internationale Forschungsanlage der Superlative: das European XFEL, ein Röntgenlaser, der neue Erkenntnisse in Biologie, Chemie, Naturwissenschaften und Physik ermöglicht.

**Kultur**: Hamburg ist auch eine Kulturstadt von Rang. Felix Mendelssohn Bartholdy (1809–1847) und Johannes Brahms (1833–1897) wurden hier geboren (siehe S. 125). Die Namen Bach, Telemann und Händel sind mit Hamburg verknüpft. Die Hamburgische Staatsoper und ihr Ballett, das Thalia-Theater und das Deutsche Schauspielhaus haben eine lange Tradition. Im Jahr 2017 ist die Elbphilharmonie fertiggestellt worden, ein futuristisches Konzerthaus, das auf einem alten Kakao-Speicher im Hafen errichtet wurde (S. 23).

Typisch für das kulturelle Leben ist das Mäzenatentum, die Bedeutung privater Mäzene, die Stiftungen und Kulturpreise ins Leben rufen (Hamburg hat die meisten Stiftungen). Sie verschafften auch der Hamburger Kunsthalle und dem Museum für Kunst und Gewerbe bedeutende Sammlungen. Und bessern die öffentlichen Kassen auf. Hamburg ist Medienstadt: Hier wird DER SPIEGEL gemacht, hier erscheint die bekannte libe-

rale Wochenzeitung DIE ZEIT. Die Deutsche Presseagentur (dpa) und Fernseh- und Hörfunkanstalten haben in Hamburg ihren Sitz.

**Nachtleben**: Weltberühmt ist Hamburg aber auch für sein Amüsierviertel St. Pauli, das treffend so charakterisiert wird:  St. Pauli ist ein riesiges Varieté, am Tag ein Dorf, in der Nacht ist die Welt zu Gast. Musiker, Theatermacher, Abenteurer und Unternehmer treffen sich auf dem Kiez. Reeperbahn und Große Freiheit sind die Zentren des Nachtlebens, der Liveclubs und Tanzbars.

*Ostfriesische Küste*

# Niedersachsen

Das flächenmäßig zweitgrößte Bundesland nach Bayern. – 300 km Nordseeküste. – Fläche und Bevölkerung siehe S. 25. Hannover (= Landeshauptstadt): 524 000 Einwohner; Braunschweig: 249 000 Einwohner

**Aus der Geschichte:** Fast hundert Jahre existierten enge dynastische Beziehungen zu England. Im 18. Jahrhundert bis in die erste Hälfte des 19. Jahrhunderts waren die Kurfürsten in Hannover zugleich Könige von England. Erst Queen Victoria beendete diese Personalunion.

**Landschaft:** Niedersachsen reicht von der ostfriesischen Küste der Nordsee, die grün und unbewaldet ist, zu den Mittelgebirgen, dem Harz und dem Weserbergland. Wichtige Schifffahrtswege durchziehen das Land: die Weser, der Mittellandkanal und im Osten die Elbe. Nördlich von Hannover liegt die Lüneburger Heide, ein Naturpark mit alten Bauernhäusern und Schafherden, den sogenannten Heidschnucken. Sie erstreckt sich über 7000 km².

**Wirtschaft:** Niedersachsen ist ein Agrarland; hier werden Weizen und Gemüse angebaut. Rinder, Schafe und Schweine werden gezüchtet. Berühmt ist die Pferdezucht. Der Hannoveraner ist das beliebteste Turnierpferd überhaupt und zugleich idealer Partner für einen Urlaub zu Pferd. Gleichzeitig zählt Hannover zusammen mit Oldenburg zu den sechs stärksten

Gründerregionen Deutschlands. Außerdem: Das Volkswagenwerk (= VW), der größte Autobauer Europas, steht in Wolfsburg, östlich von Hannover. Fast die Hälfte der Einwohner arbeitet bei VW. Mit VW ist die Geschichte des legendären Käfers – so genannt nach seiner unverwüstlichen Form – verbunden. Am 17. Februar 1972 wurde VW Produktionsweltmeister: Über 15 Millionen Käfer waren vom Band gelaufen. Nach 1977 wurde er noch in Mexiko gebaut. Ab 2015 erlebte VW einen großen Skandal. VW gab zu, die Abgaswerte von Dieselautos manipuliert zu haben. In der Folge musste das Unternehmen hohe Entschädigungssummen zahlen.

Die Seehäfen mit ihren Werften sind wichtige Industriestandorte. Der westlichste Hafen ist Emden. Die an der Ems gelegene Meyer-Werft hat sich auf den Bau von Kreuzfahrtschiffen spezialisiert. Die riesigen Schiffe werden unter den Augen von Tausenden von Schaulustigen die Ems flussabwärts zur Nordsee geschleppt. Der 2012 in Betrieb genommene JadeWeserPort ist ein Tiefseehafen, den die riesigen Containerschiffe der neuesten Generation anlaufen können.

**Städte:** Die Landeshauptstadt *Hannover* ist Verkehrsknotenpunkt zu Wasser (Mittellandkanal) und zu Lande und im Luftverkehr. Sie war Eisenbahnknotenpunkt schon im 19. Jahrhundert, als es über Hannover Verbindungen von Paris über Berlin und Warschau bis Moskau gab und von Kopenhagen bis nach Wien und Rom. Die günstige Lage machte Hannover

*Bremer Marktplatz mit Roland*

zum Standort der größten Industriemesse der Welt, der Hannover Messe.

Die nächstgrößte Stadt, *Braunschweig*, ist kulturell und historisch geprägt. Südlich von Braunschweig liegt *Wolfenbüttel*: An der berühmten Bibliothek dieser Stadt wirkten der Philosoph Gottfried Wilhelm Leibniz und der Dichter Gotthold Ephraim Lessing.

## Bremen (Freie Hansestadt)

Stadtstaat, bestehend aus der alten Handelsstadt Bremen und Bremerhaven. – Das kleinste Bundesland, mit der im Bundesvergleich höchsten Arbeitslosigkeit. – Nach Hamburg größter deutscher Seehafen, auch führender Binnenhafen. – Fläche und Bevölkerung siehe S. 25.

**Aus der Geschichte:** Bremen wurde unter Karl dem Großen 787 Bischofssitz („Rom des Nordens" genannt), 1358 Mitglied der Hanse und 1646 Reichsstadt, d.h. sie hatte besondere Rechte. Seit 1815 nennt sich Bremen wieder Hansestadt.

## Das Stichwort ☞ Bremer Roland

*Errichtet 1404. – Die gotische Statue auf dem Bremer Marktplatz soll den Gefolgsmann Karls des Großen mit dem Schwert der Gerechtigkeit und dem kaiserlichen Adler darstellen. Rolandssäulen gibt es in vielen Ortschaften in Norddeutschland. Ursprung und Bedeutung sind umstritten, wahrscheinlich sind sie Symbol des Marktrechts (= Recht, einen regelmäßigen Markt abzuhalten) oder der Gerichtsbarkeit.*

**Lage und Bedeutung:** Bremen liegt ca. 60 km von der Nordsee entfernt. Bremerhaven liegt an der Mündung der Weser in die Nordsee. Die junge Seestadt Bremerhaven wurde 1827 gegründet, als die Weser zu

*Klimahaus Bremerhaven 8° Ost*

versanden drohte. Umgeschlagen und verarbeitet werden Erdöl, Wolle, Baumwolle, Tabak und Kaffee. In Bremerhaven ist das weltberühmte Alfred-Wegener-Institut zu Hause, das in der Arktis, Antarktis und anderen Ozeanen forscht. Es steuert die deutsche Polarforschung und stellt den Forschungseisbrecher Polarstern (s. S. 156) und Forschungsstationen für die nationale und internationale Wissenschaft zur Verfügung.

**Sehenswürdigkeiten:** Die selbstbewussten Bremer Bürger sind von jeher stolz auf ihre Stadt, besonders auf den Marktplatz mit dem 1000 Jahre alten Dom, dem Renaissance-Rathaus und dem Wahrzeichen der Stadt, dem Bremer Roland.

Eine besondere Attraktion ist das Klimahaus. Die Besucher machen eine Reise um die Welt von und nach Bremerhaven, immer entlang des 8. Längengrades. Sie erleben die Klimazonen unseres Planeten hautnah und lernen die Menschen dort kennen.

Das Deutsche Auswandererhaus in Bremerhaven macht über 300 Jahre Ein- und Auswanderungsgeschichte erlebbar. Anhand von exemplarischen Biografien können sich die Besucher in die Menschen hineinversetzen, die in die Neue Welt aufbrachen oder in Deutschland auf ein besseres Leben hofften. Das mit dem Europäischen Museumspreis 2007 ausgezeichnete Erlebnismuseum verbindet somit Vergangenheit und Gegenwart.

# Mecklenburg-Vorpommern

Mit der Vereinigung wieder entstandenes Bundesland. – Mit 71 Einwohnern pro km² das am dünnsten besiedelte Bundesland. – Fläche und Bevölkerung siehe S. 25. Schwerin (= Landeshauptstadt): 95 000 Einwohner; Rostock: 203 000 Einwohner; Neubrandenburg: 66 000 Einwohner; Stralsund: 58 000 Einwohner

**Aus der Geschichte:** Im Dreißigjährigen Krieg (1618–1648) wurden Mecklenburg und Pommern stark verwüstet. Vorpommern und die Insel Rügen gehörten von 1648 (Westfälischer Frieden) bis 1803 zu Schweden. Nach 1815 war ganz Pommern eine Provinz des Königreichs Preußen. Nach dem Zweiten Weltkrieg entstand 1945 das westlich der Oder liegende Land Mecklenburg-Vorpommern. Die östlich dieser Linie liegenden Teile Pommerns sowie das südlich davon gelegene Schlesien gehören heute zu Polen.

**Das Stichwort** ☛ **Oder-Neiße-Grenze**
*Im Potsdamer Abkommen 1945 festgelegte und 1990 endgültig anerkannte deutsche Ostgrenze.*

**Landschaft und Naturschutz:** Die langen Strände und Dünen der Ostseeküste, die Inseln Rügen mit den berühmten Kreidefelsen (S. 23), Hiddensee und Usedom und die ca. 650 Seen der Mecklenburgischen Seenplatte sind ideale Freizeit- und Erholungsgebiete. Die Kanäle und Flüsse sind so miteinander verbunden, dass man auf dem Wasser bis hinein nach Berlin fahren kann.

Typisch sind die schönen alten Alleen, die noch nicht dem Straßenbau zum Opfer gefallen sind. Die Müritz ist mit 113 Quadratkilometern nach dem Bodensee der größte See in Deutschland. Im Müritz-Nationalpark „Ostufer" leben seltene Vogelarten, Kraniche, Eisvögel und sogar Fischadler. Auf der Insel Rügen, der größten deutschen Insel, haben sich seltene Pflanzen erhalten. Besorgt beobachten Naturschützer aber einen Bauboom, der viele große Hotels und Ferienhäuser entstehen lässt.

*An der Ostsee*

**Wirtschaft:** Mecklenburg-Vorpommern ist ein Agrarland. Wie in der gesamten ehemaligen DDR wurde die Landwirtschaft in den Fünfzigerjahren nach sowjetischem Muster umstrukturiert: Die Kleinbauern wurden gezwungen, in großräumige LPGs (= Landwirtschaftliche Produktionsgenossenschaften) einzutreten. Nach der Wende fand wiederum eine Umstrukturierung statt: Äcker, Wiesen, Wälder und alles weitere Vermögen der DDR wurden privatisiert, d.h. verkauft. Private bäuerliche Betriebe bewirtschaften heute einen Teil der Fläche; der größere Teil wird von den Nachfolgebetrieben der LPGs in der Rechtsform der Genossen-

*Greifswald-Heringsdorf*

schaft (= Gesellschaft, deren Mitglieder gemeinschaftlich einen Geschäftsbetrieb führen und Geschäftsanteile besitzen) oder einer GmbH (= Gesellschaft mit beschränkter Haftung) bestellt.

Die Arbeitslosigkeit ist gesunken und die Menschen kehren zurück. Aber das Land ist von allen Bundesländern am dünnsten besiedelt, die Einkommen sind am niedrigsten und die Versorgung mit Schulen,

Geschäften und Ärzten ist demzufolge löchrig. Mancher Bürger wird anfällig für rechte Parolen. Aber es gibt doch viele Lichtblicke in „Meckpomm": Firmengründungen und unternehmerische Dynamik. Innovative Firmen der Biotechnologie-Forschung sind in Rostock gegründet worden. Daraus entstand das sogenannte BioCon Valley in Mecklenburg-Vorpommern, der zentrale Ansprechpartner für Biotechnologie, Biowissenschaften und Medizintechnik im Nordosten Deutschlands. BioCon Valley zeichnet sich aus durch eine enge Vernetzung zwischen Forschern und Firmen in der Region und eine optimale Infrastruktur in den Gründerzentren Greifswald, Rostock, Neubrandenburg. Spitzen-Forschung ist in Greifswald angesiedelt (Erforschung der Kernfusion als Energiequelle der Zukunft) und auch die Start-up-Szene ist hier angekommen.

Die Werften in Stralsund, Wismar und Rostock-Warnemünde konnten sich nicht behaupten, wurden insolvent und verkauft. Heute ist der Niedergang gestoppt. Gebaut werden Flussschiffe und vor allem Nordsee-Plattformen, z.B. für Siemens. Ein Geschäftszweig ist der Bau von immer größeren Kreuzfahrtschiffen in Wismar, der einen Boom ausgelöst hat.

Eine große Rolle bei der umweltverträglichen Energiegewinnung spielt die Herstellung von Windkraftanlagen. In Mecklenburg-Vorpommern können bereits bis zu 40% des Strombedarfs durch Windenergie gedeckt werden. Das Land will als erstes Bundesland komplett auf alternative Energien umsteigen. Aber auch konventionelle Energie macht hier Schlagzeilen: In der Nähe von Greifswald geht die neue 1224 Kilometer lange Nord-Stream-Pipeline durch die Ostsee an Land, die Deutschland und Westeuropa mit russischem Gas versorgt. In Planung, aber umstritten ist der Bau der Nord-Stream 2-Pipeline. Die Gaslieferungen aus Russland sollen die zahlreichen Flüssiggas-Terminals ergänzen, über die innerhalb des EU-Netzes Flüssiggas nach Deutschland geliefert wird.

**Städte:** *Schwerins* Aushängeschild ist sein prächtiges Schloss, das die Herzöge von Mecklenburg auf einer Insel im Schweriner See im 17. Jahrhundert erbauen ließen. Es ist Sitz des Landtags.

*Rostock*, seit 1990 wieder Hansestadt, ist geprägt vom Hafen und der Werftindustrie. Fährverbindungen

*Greifswald*

schaffen enge Kontakte zu den skandinavischen Ländern. Die Universität gehört zu den ältesten in Deutschland (gegründet 1419).

Wie *Rostock*, *Greifswald* (Universitätsstadt seit 1456) und *Wismar* war *Stralsund* eine reiche Kaufmannsstadt. Mit der Insel Rügen verbinden die Stadt ein über 60 Jahre alter Damm und eine hochmoderne Brücke. Aus dem Mittelalter sind noch Teile der Altstadt erhalten geblieben; viele Häuser stehen unter Denkmalschutz. Sehenswert sind im Zentrum die alten Bürgerhäuser und das Rathaus in typisch norddeutscher Backsteingotik.

Erhaltenswert sind auch die 2000 Burgen, Schlösser, Guts- und Herrenhäuser des Landes, deren Restaurierung aber erhebliche Geldmittel erfordert.

### Das Stichwort ☞
### Backsteingotik

*„Backstein" ist ein altes Wort für „Ziegel". Seit dem 12. Jahrhundert Bauweise in Nord- und Ostdeutschland sowie in Skandinavien. Kirchliche und weltliche Bauwerke.*

*Stralsund: Alter Markt (Rathaus)*

# Brandenburg

Mit der Vereinigung wieder entstandenes Bundesland. – Das größte der neuen Bundesländer. – Fläche und Bevölkerung (siehe S. 25.) Potsdam (= Landeshauptstadt): 164 000 Einwohner;

Cottbus: 102 000 Einwohner; Brandenburg: 71 000 Einwohner; Frankfurt/Oder: 61 000 Einwohner

**Aus der Geschichte:** Aus dem Kurfürstentum Brandenburg wurde 1701 das Königreich Preußen. Lange Zeit war dieses dünn besiedelte Land wirtschaftlich rück-

Schloss Sanssouci

ständig. Deshalb wurden im 17. und 18. Jahrhundert verfolgte Protestanten in großer Zahl in das „aufgeklärte" Preußen geholt. Holländische Einwanderer, Protestanten aus Salzburg und Hugenotten aus Frankreich brachten ihre Kenntnisse und Fähigkeiten mit und trugen zum Aufschwung Brandenburgs bei.

**Landschaft:** Brandenburgs Landschaft besteht aus Wäldern, Flüssen, etwa 3000 Seen und kargen Sandböden. Einzigartig ist der Spreewald, eine Landschaft mit unzähligen Wasserarmen und vielen kleinen Siedlungen (siehe S. 15). Theodor Fontane, Schriftsteller des 19. Jahrhunderts, beschrieb dieses Gebiet in seinen „Wanderungen durch die Mark Brandenburg" (1862–1882).

**Wirtschaft:** Die Wirtschaft wächst schnell und die Arbeitslosigkeit ist geringer als der ostdeutsche Durchschnitt. Neue Firmen etablieren sich, alte Firmen erneuern sich. Aber es fehlt an Arbeitskräften.

Angesiedelt haben sich Rolls Royce (Triebwerke), Bombardier, Mercedes oder MTU (Flugzeugtriebwerke). Brandenburg setzt außerdem auf den Ausbau erneuerbarer Energien und ist ein bedeutender Standort von Windenergieanlagen geworden. Gleichzeitig hält das Land aber noch an der Stromerzeugung durch Braunkohle fest und genehmigt sogar einen neuen Tagebau. Die klimaschädliche Braunkohle hat allerdings wenig Zukunft (siehe S. 135). In der Lausitz wurde 2019 der Grundstein für einen Riesen-Batteriespeicher – Big Battery – gelegt, damit die Lichter nicht ausgehen. Nicht weit von Berlin entfernt baut der US-Konzern Tesla eine Europa-Gigafabrik für Elektroautos, die Tausende Arbeitsplätze schaffen soll.

*Frankfurt (Oder)*, die Stadt der Europa-Universität Viadrina (Schwerpunkt Kontakte zu Polen), nennt sich auch „Kleiststadt", denn der Dichter Heinrich von Kleist ist hier im Jahr 1777 geboren. Die Stadt ist Standort von Firmen der Mikroelektronik.

**Die Landeshauptstadt:** *Potsdam* hat eine wechselvolle Geschichte. Die Stadt war Residenz der preußischen Herrscher. Hier ließ Friedrich der Große (1712–1786) von seinem Architekten Knobelsdorff nach eigenen Skizzen das berühmte Schloss Sanssouci erbauen, das sein Lieblingsaufenthalt wurde. Hier führte er philosophische Gespräche mit Voltaire und lud berühmte Männer wie Johann

Sebastian Bach ein. Nicht zufällig fand in dieser Stadt, die so eng mit der preußisch-deutschen Geschichte verknüpft ist, nach Ende des Zweiten Weltkriegs die Potsdamer Konferenz statt. Truman (USA), Stalin (UdSSR) und Churchill (Großbritannien) trafen sich mit ihren Außenministern im Schloss Cecilienhof, das heute ein viel besuchtes Museum ist. Das Potsdamer Abkommen regelte 1945 die Aufteilung des besiegten Deutschen Reichs in vier Besatzungszonen, die neuen Grenzen (siehe Stichwort „Oder-Neiße-Grenze", S. 31) und die Aburteilung der Kriegsverbrecher (siehe S. 163).

Potsdam ist der Sitz vieler Forschungsunternehmen der Biotechnologie. Das Potsdam-Institut für Klimafolgenforschung (PIK) erforscht Fragen des Klimawandels, der Klimafolgen und der nachhaltigen Entwicklung. Die Technische Universität Cottbus ist die jüngste in Deutschland. Die zahlreichen ausländischen Studenten loben sie wegen der modernen Einrichtungen und der guten Studienbedingungen.

# Berlin

Mit dem Beitritt der DDR zur Bundesrepublik am 3. Oktober 1990 wurden Berlin-Ost und Berlin-West wiedervereinigt. Berlin ist Hauptstadt und Bundesland (Stadtstaat). – Fläche und Bevölkerung siehe S. 25.

*Brandenburger Tor mit Mauer (Westseite vor der Wende)*

**Aus der Geschichte:** Berlin wurde 1237 erstmals urkundlich erwähnt, also relativ spät. Erst im 17. Jahrhundert trat die Stadt aus ihrem Schattendasein heraus und wurde ein wichtiger Handelsplatz. Im 18. Jahrhundert spielten Preußen und seine Hauptstadt besonders unter Friedrich II. eine zentrale Rolle auf Europas Bühne. 1871 wurde Berlin Hauptstadt des neu gegründeten Deutschen Reichs. Sie war auch die Hauptstadt des sogenannten Dritten Reichs (1933–1945); hier festigte Adolf Hitler seine Diktatur und löste den verheerenden Zweiten Weltkrieg aus.

1933 lebte in Berlin fast ein Drittel aller deutschen Juden, nämlich 160 000. Jüdische Künstler, Wissenschaftler, Theaterleute, Verleger und Schriftsteller begründeten den Weltruhm Berlins als Kulturstadt entscheidend mit. Der Maler Max Liebermann, der Theatermann Max Reinhardt, Albert Einstein, die Schriftsteller Alfred Döblin und Kurt Tucholsky seien stellvertretend dafür genannt. Sie fühlten sich als Teil des liberalen oder auch konservativen Bürgertums und waren Deutsche, bis die Katastrophe des „Dritten Reichs" über sie hereinbrach. Heute hat die Jüdische Gemeinde von Berlin wieder 10 000 Mitglieder und ist damit die größte in Deutschland. Viele sind bemüht, die Tradition auf neuer Grundlage wieder zu beleben. Äußeres Zeichen war am 7. Mai 1995 die Wiedereröffnung der „Neuen Synagoge" und des Gemeindezentrums als Kultur- und Begegnungsstätte.

Die Bombenangriffe und die Kämpfe der letzten Kriegstage 1945 machten aus Berlin einen Trümmerhaufen. Noch heute sind die Folgen der Zerstörung deutlich sichtbar. Nach den Schrecken des Zweiten Weltkriegs wurde Berlin in vier Sektoren aufgeteilt: den amerikanischen, englischen, französischen und russischen. Die Sektoren wurden vom Alliierten Kontrollrat verwaltet. Aber schon bald begann die Teilung in einen demokratisch regierten Westteil und einen kommunistischen Ostteil. Stalin versuchte, ganz Berlin in seine Gewalt zu bringen, und verhängte eine Blockade. Amerikanische und englische Flugzeuge versorgten die Westsektoren fast elf Monate lang über eine Luftbrücke. Sogenannte Rosinenbomber landeten mitten in der Stadt auf dem Flughafen Tempelhof, dem ältesten Flughafen der Welt, der erst 2008 geschlossen wurde. Heute ist er ein alternatives Freizeitgelände.

Auf dem Berliner Opernplatz, wo 1933 Bücher verbrannten, ist heute eine Platte in das Pflaster eingelassen mit folgender Aufschrift: „In der Mitte dieses Platzes verbrannten am 10. Mai 1933 nationalsozialistische Studenten die Werke hunderter freier Schriftsteller, Publizisten, Philosophen und Wissenschaftler."

Blockade 1948/1949: Landendes Transportflugzeug

Nach Beendigung der Blockade begann der Wiederaufbau. West-Berlin wurde eine „Insel", umgeben von der DDR. Berlin-Ost wurde die Hauptstadt der DDR. Bis 1961 verließen Hunderttausende von Flüchtlingen über West-Berlin den Ostteil des Landes. Um den wirtschaftlichen Ruin zu verhindern, errichtete die DDR am 13. August 1961 die Mauer und riegelte West-Berlin von seinem Umland ab. Dies lag auch im strategischen Interesse der Sowjetunion, denn die Grenze trennte nicht nur zwei Staaten, sondern auch zwei Bündnissysteme: die Nato im Westen und den Warschauer Pakt im Osten. Berlin blieb über Transitautobahnen, -wasserstraßen und -bahnverbindungen mit der Bundesrepublik verbunden; in Luftkorridoren wurde der Luftverkehr abgewickelt. Die Westmächte bestanden über Jahrzehnte hinweg auf ihren Rechten aus dem Vier-Mächte-Status. Der amerikanische Präsident John F. Kennedy hielt in Berlin vor dem Rathaus seine berühmte Rede, in der er sich mit den Berliner Bürgern solidarisierte: „Ich bin ein Berliner." Als am 9. November 1989 die Mauer fiel, durchlebte Berlin bewegende Tage, die die Menschen beider Teile wieder zusammenführte. Das erste gemeinsame Silvester wurde ein großartiges Fest am Brandenburger Tor, das von einem Feuerwerk gekrönt war. Es wird jedes Jahr wieder gefeiert.

Die Entscheidung, Berlin wieder zum Regierungssitz zu machen, zog gigantische städtebauliche Maßnahmen nach sich. Der 1884 bis 94 erbaute Reichstag ist für den Bundestag umgebaut worden. Das alte Botschaftsviertel ist neu entstanden: Russland, die USA, Frankreich und Großbritannien konnten auf Grundstücke zurückgreifen, die ihnen schon vor dem Krieg gehörten, und bauten hier ihre Botschaften. Wo früher der Lehrter Bahnhof stand – heute nicht weit vom Kanzleramt –, wurde der Hauptbahnhof Berlins, Europas größter Kreuzungsbahnhof gebaut. Hier treffen sich die ICE-Züge aus allen Himmelsrichtungen, U- und S-Bahnen unter einem raumbildenden Glasdach. Aus Grenz- und Todesstreifen werden wieder lebendige Viertel.

*Regierungsviertel*

## Das Stichwort ☞ Humboldt Forum

*Auf der Fläche des Stadtschlosses der preußischen Könige (abgerissen 1950) stand der Palast der Republik, Sitz der DDR Volkskammer und kultureller Mittelpunkt. Der Palast wurde 30 Jahre nach seiner Eröffnung abgebaut und über die Spree abgetragen. Hier entsteht nun hinter der rekonstruierten Fassade des barocken Stadtschlosses das Humboldt Forum, das ab 2020 eröffnet werden soll. Die außereuropäischen Sammlungen der*

*Stiftung preußischer Kulturbesitz werden die Weltkulturen ins Haus holen. Ziel ist ein Dialog der Kulturen. Zusammen mit der Museumsinsel soll das Humboldt Forum eine Verbindung von Kunst, Kultur und Wissenschaft bilden.*

## Das Stichwort ☞ Brandenburger Tor

*Wahrzeichen der Stadt. Nach dem Vorbild der Propyläen der Athener Akropolis Ende des 18. Jahrhunderts gebaut. Stand vor der Wiedervereinigung im Ostteil der Stadt; die Mauer verlief in unmittelbarer Nähe.*

In den letzten Jahren hat Berlin einen erstaunlichen Wandel durchgemacht. Viele Neu-Berliner sind in die Stadt gekommen: Abgeordnete, Künstler, Kunstsammler, Botschaftsangehörige, Unternehmensgründer und Medienleute. Die Alt-Berliner hat es dagegen mehr in die Umgebung gezogen. Berlin ist internationaler geworden, bürgerlicher, ist kreativ, nicht elitär. Viele sind davon überzeugt, dass Berlin einmal eines der wichtigsten Metropolen Europas sein wird. Der Ost- und der Westteil wachsen zusammen, auch wenn die Bevölkerung das Gefühl hat, dass die Unterschiede noch deutlich vorhanden sind.

**Wirtschaft:** Berlin war traditionell der Sitz der Elektroindustrie (Siemens), der chemischen Industrie und der Bekleidungsindustrie. In den Jahren der Teilung

*Berlin Zentrum*

haben viele Firmen die Stadt verlassen. Berlin ist außerdem Wissenschaftsstadt, Stadt der Verlage und eine internationale Kongress- und Messestadt. Die drei Universitäten sind die Humboldt-Universität im Ostteil der Stadt sowie die Freie Universität und die Technische Universität im Westen. Hier angesiedelt sind bekannte Forschungsinstitute, die auf eine lange Tradition zurückblicken können, und das Technologie-Zentrum der Fraunhofer-Gesellschaft.

Berlin ist überschuldet. Die Stadt ist aber auch weltweit ein Magnet für kreative Start-ups geworden, in die Risikokapital investiert wird. Fast jedes zweite Unternehmen wird von Ausländern gegründet. Aber die Probleme sind unübersehbar: Die Mieten steigen, Verwaltung und Infrastruktur sind mangelhaft. Große Unternehmen fehlen. Schuld ist die Subventionspolitik der Zeit vor der Wende, die zähe Gewohnheiten geschaffen hat. Berlin war immer im Ausnahmezustand; deshalb tickt die Stadt auch heute noch anders und nimmt Chaos und Pleiten nicht so ernst.

Die Stadt beherbergt Bürgerlichkeit und Problembezirke wie den sogenannten Kiez in Kreuzberg, „Klein-Istanbul" genannt, nebeneinander. Kleine Unternehmen haben sich etabliert, Auto-Werkstätten, Bistros, Restaurants. Im Problemstadtteil Neukölln, der so groß wie Bonn ist, leben Menschen aus 150 Ländern. In Berlin entwickelt sich aber auch wieder eine

Kollwitz-Kiez

mittelständische Industriekultur. Tourismus, Kulturwirtschaft, digitale Wirtschaft und forschungsintensive Industrie haben sich angesiedelt, aber das Wachstum ist immer noch schwach.

**Kultur:** Berlin ist auch in den Jahren der Teilung kultureller Mittelpunkt gewesen. Seit die Stadt wiedervereinigt ist, gehen viele internationale Künstler nach Berlin; hier gibt es Dutzende von Theatern, Museen in großer Zahl (siehe S. 133f.), drei Opernhäuser, das Berliner

East Side Gallery: weltbekannte Open Air Gallery auf dem längsten noch erhaltenen Teil der Mauer. Künstler dokumentierten hier die politische Wende, die Euphorie über die friedlich erkämpfte Freiheit und ihre Wünsche und Hoffnungen für eine bessere Gesellschaft (Ausschnitt).

Staatsballett und mehrere große Orchester, darunter die Berliner Philharmoniker. In Berlin findet die Berlinale, das berühmte internationale Film-Festival, statt.

Berlin hat alles: Feier-Clubkultur und eine wohl einzigartige alternative Szene-Kultur. 6500 Kneipen, originelle Nachtclubs und Bars hat die Stadt zu bieten. Zentrum des Nachtlebens ist die RAW-Partymeile mit Bars, Clubs und Ausstellungen, wo Berlin anders ist als andere Metropolen: mit dunklen Dancefloors, Techno-Clubs, Rock & Indie Clubs und auch Kriminalität und Drogen: Alles ist gedurft, nichts gemusst. Diese Libertinage lässt nicht zu, dass Fotos gemacht werden, die dann vielleicht im Internet erscheinen. Das morbide, anarchische und auch gefährliche Gelände soll aber umgebaut und weiterentwickelt werden. Auch haben steigende Mieten einigen Clubs das Aus gebracht.

Zuwanderung und linke Tradition haben hier ein eigenes Flair geschaffen. Die Stadt zieht Künstler, Aussteiger  und kreative Individualisten an, die trotz steigender Preise in Scharen kommen. Dadurch ist Berlin auch zu einem Hotspot junger Internetfirmen geworden. Immer mehr Gründer suchen in Berlin ihr Glück. Sie ist auch Ziel politischer Exilanten aus der ganzen Welt, für türkische, russische, syrische und andere Geflüchtete, für Blogger, Journalisten, Aktivisten, Künstler und Schriftsteller, die in Berlin eine lebendige Exil-Szene bilden. Sie bringen ihr Know-how mit und schaffen Erfahrungen für ein Zusammenleben in einer diversifizierten Gesellschaft.

## Sachsen-Anhalt

Mit der Vereinigung wieder entstandenes Bundesland. – Fläche und Bevölkerung siehe S. 25. Magdeburg (= Landeshauptstadt): 231 000 Einwohner; Halle: 232 000 Einwohner; Wittenberg: 50 000 Einwohner; Dessau: 89 000 Einwohner

**Aus der Geschichte:** Die Elbe war vor der Jahrtausendwende die Grenze zu den slawischen Siedlungsgebieten, z.B. der Sorben (siehe S. 15). Dann nahmen vor allem die Sachsen das Land östlich der Elbe in Besitz und kolonisierten es. Dabei war das Erzbistum Magdeburg der Ausgangspunkt für die Missionierung. Martin Luther machte im Jahr 1517 seine 95 Thesen an die Schlosskirche von Wittenberg öffentlich. Das war der Beginn der Reformation. In der Schlosskirche, die in der Folgezeit ausbrannte und wieder aufgebaut wurde, befindet sich sein Grab und das seines Mitstreiters Philipp Melanchthon.

**Landschaft und Sagen:** Der Westteil von Sachsen-Anhalt ist landschaftlich sehr reizvoll. Hier liegt die höchste Erhebung des Harzes, der Brocken mit 1142 Metern. In einer waldreichen, von Schluchten durchzogenen Gebirgslandschaft kann man zum

*Die Altstadt von Quedlinburg wurde 1994 auf die Welterbeliste der Vereinten Nationen gesetzt.*

*Tagebau Profen*

„Hexentanzplatz" wandern. Das ist eine sagenumwobene Kultstätte, an der in der Walpurgisnacht die Hexen auf ihrem Besen geritten und mit dem Teufel Feste gefeiert haben sollen. Die Walpurgisnacht ist die Nacht vor dem 1. Mai. Heute drängen sich hier zahlreiche Touristen. Auch Johann Wolfgang von Goethe hat den Brocken bestiegen; die Brocken-Sage wurde wesentlicher Bestandteil seiner „Faust"-Dichtung.

Bekannt sind die Burgen und Schlösser von Sachsen-Anhalt. Touristische Anziehungskraft hat besonders das alte Quedlinburg mit seinen Fachwerkhäusern aus sechs Jahrhunderten. Viele Häuser waren verfallen und sind nach der Wende restauriert worden.

**Wirtschaft:** Sachsen-Anhalt war das Zentrum der chemischen Industrie und des Braunkohle- und Kaliabbaus. Das Land hatte schwer mit den katastrophalen ökologischen Folgen des industriellen Raubbaus der letzten Jahrzehnte der DDR zu kämpfen. Die Region um Bitterfeld gilt als das schlimmste Beispiel einer rücksichtslosen Industriepolitik. Aber das ist heute Vergangenheit. Die verseuchten Böden wurden abgetragen, ganze Landstriche wurden entgiftet und renaturiert. Die Goitzsche, das einst dreckigste Gewässer Deutschlands, ist heute ein Badesee. Der Tagebau ist in Mitteldeutschland aber immer noch eine Industrie, von der viele Arbeitsplätze abhängen. Obwohl die klimaschädliche Braunkohle keine Zukunft hat, wird sie deshalb hier noch abgebaut. Hier gibt es die größten Vorkommen: 300 Dörfer sind schon verschwunden und

haben Mondlandschaften zurückgelassen. Der Tagebau Profen soll erst im Jahr 2035 enden. Naturschutz und Landschaftsgestaltung kümmern sich aber heute schon um die Zeit danach, um Biotope, die die Artenvielfalt erhalten sollen.

Im Chemiepark Bitterfeld-Wolfen haben sich Unternehmen wie Bayer, Heraeus oder Evonik Degussa etabliert: Aspirin-Tabletten für den gesamten europäischen Markt kommen aus Bitterfeld. Förderprogramme, der Ausbau der Infrastruktur, der Forschungslandschaft und die Zusammenarbeit von Wissenschaft und Wirtschaft haben dem Land eine langsame Erholung gebracht.

**Städte:** Mittelpunkt und Landeshauptstadt ist *Magdeburg* an der Elbe. Die 1200 Jahre alte Stadt ist Verkehrsknotenpunkt, Binnenhafen und Verwaltungszentrum. Das neue Wasserstraßenkreuz, das nach 70 Jahren jetzt den Mittellandkanal mit dem Elbe-Havel-Kanal verbindet und die Elbe über die modernste Schleuse Europas quert, hat den Wasserweg nach Berlin deutlich verbessert. Im Zweiten Weltkrieg wurde die Innenstadt völlig in Schutt und Asche gelegt. Demzufolge ist das Stadtbild heute uneinheitlich: der Dom, das erste gotische Bauwerk, Plattenbauten neben Neubauten und zuletzt das Hundertwasserhaus mit seinen goldenen Türmen, an dem der österreichische Künstler noch kurz vor seinem Tod gearbeitet hat.

Auch *Halle an der Saale* blickt auf eine 1000-jährige Geschichte zurück. Im Mittelalter wurde sie reich durch die Salzgewinnung. Mit dem Dreißigjährigen Krieg kamen Unglück, Pest und Armut. Der Aufschwung begann 1694 mit der Gründung der Universität (heute Martin-Luther-Universität Halle-Wittenberg), die Zentrum der Aufklärung wurde. Auch die Ansiedlung der Hugenotten aus Frankreich war ein großer Gewinn für Halle. Stolz sind die Bürger auf den berühmtesten Sohn der Stadt: Im Jahr 1685 wurde Georg Friedrich Händel in Halle geboren. Heute ist Halle an der Saale vor allem ein Hochschulstandort mit der Martin-Luther-Universität Halle-Wittenberg und der Akademie der Wissenschaften Leopoldina.

# Nordrhein-Westfalen

 Bevölkerungsreichstes Bundesland. – Eines der größten Industriegebiete mit dichtester Besiedlung. – Mehrere Großstädte. – Schwerindustrie. – Fläche und Bevölkerung siehe S. 25. Düsseldorf (= Landeshauptstadt): 594 000 Einwohner; Köln: 1 024 000 Einwohner; Aachen: 240 000 Einwohner

**Aus der Geschichte:** Während der Regierungszeit Julius Cäsars (100 vor Chr. – 44 vor Chr.) drangen die Römer bis an den Rhein vor, eroberten die linksrheinischen Gebiete und machten Köln zum Zentrum der römischen Provinz „Germania Inferior". Unter Karl dem Großen, König der Franken (748-814), wurde Aachen zur wichtigsten Stadt des Fränkischen Reichs. Seine Grabstätte war Krönungsort der deutschen Könige im Mittelalter.

**Stadt und Land:** Nordrhein-Westfalen hat zwei Gesichter: das dicht besiedelte Ruhrgebiet, in dem die Städte ineinander übergehen, und daneben ausgedehntes Grün, auch im Ruhrgebiet selbst. Viel wurde für das ökologische Gleichgewicht getan. Auch waldreiche Gegenden sind charakteristisch für Nordrhein-Westfalen: der Teutoburger Wald, die Eifel, das Bergische Land und das Sauerland.

**Wirtschaft:** Für die Schwerindustrie an Rhein und Ruhr, dem Ruhrgebiet, stehen die Namen Krupp und Thyssen. Bergbau und Stahlerzeugung sind durch den allgemeinen Strukturwandel der letzten Jahrzehnte im Niedergang. Die Förderung der subventionierten Steinkohle wurde 2018 eingestellt. Auch für die Zeche Prosper-Haniel in Bottrop, in der zuletzt noch 4500 Kumpel 3,1 Mio. Tonnen Steinkohle pro Jahr förderten, war 2018 Schluss. Das Ende der Braunkohle ist aber noch nicht gekommen. Die weitere Förderung von klimaschädlicher Braunkohle im Rheinischen Braunkohlerevier (westlich von Köln) bis 2038 ist nicht gestoppt. Die Klimaziele sind in Gefahr.

Aber neue Schwerpunkte werden gesetzt: z.B. mit der Technischen Hochschule Georg Agricola in Bochum. Sie bietet Studiengänge an, die sich mit den Folgen des Bergbaus beschäftigen: die kontrollierte Behandlung ehemaliger Gruben, die Nutzung für alternative Energien und die Gewinnung neuer Ressourcen. Kohlekraftwerke können in Wärmespeicherkraftwerke umgebaut werden. Die Ruhr-Universität erforscht, wie alte Stollen zu unterirdischen Pumpspeicherkraftwerken werden können.

**Städte:** *Essen* ist 2017 die „grüne Hauptstadt Europas" geworden. Die Wandlung vom Kohle- und Stahlstandort zur grünen Stadt steht für das gesamte Ruhrgebiet. Wo früher die Wäsche schwarz wurde durch den Kohlestaub, hat heute Kultur Einzug gehalten. Die frühere

Kohlezeche Zollverein ist heute ein internationales Design- und Kulturzentrum.

*Düsseldorf*, die Landeshauptstadt, ist ein modernes internationales Handels- und Bankenzentrum. Attraktiv für den Besucher ist die Altstadt, die „längste Theke der Welt" genannt, mit ihren zahlreichen Gaststätten und Bars.

## Das Stichwort ☞ Kölner Dom

*Der Kölner Dom wurde von 1248 bis 1880 erbaut und gilt als Meisterwerk gotischer Architektur. Die originalen Baupläne wurden während der gesamten 600-jährigen Bauzeit nicht verändert. 1996 wurde er in die Liste des UNESCO-Welterbes eingetragen. Der Dom geriet vorübergehend auf die rote Liste der gefährdeten Kulturdenkmäler, weil geplante Hochhäuser auf der anderen Rheinseite die Stadtsilhouette mit dem Dom zerstört hätten. Das Prädikat der UNESCO ist verbunden mit Pflichten, die oft in Konflikt mit notwendigen Neuerungen geraten.*

*Köln*, ebenso wie Düsseldorf am Rhein gelegen, ist eine der vier Millionenstädte in Deutschland. Sie ist wirtschaftlich abhängig von den Hochs und Tiefs des Automobilbaus (Ford), der Chemie und des Maschinenbaus. Ihre Vergangenheit reicht bis in die römische Zeit, ins

Jahr 50, zurück. 1248 wurde mit dem Bau des Kölner Doms begonnen, der das Wahrzeichen der Stadt ist. In Köln gibt es weltberühmte Museen: das Römisch-Germanische Museum, das Wallraf-Richartz-Museum und das Museum Ludwig (siehe S. 136). Die Art Cologne, die älteste Kunstmesse der Welt im Wettbewerb mit London, Berlin und Basel, Treffpunkt für Künstler, Sammler und Galeristen, ist der klassischen Moderne und der Gegenwartskunst verpflichtet. Verschiedene Rundfunkanstalten senden von Köln aus: der WDR (Westdeutscher Rundfunk), die Deutsche Welle und der Unterhaltungsgigant RTL (siehe S. 95 ff.).

Höhepunkt des Jahres ist für die Kölner der Karneval, die „fünfte Jahreszeit", die zahllose Besucher aus dem In- und Ausland anzieht. Vor allem am Rosenmontag ist in Köln alles auf den Beinen. Über 100 Karnevalsgesellschaften sorgen für Frohsinn in den Sälen und auf der Straße. Die Vermarktung hat dem Karneval bisher nicht geschadet. Köln feiert sich selbst und seine Karnevalslieder: singen, trinken, tanzen, dazwischen „Bützchen geben", wie Küsschen geben heißt.

Nicht weit entfernt von Köln liegt *Bonn*, die ehemalige Hauptstadt der Bundesrepublik. Ihre Geschichte geht auf germanische und römische Siedlungen zurück. Vom 16. bis zum 18. Jahrhundert war sie Residenzstadt

*Der Kölner Dom, im Jahr 1855*
*...und heute*

| Entfernungen in Deutschland | Aachen | Basel/CH | Berlin | Bonn | Braunschweig | Cuxhaven | Dortmund | Dresden | Flensburg | Frankfurt a.M. | Hamburg | Karlsruhe | Kassel | Konstanz | Leipzig | Lindau | Magdeburg | München | Nürnberg | Passau | Rostock | Saarbrücken | Würzburg |
|---|---|---|---|---|---|---|---|---|---|---|---|---|---|---|---|---|---|---|---|---|---|---|---|
| Aachen | | 549 | 638 | 93 | 418 | 468 | 148 | 625 | 655 | 255 | 490 | 358 | 309 | 588 | 567 | 645 | 506 | 643 | 486 | 711 | 661 | 260 | 381 |
| Basel/CH | 549 | | 851 | 471 | 669 | 876 | 549 | 679 | 991 | 333 | 823 | 197 | 524 | 156 | 556 | 214 | 784 | 399 | 450 | 582 | 994 | 274 | 386 |
| Berlin | 638 | 851 | | 600 | 232 | 488 | 493 | 199 | 455 | 540 | 285 | 658 | 390 | 734 | 186 | 711 | 142 | 585 | 415 | 613 | 228 | 794 | 480 |
| Bonn | 93 | 471 | 600 | | 381 | 446 | 121 | 585 | 618 | 180 | 455 | 280 | 274 | 509 | 593 | 567 | 483 | 550 | 387 | 612 | 626 | 237 | 281 |
| Braunschweig | 416 | 669 | 232 | 381 | | 264 | 271 | 293 | 367 | 343 | 199 | 472 | 153 | 676 | 192 | 662 | 82 | 605 | 430 | 655 | 370 | 538 | 336 |
| Cuxhaven | 468 | 876 | 486 | 448 | 264 | | 338 | 557 | 148 | 551 | 129 | 685 | 380 | 900 | 462 | 889 | 346 | 832 | 657 | 882 | 300 | 684 | 563 |
| Dortmund | 148 | 549 | 493 | 121 | 271 | 338 | | 555 | 508 | 224 | 349 | 368 | 174 | 584 | 497 | 644 | 353 | 614 | 439 | 664 | 520 | 353 | 333 |
| Dresden | 625 | 679 | 199 | 585 | 293 | 557 | 555 | | 651 | 450 | 492 | 501 | 381 | 551 | 115 | 569 | 211 | 422 | 252 | 478 | 427 | 614 | 362 |
| Flensburg | 655 | 991 | 455 | 618 | 367 | 148 | 508 | 651 | | 663 | 167 | 795 | 479 | 996 | 566 | 1054 | 449 | 928 | 753 | 978 | 279 | 861 | 659 |
| Frankfurt a.M. | 255 | 333 | 540 | 180 | 343 | 551 | 224 | 450 | 663 | | 495 | 142 | 198 | 361 | 392 | 429 | 426 | 400 | 231 | 456 | 659 | 203 | 117 |
| Hamburg | 490 | 823 | 285 | 455 | 199 | 129 | 349 | 492 | 167 | 495 | | 627 | 311 | 828 | 397 | 888 | 281 | 780 | 585 | 810 | 161 | 693 | 491 |
| Karlsruhe | 358 | 197 | 658 | 280 | 472 | 685 | 368 | 501 | 795 | 142 | 627 | | 318 | 241 | 477 | 299 | 554 | 297 | 249 | 482 | 801 | 145 | 192 |
| Kassel | 309 | 524 | 390 | 274 | 153 | 380 | 174 | 381 | 479 | 198 | 311 | 318 | | 529 | 330 | 587 | 235 | 461 | 286 | 511 | 485 | 268 | 192 |
| Konstanz | 588 | 156 | 734 | 509 | 676 | 900 | 584 | 551 | 996 | 361 | 828 | 241 | 529 | | 558 | 42 | 624 | 210 | 290 | 392 | 962 | 317 | 348 |
| Leipzig | 567 | 556 | 186 | 593 | 192 | 462 | 497 | 115 | 566 | 392 | 397 | 477 | 330 | 558 | | 556 | 117 | 444 | 266 | 492 | 410 | 628 | 384 |
| Lindau | 645 | 214 | 711 | 567 | 662 | 889 | 644 | 569 | 1054 | 429 | 888 | 299 | 587 | 42 | 566 | | 634 | 185 | 300 | 353 | 939 | 374 | 326 |
| Magdeburg | 506 | 784 | 142 | 483 | 82 | 346 | 353 | 211 | 449 | 426 | 281 | 554 | 235 | 624 | 117 | 634 | | 504 | 334 | 560 | 303 | 620 | 418 |
| München | 643 | 399 | 585 | 550 | 605 | 832 | 614 | 422 | 928 | 400 | 780 | 297 | 461 | 210 | 444 | 185 | 504 | | 170 | 183 | 813 | 440 | 291 |
| Nürnberg | 486 | 450 | 415 | 387 | 430 | 657 | 439 | 252 | 753 | 231 | 585 | 249 | 286 | 290 | 266 | 300 | 334 | 170 | | 226 | 643 | 362 | 110 |
| Passau | 711 | 582 | 613 | 612 | 655 | 882 | 664 | 478 | 978 | 456 | 810 | 482 | 511 | 392 | 492 | 353 | 560 | 183 | 226 | | 841 | 590 | 335 |
| Rostock | 661 | 994 | 228 | 626 | 370 | 300 | 520 | 427 | 279 | 659 | 161 | 801 | 485 | 962 | 410 | 939 | 303 | 813 | 643 | 841 | | 867 | 643 |
| Saarbrücken | 260 | 274 | 794 | 237 | 538 | 684 | 353 | 614 | 861 | 203 | 693 | 145 | 268 | 317 | 628 | 374 | 620 | 440 | 362 | 590 | 867 | | 307 |
| Würzburg | 381 | 386 | 480 | 281 | 336 | 563 | 333 | 362 | 659 | 117 | 491 | 192 | 192 | 348 | 384 | 326 | 418 | 291 | 110 | 335 | 643 | 307 | |

der kurfürstlichen Erzbischöfe von Köln. In Bonn wurde im Jahr 1770 Ludwig van Beethoven geboren. Bonn ist heute Verwaltungsstadt und Stadt der Dienstleistungen (Telekom, Post, Postbank). Außerdem weht über Bonn die Flagge der Vereinten Nationen: 19 Organisationen, darunter die UNO-Flüchtlingshilfe und das UN-Klimasekretariat, arbeiten in der Stadt am Rhein. Allen gemeinsam ist die Thematik „Nachhaltige Entwicklung". In einer großen Bandbreite von Klimawandel, Wüstenbildung, Artenschutz, Gesundheit, Sicherheit und Katastrophenvorsorge setzen sie sich für eine bessere Zukunft ein. Ihr Sitz ist der „Lange Eugen", das ehemalige Abgeordnetenhaus.

Aachen, die westlichste deutsche Großstadt, war im 8. Jahrhundert die Lieblingspfalz Karls des Großen. Der Aachener Dom, ursprünglich die Pfalzkapelle, wurde 1978 als erstes deutsche Kulturdenkmal in die Welterbeliste der UNESCO aufgenommen. Heute wird der Karlspreis jährlich an eine Persönlichkeit verliehen, die sich für die Einigung Europas verdient gemacht hat.

## Aufgaben

Wenn Sie in Deutschland oder in einem Nachbarland leben, werden Sie Entfernungen ungefähr einschätzen können. Wer aber weiter entfernt wohnt, wird sich da nicht mehr so sicher sein.

1. Suchen Sie deshalb in der Tabelle oben die größte Nord-Süd-Strecke heraus.
2. Stellen Sie sich vor, Sie kommen auf dem Großflughafen Frankfurt/Main an und müssen noch weiterfahren. Wie weit ist es von Frankfurt nach Rostock, von Frankfurt nach Nürnberg, von Frankfurt nach Kassel?
3. „Berlin liegt näher an Warschau als an Paris." Stimmt das?

# Hessen

Zusammen mit Thüringen in der Mitte Deutschlands gelegen. – Fläche und Bevölkerung siehe S. 25. – Wichtige industrielle Ballungszentren im Rhein-Main-Gebiet und im Großraum Kassel. Trotzdem 30% der Fläche Wald. Frankfurt/Main: 718 000 Einwohner; Wiesbaden (= Landeshauptstadt): 275 000 Einwohner.

**Klima und Landschaft:** Hessen verfügt über große Waldbestände und landwirtschaftlich genutzte Flächen im Wechsel mit bedeutenden Industriezonen. Hessens Heilbäder ziehen viele Gäste aus aller Welt an.

**Wirtschaft:** Hessen ist durch seine Wirtschaft ein relativ reiches Bundesland: Chemie- (Sanofi-Aventis), Auto- und Elektroindustrie und die Bankmetropole Frankfurt. Es ist begünstigt durch seine geografische Lage. Über Rhein und Main ist es an das Wasserstraßennetz angebunden. Der Rhein-Main-Flughafen in Frankfurt ist ein europäisches Drehkreuz des Luftverkehrs.

*Neubau der EZB in Frankfurt am Main*

**Städte:** Hessens Hauptstadt *Wiesbaden* war wegen ihrer heißen Quellen schon bei den Römern beliebt. Im 18. und 19. Jahrhundert hielten sich hier Schriftsteller und Komponisten wie Goethe, Dostojewski oder Wagner auf.

*Das „alte" Frankfurt: Hauptwache und Katharinenkirche*

*Frankfurt am Main* ist die Stadt mit den meisten Banken und der eindrucksvollsten Hochhaus-Skyline. Hier schlägt das ökonomische Herz der Republik. Frankfurt ist seit 1999 Sitz der Europäischen Zentralbank, die 2014 in einen neuen Büro-Doppelturm mit über 40 Stockwerken umgezogen ist. Die Mainmetropole ist damit zu einem der führenden Finanz- und Börsenmärkten neben London, Paris und New York aufgerückt. Die EZB ist zuständig für die Geldpolitik (seit dem 1.1.1999, dem Geburtstag des Euro) und die Bankenaufsicht in den Euro-Ländern (siehe S. 146).

Frankfurt ist auch die Stadt der Verlage. Jährlich im Herbst findet die größte Buchmesse der Welt statt, auf der der Friedenspreis des deutschen Buchhandels verliehen wird. Frankfurt ist immer eine lebendige, weltoffene Stadt gewesen, in der verschiedene Traditionen und Religionen nebeneinander bestanden. 30 000 jüdische Mitbürger prägten vor dem Zweiten Weltkrieg das städtische Leben. Viele Stiftungen und sonstige Einrichtungen, z.B. Krankenhäuser, sind ohne sie nicht denkbar: Die Universität und das berühmte Kunstmuseum Städel wurden von jüdischen Bürgern gegründet. Das Judentum in Frankfurt blickt auf 900 Jahre

Geschichte und Kultur zurück, die im Museum Judengasse, errichtet auf den Fundamenten von Häusern der ehemaligen Judengasse, präsentiert werden.
Frankfurt ist nicht zuletzt Goethes Geburtsstadt. Sein Geburtshaus wurde im Krieg zerstört und ist mit viel Liebe zum Detail und im Geist der Zeit wieder aufgebaut worden. 1848 tagte in der Paulskirche das erste deutsche Parlament.

*Fulda*, nordöstlich von Frankfurt, besitzt ein von Bonifatius 744 gegründetes Kloster, das im frühen Mittelalter ein wichtiges geistiges Zentrum war.

# Thüringen

Mit der Vereinigung wieder entstandenes Bundesland. – Fläche und Bevölkerung siehe S. 25. Erfurt (= Landeshauptstadt): 206 000 Einwohner; Gera: 115 000 Einwohner; Jena: 105 000 Einwohner; Weimar: 66 000 Einwohner; Eisenach: 43 000 Einwohner

**Aus der Geschichte:** Im Mittelalter war Thüringen durch seine zentrale Lage Knotenpunkt wichtiger Handels- und Verkehrswege, die Städte waren wichtige Handelszentren. Im 18. Jahrhundert erlebte das Land seine Blütezeit. Herzog Carl August von Sachsen-Weimar holte Johann Wolfgang von Goethe und Friedrich Schiller nach Weimar, das zum geistigen Mittelpunkt wurde (siehe S. 110 ff.).

**Wirtschaft:** Der Mittelstand in Thüringen ist stark, d.h. es gibt viele kleine und mittlere Unternehmen. Sorgen macht, dass Facharbeiter fehlen, weil viele im benachbarten Bayern und Hessen Arbeit suchen. Berühmt sind Werke wie Jena-Optronik (Instrumente zur Erdbeobachtung und Erforschung des Weltalls). Ein Mini-Labor, getragen von der Raumsonde „Rosetta", ist im

*Wartburg*

November 2014 auf einem Kometen gelandet. An Bord ist Weltraum-Präzisionstechnik aus Jena.

Thüringen hat kulturell und historisch viel zu bieten. Es steht viermal auf der Liste des Weltkulturerbes: die Wartburg (s. S. 23), das Ensemble Klassisches Weimar (die Wohnhäuser Goethes und Schillers, die Universität, Schloss Belvedere und die Anna-Amalia- Bibliothek mit ihren originalen Handschriften), das Bauhaus (die Erneuerung von Kunst und Architektur im 20. Jahrhundert) und der Nationalpark Hainich mit seinen ursprünglichen Buchenwäldern. In Thüringen gibt es über 30 000 Baudenkmäler, die es zu erhalten gilt bei schmalen Kassen. Die Gelder dafür stammen von Stiftungen, aus dem Europäischen Fonds für Regionalentwicklung (EFRE), vom Städtebau und von Bürgern, die Fördergelder beantragen.

**Landschaft:** Zwischen Harz und Thüringer Wald erstrecken sich Erholungsgebiete, die zum Wandern und Skifahren einladen. Der beliebteste Höhenwanderweg ist der Rennsteig. Thüringen beteiligt sich seit 1991 an einer europaweiten Methode der Waldschadenserhebung. Die Situation des Waldes in Thüringen war schon 2019 alarmierend. Nur noch 15% der Bäume sind gesund, der überwiegende Teil ist krank. Millionen Neupflanzungen sind nötig.

**Städte:** *Jena* ist eine traditionsreiche Universitätsstadt. Ihre Geschichte spiegelt verschiedene Epochen

*Blick vom Jakobsturm zur Herderkirche und dem Residenzschloss Weimar*

Der Dichter wohnte dort von 1776 bis 1782. Später zog er sich gern zum Schreiben dorthin zurück und lud Kinder von Bekannten zu Ostern zum „Haseneiersuchen" in den Garten ein.

Im Haus am Frauenplan entstanden viele von Goethes Dichtungen und wissenschaftlichen Werken. Er empfing in diesem geräumigen und elegant eingerichteten Haus seine Besucher. Es kamen Schriftsteller, Künstler, Philosophen, Gelehrte in beeindruckender Zahl (siehe S. 110).

Vergangenheit und Gegenwart verbinden sich im Deutschen Nationaltheater. In diesem Gebäude wurde 1919 die Verfassung der ersten deutschen Republik, der Weimarer Republik, beschlossen (siehe S. 162). Aber Weimar war nicht nur Inbegriff der Kultur und des Schönen. An die dunkelsten Kapitel deutscher Geschichte erinnert die 1958 eingeweihte Mahn- und Gedenkstätte in Buchenwald. Auf dem Ettersberg nahe der Stadt befand sich ein Konzentrations- und Internierungslager – Symbol menschlicher Perversion und mutigen Widerstands.

deutschen Geisteslebens wider: Friedrich Schiller bekam 1789 durch die Vermittlung Johann Wolfgang von Goethes eine Professur. Hier lehrten auch die Philosophen Friedrich Hegel, Johann Gottlieb Fichte und Friedrich Schelling. Auf der Wartburg bei *Eisenach* (siehe S.23) hielt sich 1521/1522 Martin Luther versteckt und übersetzte die Bibel ins Deutsche (siehe S. 16). Der Komponist Johann Sebastian Bach wurde in Eisenach geboren.

Mit *Weimar* assoziiert man vor allem die klassische deutsche Literatur, Johann Wolfgang von Goethe und Friedrich Schiller, ebenso Musik von Johann Sebastian Bach und Franz Liszt. Der Philosoph Friedrich Nietzsche verbrachte in Weimar seine letzten Lebensjahre. Goethes Gartenhaus ist noch heute zu besichtigen.

*Gedenkstätte Buchenwald*

### Das Stichwort 👈
### Goethes Gartenhaus
*Das Gartenhaus ist ein beliebtes Touristenziel in Weimar. Dort sind Zeichnungen Goethes zu sehen und altes Mobiliar. Das Haus war ein Geschenk des Herzogs Carl August an Goethe.*

# Sachsen

Mit der Vereinigung wieder entstandenes Bundesland. – Das am dichtesten besiedelte von den neuen Bundesländern und das wirtschaftlich stärkste. – Fläche und Bevölkerung siehe S. 25. Dresden (= Landeshauptstadt):

SACHSEN

536 000 Einwohner; Leipzig: 544 000 Einwohner; Chemnitz: 244 000 Einwohner; Zwickau: 104 000 Einwohner

**Aus der Geschichte:** Sachsen gab viele Impulse: kulturelle, soziale, politische, auch in unserer Zeit. Unter dem Kurfürsten August dem Starken (auch König von Polen, 1670–1733) erlebte Sachsen eine einmalige kulturelle Blüte. Im 19. Jahrhundert gingen einschneidende soziale Entwicklungen von Sachsen aus. Während der Industrialisierung entstand in Leipzig die deutsche Arbeiterbewegung mit August Bebel und Wilhelm Liebknecht an der Spitze, die 1869 die Sozialdemokratische Partei Deutschlands gründeten.

Auch in jüngerer Zeit waren die Sachsen wieder an wichtigen Ereignissen beteiligt. 1989 gingen von den Friedensgebeten in der Leipziger Nikolaikirche und den Montagsdemonstrationen entscheidende Anstöße für die politische Wende aus. In letzter Zeit machte Sachsen, besonders Dresden, allerdings negative rechtspopulistische Schlagzeilen, zeigte aber auch deutlich Widerstand.

**Landschaft und Umwelt:** Sachsen reicht von der Norddeutschen Tiefebene bis ins Erzgebirge. Besonders reizvoll ist die „Sächsische Schweiz" südlich von Dresden; hier durchfließt die Elbe das Elbsandsteingebirge mit seinen bizarren Felsformationen und Tafelbergen.

Die ökologischen Probleme des Landes waren enorm. Der Braunkohle-Tagebau hatte wahre Kraterlandschaften hinterlassen. Bereits zu DDR-Zeiten gab es

Umweltschützer, Bürgerinitiativen stoppten schließlich den Tagebau. Über 100 000 Hektar verwüsteten Lebensraum haben die Betriebe der DDR hinterlassen. Für mehrere Millionen Euro ist inzwischen die Hälfte der Fläche rekultiviert, der Großteil mit Mischwäldern aufgeforstet. Die Tagebau-Landschaft soll ein Land der tausend Seen werden. 135 Tagebaulöcher werden geflutet. Auf einer Fläche von 250 Quadratkilometern entsteht südlich von Leipzig ein weitverzweigtes Netz von Seen, Kanälen, Auenwäldern und Schleusen. Der heute eingestellte Uranabbau hatte zu DDR-Zeiten eine ganze Region vergiftet. Er war streng geheim, weil er Uran für sowjetische Atomwaffen lieferte.

**Wirtschaft:** Die Bergbaugebiete im Erzgebirge und die Industrieregionen um Chemnitz und Leipzig gehören zu den ältesten in Europa. Über 800 Jahre wurde Erz abgebaut. Heute sind Erz- und Steinkohlebergbau eingestellt; über die Zukunft der Braunkohle wird gestritten. Neu ist eine Entwicklung, von der keiner weiß, ob sich der Abbau lohnen wird. In Ostdeutschland werden Rohstoffe vermutet: das seltene Schwermetall Wolfram in Sachsen, Erdgas und Öl in Brandenburg, Zinn, Zink, Lithium usw. Probebohrungen sind im Gange, das Ergebnis ist offen.

In Zwickau wurde seit 1957 der berühmte Trabant („Trabi" genannt) gebaut; er hatte eine Karosserie aus Kunststoff und war das „Volksauto" der DDR. Der „Trabi" gehörte zum Straßenbild, heute ist er allerdings nur noch selten zu sehen. Sachsen hat sich von allen ostdeutschen Bundesländern am schnellsten entwickelt. Nach der Wende hat Volkswagen in Zwickau, Dresden und Chemnitz neue Automobilwerke errichtet. VW wird hier E-Autos bauen und das Werk zum Zentrum der E-Mobilität machen. Zur Jahrtausendwende entstand ein hochmodernes BMW-Werk bei Leipzig.

Im Ballungsgebiet Dresden, dem stärksten Raum Sachsens, spielt die Mikrotechnologie, die Informationstechnologie und die Forschungsarbeit im Bereich der

*Die Frauenkirche in Dresden*
*(links in Trümmern und 2004 wieder aufgebaut)*

Nanotechnologie eine wichtige Rolle. Hier geschah das Wendewunder: Wo heute Mikrochips gefertigt werden und sich immer mehr Betriebe ansiedeln und Cluster mit den Forschungseinrichtungen bilden (= Silicon Saxony genannt), dehnten sich vor der Jahrtausendwende noch Wiesen und Felder aus. Nicht vergessen darf man allerdings, dass diese Boom-Regionen mit zurückgebliebenen Landesteilen kontrastieren. Dort fehlen Facharbeiter und das Durchschnittsalter steigt.

Die Abwanderung ist fast gestoppt. Manche kehren zurück und umgekehrt ziehen auch Menschen aus dem Westen in die großen Städte wie Leipzig und Dresden, aber auch in mittlere Städte wie Weimar oder Görlitz, denn die Wohnungen sind günstiger als im Westen und die Beschäftigungszahlen steigen. Aber Produktivität, Export und Forschung können das Niveau von Westdeutschland noch nicht erreichen.

**Städte:** Die Landeshauptstadt *Dresden* beherbergt viele Museen und Kunstsammlungen. Sie war von 1485 bis 1918 Residenz der Kurfürsten und Könige von Sachsen, die prächtige Baudenkmäler errichten ließen. 1945 wurde die barocke Altstadt total zerstört; Zehntausende von Menschen starben bei den Luftangriffen. Die schönsten Bauwerke Dresdens sind inzwischen wiederaufgebaut worden: der Zwinger, eine Barock-Anlage aus der Zeit Augusts des Starken, und die Semperoper. Die barocke Frauenkirche, die als Ruine über 50 Jahre Wahrzeichen der Stadt war, wurde originalgetreu nach alten Plänen wieder aufgebaut. Das neue goldene Kuppelkreuz ist ein Geschenk und eine Geste des britischen Königreichs.

*Leipzig* ist die größte Stadt des Landes. Sie hat eine fast 1000-jährige Tradition  als Zentrum des Handels und der Messen. Die Leipziger Buchmesse ist auch heute wieder ein Ort der Begegnung zwischen Ost und West. Das Programm „Leipzig liest", ein rauschendes Literaturfestival, gibt der

Messe ihr besonderes Profil. In Tausenden von Lesungen tragen bekannte und noch weniger bekannte Autoren aus

ihren Werken an ca. 500 Orten vor. Gelegentlich wird in Bibliotheken, Kirchen, Kneipen und auch an ungewöhnlichen Orten präsentiert. Das Buch ist Handelsware und auch geistige Nahrung. Politische Diskussionen sind in Leipzig an der Tagesordnung im Gegensatz zur Frankfurter Buchmesse, die im Wesentlichen eine Handelsmesse ist.

Leipzig boomt: Das Messegelände ist neu, Firmen wie Porsche, BMW, DHL siedelten sich an. Die Bevölkerungszahlen steigen, vor allem für junge Leute ist die Stadt attraktiv geworden. Die traditionsreiche Handelsstadt pflegt ihre Kulturlandschaft, vor allem das Gewandhausorchester, den Thomanerchor (gegründet 1212, also vor über 800 Jahren, zusammen mit der Thomaskirche und der Thomasschule) und die Oper. In Leipzig wurde 1813 Richard Wagner geboren. Johann Sebastian Bach (siehe S. 125), der Kantor der Thomaskirche, wirkte und starb hier ebenso wie Felix Mendelssohn Bartholdy (siehe S. 128).

*Meißen*, an der Elbe gelegen, besitzt die älteste Porzellanmanufaktur Europas. Das vorher nur in China und Japan bekannte Porzellan wurde 1710 von dem Alchemisten J. F. Böttger, der eigentlich Gold herstellen wollte, entdeckt. In dem firmeneigenen Museum werden Porzellane von 1710 bis in die Gegenwart gezeigt. Nach wirtschaftlichen Schwierigkeiten hat sich Meissen neu aufgestellt. Die Firma will für handwerkliche Kunst zwischen Tradition und Moderne begeistern und die Marke erneuern.

*Meißener Porzellan*

## Aufgaben

Nehmen wir an, Sie haben eine deutsche Zeitung gekauft. Sie schlagen sie auf und sehen die Ferienanzeigen. In welchen Bundesländern liegen die Orte? Nehmen Sie eine Landkarte zu Hilfe.

**Herzlich Willkommen im MORITZ**, dem Restaurant an der Frauenkirche in Dresden. Lassen Sie den Lärm der Straßen und das Getümmel der Touristenströme einfach hinter sich. Mitten in Dresdens Innenstadt direkt an der Frauenkirche gibt es eine gastronomische Perle zu entdecken... Nehmen Sie Platz und bewundern Sie die Frauenkirche einmal aus einer ganz anderen Perspektive. Bei uns sind Sie dem Himmel ein ganzes Stück näher. 01067 Dresden

**Oberkirchs Weinstuben**
**Freiburg im Breisgau**, die südlichste Großstadt Deutschlands, ist jährlich Ziel von über drei Millionen Besuchern. Denn Freiburg hat viel zu bieten: Sie können in der historischen Altstadt bummeln, in einem der vielen Cafés und gemütlichen Kneipen verweilen oder sich von der badischen Küche verwöhnen lassen.
Münsterplatz

**Insel Rügen**
Guten Tag und herzlich willkommen. Wir freuen uns, Sie als Gast bei uns im Akzent Waldhotel Göhren auf der Insel Rügen begrüßen zu dürfen. Sie haben die beste Auswahl getroffen, die es zu treffen gilt. Das Meer liegt Ihnen bei uns zu Füßen!
Ostseebad Göhren
Waldstraße

*Was hat das Hambacher Schloss mit der Demokratie in Deutschland zu tun? Schlagen Sie nach.*

*Weindorf in der Pfalz*

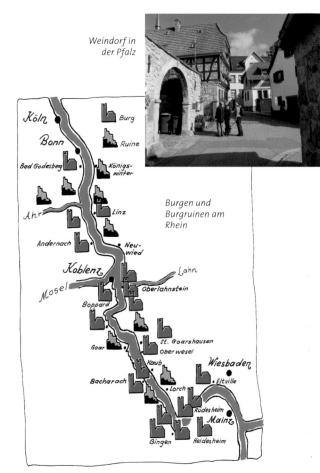

*Burgen und Burgruinen am Rhein*

# Rheinland-Pfalz

Erst 1946 entstandenes Bundesland. – Fläche und Bevölkerung siehe S. 25. Mainz (= Landeshauptstadt): 204 000 Einwohner; Koblenz: 110 000 Einwohner; Trier: 106 000 Einwohner

**Allgemeines:** Flüsse – Rhein, Mosel und Lahn – und Mittelgebirge prägen das Landschaftsbild, vor allem das Rheintal mit seinen Felshängen, Schlössern und Burgen und den kleinen Weinorten. Das Klima ist sehr mild und die Böden sind karg. Der Weinanbau hat deshalb eine lange Tradition.

Erst in jüngerer Zeit kam der industrielle Aufschwung, vor allem mit der chemischen Industrie (BASF in Ludwigshafen).

**Städte:** Wichtige Städte in Rheinland-Pfalz sind römische Gründungen, so zum Beispiel Mainz, Koblenz und Trier. In *Mainz*, der Landeshauptstadt, erfand Johannes Gutenberg den Buchdruck und stellte die erste gedruckte Bibel her (1452–1455). Mainz war im 8. Jahrhundert erzbischöflicher Sitz; der Dom ist eines der Hauptwerke romanischer Baukunst neben den romanischen Domen in Worms und Speyer. Im Speyerer Dom sind acht deutsche Kaiser beigesetzt.

*Trier* wurde vor 2000 Jahren unter dem römischen Kaiser Augustus gegründet und war der Verwaltungssitz für die westliche Hälfte des Römischen Reichs. In Trier regierten die Römer, bis die Franken im 5. Jahrhundert die Stadt eroberten. Großartige monumentale römische Bauwerke sind heute noch zu bewundern: die Porta Nigra, das Nordtor der römischen Stadtmauer, die Thermen, das Amphitheater.

In Trier wurde 1818 Karl Marx geboren. Das Jahr 2018 feierte seinen 200. Geburtstag.

### Karl Marx in Trier

Im Jahr 2017 war „Das Kapital" 150 Jahre alt. Viele Jahre war es still um Karl Marx, der 200. Geburtstag im Jahr 2018 war wieder Anlass, sich mit ihm zu befassen. Die Marxsche Theorie des Kommunismus wird meist mit totalitärer Herrschaft und Staatsterrorismus in Verbindung gebracht. In der heutigen Zeit, in der Arm und Reich auseinanderdriften, beschäftigt man sich wieder mit den Zukunftsaussichten von Kapitalismus und Sozialismus. Die Biografie „Marx. Der Unvollendete" sieht Marx in neuem Licht und versucht, Antworten zu geben. Hier ein Auszug aus einem Interview mit dem Autor Jürgen Neffe:

*Welche Prophezeiungen von ihm muss man heute ernst nehmen?*

Ich würde nicht von Prophezeiungen sprechen, auch wenn wir es heute so empfinden mögen. Das setzt eine Absicht voraus, die man Marx nicht unterstellen sollte. Aber seine Analysen sind vielfach noch zutreffend, das ist umso erstaunlicher. Mich hat besonders das „Maschinenfragment" aus seinen zu Marx' Lebenszeiten unveröffentlichten „Grundrissen" von 1857 fasziniert, in dem er sich Gedanken über die Welt macht, in der alle Produkte und schließlich auch Dienstleistungen von Maschinen erledigt werden. Solch einer Welt nähern wir uns gerade, Stichwort 4.0 mit Robotern und Künstlicher Intelligenz, mit großen Schritten. Wenn uns die Arbeit ausgeht, fragt sich Marx, wer hätte dann noch Geld, die Dinge zu kaufen? Steckt in ihnen – heute etwa in den Daten, die wir freiwillig zur Verfügung stellen – nicht die „Leistung" aller, fragt er weiter, auch früherer Generationen, ohne die es den heutigen Fortschritt der Technik nicht geben könnte. Ein besseres Argument für ein Grundeinkommen habe ich nie gelesen.

*(Auszug aus einem Interview von Karim Saab mit Jürgen Neffe in der Märkischen Allgemeine vom 18.09.2017)*

## Das Saarland

Das Bundesland an der Saar wurde erst 1957 Teil der Bundesrepublik. Es ist das jüngste und zugleich kleinste der alten Bundesländer. – Fläche und Bevölkerung siehe S. 25. Saarbrücken (= Landeshauptstadt): 177 000 Einwohner

**Aus der Geschichte:** Der französische König Ludwig XIV. nahm das Saarland im 17. Jahrhundert in Besitz. Nach dem Ersten Weltkrieg kam es zunächst unter die Verwaltung des Völkerbunds, ab 1935 gehörte es wieder zum Deutschen Reich. Nach dem Zweiten Weltkrieg war die politische Unabhängigkeit von Deutschland vorgesehen; mit Frankreich existierte eine Zollunion. 1957 entschied sich die Bevölkerung für die Bundesrepublik.

**Wirtschaft:** Wirtschaftlich ist das Saarland ein Sorgenkind. Durch die Krise im Bergbau (Steinkohle) und in der Stahlindustrie in den 1980ern liegen die Arbeitslosenzahlen über dem deutschen Durchschnitt, gehen aber zurück. Das endgültige Aus für den hochsubventionierten Bergbau kam Mitte 2012. Wachstum bringt die Autoindustrie (Ford) und die Informationstechnologie (SAP in Saarbrücken).

**Landeshauptstadt:** *Saarbrücken* ist Universitätsstadt. Die Universität (gegründet 1948), Standort für Informatik, Hightech und bekannt für trinationale Abschlüsse, liegt im Stadtwald mitten im Grünen.

# Baden-Württemberg

Entstand 1952 als Bundesland aus dem amerikanisch besetzten Württemberg-Baden und dem französisch besetzten Baden. – Fläche und Bevölkerung siehe S. 25. – Drittgrößtes Bundesland nach Bayern und Niedersachsen.

Stuttgart (= Landeshauptstadt): 604 000 Einwohner; Mannheim: 297 000 Einwohner; Karlsruhe: 295 000 Einwohner; Freiburg: 220 000 Einwohner

**Aus der Geschichte:** Das Gebiet des heutigen Baden-Württemberg hat eine sehr wechselvolle Geschichte. Württemberg war im 12. Jahrhundert das Herzogtum Schwaben, das an die Staufer kam und im Anschluss daran in ca. 300 Kleinterritorien, darunter 40 Reichsstädte, zerfiel. Anfang des 16. Jahrhunderts wurde es für kurze Zeit von den Habsburgern übernommen und damit österreichisch. 1805 wurde Württemberg Königreich. Es schloss sich wie Baden 1806–1813 dem napoleonischen Rheinbund an. 1871 traten beide Länder dem Deutschen Reich bei.

## Das Stichwort ☞ die Schwaben

*Die Schwaben gelten als erfolgreich, und zwar durch Sparsamkeit und Fleiß, und als grundsolide („Häuslebauer" = Häuschenbauer).*

**Wirtschaft:** Das landschaftlich sehr reizvolle Bundesland gehört zu den exportstärksten Regionen Europas im Bereich der industriellen Hochtechnologie, der Autoindustrie und in Forschung und Entwicklung, vor allem im Raum Mannheim / Karlsruhe und Stuttgart / Heilbronn (Daimler, Porsche, der Elektrokonzern Bosch), außerdem Schmuck- und Uhrenindustrie im Schwarzwald. Im schwäbischen Tuttlingen fertigen 400 Firmen der Medizintechnik Hightech-Instrumente für die Chirurgie. In Deutschland sind es kleine und mittlere Unternehmen, die medizintechnische Produkte anbieten. Die Arbeitslosenquote ist nach Bayern am niedrigsten.

Vor allem in Baden gedeihen berühmte Weinsorten; etwa ein Viertel des Weinanbaus der Bundesrepublik befindet sich in Baden-Württemberg. Landwirtschaftlich genutzt ist vor allem das württembergische Allgäu. Erwähnenswert ist nicht zuletzt der Tourismus, der sich auf den Schwarzwald und den Bodensee – das „Schwäbische Meer" genannt – konzentriert.

**Städte:** Die Landeshauptstadt *Stuttgart* ist die ehemalige Residenz der Herzöge und Könige Württembergs. Sie ist Industriezentrum, Universitätsstadt und Stadt des Verlagswesens.

Weitere Städte: *Mannheim* (im 17. Jahrhundert gegründet, schachbrettartig angelegt); *Freiburg im Breisgau* (romanisch-gotisches Münster, seit 1457 Universitätsstadt); *Heidelberg* (neben Prag älteste Universität, 1386 gegründet, Schlossruine, romantischer Philosophenweg über dem Neckar); *Karlsruhe* (Sitz des Bundesverfassungsgerichts); *Staufen*: romantisches Städtchen am Fuße des Schwarzwalds.

# Bayern

Das flächenmäßig größte Bundesland. – Fläche und Bevölkerung siehe S. 25. München (= Landeshauptstadt): 1,43 Millionen Einwohner; Nürnberg: 501 000 Einwohner; Augsburg: 281 000 Einwohner; Würzburg: 124 000 Einwohner; Regensburg: 136 000 Einwohner

**Aus der Geschichte:** 1806 schloss sich Bayern dem napoleonischen Rheinbund an und wurde ein Königreich. Unter König Ludwig I. war München ein kulturelles und wissenschaftliches Zentrum. Zwischen

größten Touristenattraktionen Bayerns gehören. Auch förderte er den Komponisten Richard Wagner, der durch die großzügige Unterstützung sorgenfrei arbeiten konnte. In den letzten Jahren seines Lebens zog sich Ludwig immer mehr zurück und wandte sich seinen Traumwelten zu. Am 13. Juni 1886 ertrank er unter nicht ganz geklärten Umständen im Starn-

Der junge Ludwig II.

und der Komponist Richard Wagner (1813-1883)

Nürnberg und Fürth verkehrte 1835 die erste deutsche Eisenbahn. In dieser Zeit begann die industrielle Entwicklung Bayerns. Der Reichsgründung 1871 schloss sich Bayern nur widerwillig an; es erhielt dafür Sonderrechte: eigene Diplomatie, Post und Eisenbahn, Bier- und Branntweinsteuer. Aus der Zeit der Monarchie ist besonders ein König im Bewusstsein geblieben: König Ludwig II. (1845–1886). Er baute die Schlösser Neuschwanstein, Herrenchiemsee und Linderhof, die heute zu den

berger See. Die Bayern nennen ihn noch heute ihren „Kini"; sein Bild ist auf Maßkrügen, Bierdeckeln und Aufklebern zu finden, sogar ein Bier, das „König Ludwig Dunkel", ist nach ihm benannt. König-Ludwig-Clubs halten sein Andenken lebendig.

1918 wurde die Republik ausgerufen. Die Konflikte zwischen Bayern und dem Reich bestimmten die folgenden Jahre. 1923 sammelten sich rechtsradikale Kreise in München und putschten unter Adolf Hitler erfolglos gegen die Reichsregierung in Berlin. Unter den Nationalsozialisten wurde München darum „Stadt der Bewegung" genannt. Das 2015 eröffnete NS-Dokumentationszentrum informiert über die nationalsozialistische Vergangenheit Münchens.

**Wirtschaft:** Bayern hat sich nach dem Krieg von einem überwiegenden Agrarland zum modernen Hightech-Industrie- und Dienstleistungsstandort gewandelt. München zog die größten internationalen Unternehmen der Soft- und Hardware-Industrie sowie der Luft- und Raumfahrt an. In der Nähe von München, in Garching, entstand der weltbekannte Forschungsreaktor. Hinzu

kommen die Maschinenbau-Industrie (MAN), die Auto-(BMW), Elektro- und Elektronikindustrie (Siemens). Während in Oberbayern internationale Braukonzerne den Markt beherrschen, gibt es in Franken neben dem Wein auch ca. 200 kleine Brauereien, die typische, sehr geschmackvolle Biersorten herstellen.

**Landschaft und Landwirtschaft:** Die Fläche Bayerns ist zu 50% landwirtschaftlich genutzt (Getreide, Hopfen, Viehzucht), davon ein Drittel von der Forstwirtschaft. Die Donau trennt Bayern in einen nördlichen Teil mit Franken und den Mittelgebirgen, wie dem Bayerischen Wald, dem Fichtelgebirge und dem Oberpfälzer Wald, und einen südlichen Teil, dem Voralpenland und dem beginnenden Hochgebirge. Durch die Eiszeit wurden im Voralpenland viele Flüsse und Seen geschaffen, die den Reiz dieser Landschaft ausmachen: der Chiemsee (82 km²), der Starnberger See (57 km²), der Ammersee (48 km²) und der Tegernsee (9 km²). Zu allen Jahreszeiten strömen Touristen nach Bayern, vor allem an die Seen, nach München und zu den bayerischen Schlössern.

**Städte:** *München* ist Universitätsstadt, Messestandort, Film- und Medienstadt und beherbergt eine Vielzahl von Verlagen. Die im spätgotischen Stil erbaute Frauenkirche ist das Wahrzeichen der Stadt. Die Wittelsbacher – Könige ab 1806 – machten ihre Stadt zu einer Kunststadt von europäischem Rang. Versailles stand Pate für das Schloss und den Park Nymphenburg, die Sommerresidenz der bayerischen Könige. Münchens Innenstadt wurde nach italienischen Vorbildern gestaltet; andere Bauwerke und Straßenzüge wiederum entstanden nach klassizistischen Mustern.

Eine weltbekannte Touristenattraktion ist das jährlich stattfindende Oktoberfest, das circa 6 Millionen Besucher aus aller Welt nach München holt und das rund um den Globus Nachahmung findet. München

hat einen hohen Freizeitwert: Hochgebirge und Seen liegen „direkt vor der Haustür". Mitten in der Stadt trifft man sich in den gemütlichen Biergärten. Aber das hat seinen Preis: Die Mieten und die Lebenshaltungskosten sind fast unerschwinglich hoch und die Traumstadt droht für viele zur Albtraumstadt zu werden.

*Nürnberg*

*Fuggerei in Augsburg*

*Jakob Fugger (1459-1525)*

*Nürnberg* in Mittelfranken, erstmalig 1050 erwähnt, war im Mittelalter freie Reichsstadt und ein wichtiger Fernstraßenknotenpunkt. In Nürnberg wurden 1510 die Taschenuhr („das Nürnberger Ei") und 1493 der

Nürnberg ist aber auch Zeuge dunkler Tage. In Nürnberg wurden von 1933 bis 1938 die „Reichsparteitage" der Nationalsozialisten abgehalten. Während eines „Reichsparteitags" wurden die Nürnberger Gesetze verkündet, die die Ausgrenzung für die jüdische Bevölkerung im Dritten Reich bedeuteten. Nach dem Ende des Zweiten Weltkriegs wurden die Kriegsverbrecher in den Nürnberger Prozessen abgeurteilt.

*Augsburg* wurde vor mehr als 2000 Jahren zur Zeit des römischen Kaisers Augustus gegründet. In Augsburg entwickelte sich der Handel mit Textilien; im Mittelalter gab es direkte Handelsbeziehungen zu Venedig. Das Bankhaus der berühmten Fugger-Familie finanzierte Kaiser und Könige und hatte vom 15. bis zum 16. Jahr-

*Festspielhaus Bayreuth*

*Rothenburg*

Globus erfunden. Die Stadtmauer, das wiedererbaute Dürerhaus und die Kaiserburg sind Zeugen von Nürnbergs mittelalterlicher Vergangenheit. Hier wohnten der Maler Albrecht Dürer und der Bildhauer Veit Stoß (Germanisches Nationalmuseum siehe S. 135). Heute ist der Raum Nürnberg-Fürth ein industrielles Ballungsgebiet mit Maschinenbau, Elektro- und Spielwarenindustrie.
Seit 1976 findet jährlich das Nürnberger „Bardentreffen" statt, ein Weltmusikfestival, auf dem ca. 400 Musikanten in der Altstadt auftreten (s. S. 127). Zu Weihnachten ist der Christkindlmarkt eine große Attraktion.

hundert einen entsprechend großen politischen Einfluss in Europa. Bekannt ist die bis zum heutigen Tag bewohnte Fuggerei aus dem Jahr 1521, die älteste noch bestehende Sozialsiedlung der Welt. Sozial eingestellte Nachfahren der berühmten Fuggerfamilie in der 19. Generation kümmern sich heute um die Siedlung.

Weitere wichtige Städte: *Regensburg* (Römerstützpunkt, Weltkulturerbe); *Würzburg* (Bischofssitz seit dem 8. Jahrhundert); *Rothenburg (Stadtmauer aus dem 14. Jahrhundert)*; *Bayreuth* (Wagner-Stadt).

## Würste aus Nord und Süd

1 _____   2 _____   3 _____

4 _____   5 _____   6 _____

### *Aufgaben*

1. Würste sind für bestimmte Gegenden – im Norden und Süden – etwas besonders Typisches. Ordnen Sie den Fotos zu: Original Frankfurter, Thüringer Bratwurst, Bayerische Weißwurst, Grünkohl mit Pinkel aus Bremen; Currywurst (die in Berlin erfunden sein soll), süddeutsche Schlachteplatte mit Blut- und Leberwurst. (Die Blutwurst war ein Arme-Leute-Essen. Heute besinnt man sich auf natürliche Kost und die Lebensmittel aus der Region. Man genießt die Blutwurst auch in Feinschmeckerlokalen in Süd- und Norddeutschland.) Hoffentlich verfälschen Lebensmittelketten und industrielle Herstellung dieses traditionelle Kulturgut nicht, denn die Zahl der Würste produzierenden Metzger/Fleischer geht zurück. Was meinen Sie?

2. Kennen Sie den umgangssprachlichen Ausdruck „Das ist (mir) wurscht" für „Das ist (mir) egal"? Kennen Sie weitere Redewendungen mit „Wurst"? Zum Beispiel: „die beleidigte Leberwurst spielen" oder „Es geht um die Wurst" usw.

# Brot ist Unesco Welterbe

## *Aufgaben*

1. 2014 wurde „Die deutsche Brotkultur" in das Verzeichnis des immateriellen Kulturerbes der UNESCO aufgenommen. Das sichert den Schutz und die Förderung der Brotkultur. Neben den normalen Roggen- und Weizenbroten gibt es viele Varianten: Mehrkornbrote, Brote mit Rosinen, Kartoffeln oder Kürbis, Brote mit Quark oder Sonnenblumenkernen usw. Insgesamt soll es ca. 3000 offiziell anerkannte Sorten geben. In Ulm hat 1955 das erste Brotmuseum der Welt aufgemacht mit der Ausstellung von 850 Brotsorten und mit der Geschichte des Brotes.

   Ordnen Sie den Fotos zu: Brezen, Vollkornbrot, Bauernbrot, Weißbrot (auch: Weizenbrot), Knäckebrot, Brötchen.

2. Brot spiegelt sich auch in vielen Redewendungen wider: „Er muss jetzt kleinere Brötchen backen" heißt, dass er bescheidener werden muss. Oder: „Sie will sich nicht die Butter vom Brot nehmen lassen" für „Sie lässt sich nichts gefallen". Schlagen Sie das Duden-Wörterbuch „Redewendungen" auf und suchen Sie unter dem Stichwort „Brot" weitere Wendungen.

1 _____

2 _____

3 _____

4 _____

5 _____

6 _____

## Aufgaben

In allen Regionen gibt es besondere Spezialitäten. Wir haben einige wenige ausgewählt, die zum Teil sehr originelle Namen haben. Versuchen Sie Ihr Glück!

1. Was ist abgebildet? Ordnen Sie zu. Schreiben Sie die passende Zahl in das erste Kästchen.
2. Und wo isst man das? Schreiben Sie den passenden Buchstaben in das zweite Kästchen.

**1 Eisbein auf Sauerkraut** (Fleischgericht, Teil des Beins vom Schwein)

**2 Maultaschen** (Taschen aus Nudelteig, gefüllt mit Spinat, Zwiebeln, Schinken)

**3 Labskaus** (Essen aus Speiseresten, garniert mit Rollmöpsen und Spiegeleiern)

**4 Windbeutel** (Ein Nachtisch oder Dessert. Luftiges Gebäck mit Sahne und sauren Kirschen.)

**5 Saumagen** (Sau = Hausschwein, gefüllter Magen mit Fleisch und Kartoffeln)

**6 Dresdner Stollen** (Weihnachtsgebäck; Gebäck aus Hefeteig mit Rosinen, Mandeln oder Mohn)

**a** ganz Deutschland
**b** Schleswig-Holstein
**c** Berlin

**d** Sachsen
**e** Schwaben (Region zwischen Schwarzwald, Stuttgart, westliches Bayern und dem Bodensee)

**f** Rheinland-Pfalz

# 3. Soziales

# Die Familie

**1.** Die Familie ist ein Spiegel der Gesellschaft. Auffallend ist, dass

* die Zahl der Alleinlebenden seit Jahren hoch ist wie überhaupt EU-weit in Nordeuropa. In Großstädten wie Berlin, München oder Hamburg ist der Anteil der Singles besonders hoch.

* die Ehe zwar nicht an Bedeutung verloren hat, aber zur Option geworden ist, auch wenn Kinder da sind. Der gesellschaftliche Druck, heiraten zu müssen, ist weggefallen. Das betrifft vor allem junge Paare, die beide noch in der Ausbildung sind, und ältere Paare, die berufstätig sind und oft schon eine Scheidung hinter sich haben.

* die Zahl der Kinderlosen nicht weiter steigt, weil sich junge Frauen, vor allem auch Akademikerinnen, für Kinder entscheiden, verursacht durch den Ausbau der Kleinkinderbetreuung. Sie kehren schneller in den Job zurück und arbeiten auch öfter Vollzeit.

* jede dritte Ehe wieder geschieden wird. Durch Scheidungen entstehen sogenannte Patchworkfamilien mit gemeinsamen Kindern und Kindern aus früheren Ehen, wobei die Eltern verheiratet oder nicht verheiratet sind. Geschiedene entscheiden sich oft für das gemeinsame Sorgerecht. Aber da sind Korrekturen in der Gesetzgebung nötig, die die veränderten gesellschaftlichen Verhältnisse berücksichtigen. Heute entschließen sich Paare auch nach jahrzehntelanger Ehe zur Scheidung, um im Alter noch einmal neu anzufangen.

* nichteheliche Lebensgemeinschaften mit und ohne Kinder heute zur gesellschaftlichen Normalität gehören.

**2.** Circa 60 Prozent aller Paare wollen ihre Gefühle zuerst gründlich prüfen, bevor sie heiraten. Nachteilig ist, dass nichteheliche Gemeinschaften rechtlich

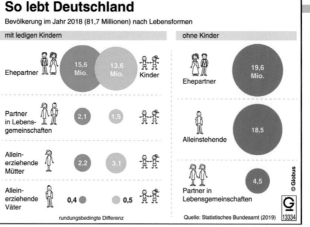

**So lebt Deutschland**
Bevölkerung im Jahr 2018 (81,7 Millionen) nach Lebensformen

mit ledigen Kindern

| | | |
|---|---|---|
| Ehepartner | 15,6 Mio. / 13,6 Mio. | Kinder |
| Partner in Lebensgemeinschaften | 2,1 / 1,5 | |
| Alleinerziehende Mütter | 2,2 / 3,1 | |
| Alleinerziehende Väter | 0,4 / 0,5 | |

rundungsbedingte Differenz

ohne Kinder

| | |
|---|---|
| Ehepartner | 19,6 Mio. |
| Alleinstehende | 18,5 |
| Partner in Lebensgemeinschaften | 4,5 |

Quelle: Statistisches Bundesamt (2019)

© Globus 13334

*Was können Sie aus der Statistik ablesen?*

eindeutig schlechter gestellt sind als die Familie, die unter dem Schutz des Staates steht. Unverheiratete Partner erhalten keine Steuervorteile und haben gegenseitig keine Erbansprüche.

Das Bundesverfassungsgericht definierte die Lebensgemeinschaft als „eine auf Dauer angelegte Verbindung" (= Partnerschaftsvertrag). Der Vater hat nicht automatisch auch das Sorgerecht für das gemeinsame Kind wie bei Ehepaaren. Die Mutter muss zustimmen. Seit 1998 sind Kinder aus solchen Partnerschaften gleichberechtigt und erben wie eheliche.

## Das Stichwort ☞ „Ehe für alle"

*Für Partner gleichen Geschlechts gibt es seit 2001 die Möglichkeit, eine eingetragene Partnerschaft einzugehen, die der homosexuellen Beziehung einen rechtlichen Rahmen gibt. Inzwischen sind Diskriminierungen für Schwule und Lesben wie Dominosteine gefallen. Seit 2017 können sie eine Ehe schließen – „Ehe für alle" – und auch Kinder adoptieren. Das neue Gesetz hat Folgen für das Familienrecht. Bereits seit 1989 haben Kinder das Recht zu erfahren, wer ihr leiblicher Vater ist. Auch bei Adoptionen bleiben die eigentlichen Eltern nicht mehr anonym und bei Samenspenden können Kinder jetzt ihre Herkunft klären. Leihmutterschaft und Eizellenspende bleiben dagegen in Deutschland verboten. Auch bleibt die Zahl der Eltern auf zwei beschränkt.*

**3.** Wohngemeinschaften (WGs) galten in den 1960er-Jahren als „revolutionär". Heute sind sie eine normale Lebensform. Wohngemeinschaften können lose Hausgemeinschaften sein, aber auch feste Lebensgemeinschaften. Zu den Ersteren gehören die Studenten-WGs, zu den Letzteren Senioren-WGs oder auch Frauen-WGs.

## Aufgaben

1. Bilden Sie vier Gruppen und entscheiden Sie sich jeweils für eine bestimmte Lebensweise: Großfamilie, Kleinfamilie, Single, Wohngemeinschaft.
   Tragen Sie jeweils Argumente für Ihre Lebensform vor und bestimmen Sie einen Diskussionsleiter für die anschließende Diskussion.
2. Lesen Sie den Artikel unten links zum Thema „Partnerschaft". Kennen Sie ähnliche Fälle? Wäre ein solcher Konflikt in Ihrem Land möglich?
3. Bereiten Sie ein Referat vor, in dem Sie Gemeinsamkeiten und Unterschiede zwischen Ihrem Land und Deutschland vortragen.
4. Diskutieren Sie das Thema unter dem Aspekt kultureller und religiöser Unterschiede.

### Rechtsfälle

## Liebe weg – Geld her?

**Wenn die Liebe ohne Trauschein zerbricht**

Rund drei Millionen Paare leben in Deutschland zusammen, ohne verheiratet zu sein. Solange sich die Partner gut verstehen, gibt es kaum rechtliche Probleme. Wenn die Ehe ohne Trauschein aber zerbricht, wird oft genauso erbittert gestritten wie bei Scheidungen. Doch im Gegensatz zu Ehescheidungen ist die Rechtsprechung bei nichtehelichen Lebensgemeinschaften nicht einheitlich geregelt (siehe auch S. 60). Thema Partnerschaftsvertrag: Als Ulrike in eine Kleinstadt zu ihrem Freund Robert zieht, gibt sie Freundeskreis, Wohnung und Job auf. Zu Ulrikes Absicherung vereinbart das Paar in einem Partnerschaftsvertrag, dass sie 40.000 Euro von Robert erhält, wenn er die Beziehung beendet. Nach einigen Jahren des Zusammenlebens geht Robert „fremd" und will die Trennung. Ulrike verlangt das Geld. Ihr Ex-Partner weigert sich aber, den Vertrag einzuhalten. Wer hat recht?
Ein anderer Fall: Felicitas lebt mit Martin zusammen. Als dieser ein Geschäft eröffnet, unterschreibt sie aus Solidarität eine Bürgschaft mit. Das Geschäft geht pleite, die Partnerschaft zerbricht und Felicitas sitzt auf einem Berg von Schulden, den sie in den nächsten zwanzig Jahren kaum wird abtragen können. Hat sie etwas falsch gemacht?
*(nach SZ Programm vom April 1993; aktualisiert 2015)*

# Wohnen heute und morgen

## Wohnen in den alten Bundesländern

**1.** Die Veränderung der sozialen Strukturen (siehe S. 60) hat tief greifende Folgen für den Wohnungsmarkt. Jüngere Alleinstehende nehmen ihre Wohnungen meistens zur Miete; sie möchten beruflich mobil bleiben. Sie bevorzugen die Stadtzentren, in denen Wohnraum allerdings immer teurer wird. Aus Kostengründen beschließen deshalb vor allem Familien, außerhalb der teuren Städte zu wohnen und zum Arbeitsplatz zu pendeln. Festzustellen ist aber, dass Immobilien und Mieten auch im Umland der Städte kräftig steigen. Eigentum zu erwerben wird für die jüngere Generation dadurch fast unmöglich. Wer von der älteren Generation erbt, kann sich glücklich schätzen. In Deutschland wohnt weniger als 50% der Einwohner in den eigenen vier Wänden.

**2.** „Sage mir, wie du wohnst, und ich sage dir, wer du bist" – dieser Spruch ist eine alte Volksweisheit, die besagt, dass die Wohnform und der Wohnort Ausdruck eines persönlichen Lebensgefühls sind. Die Deutschen sind keine mobile Nation, sie ziehen nur ungern um. Dort, wo sie leben, wollen sie sich wohlfühlen. Sie entwickeln ein lokales Heimatgefühl. Die Kontakte zu den Nachbarn sind allerdings nur lose, man grüßt und fertig. Der größte Traum für die Menschen in West und Ost ist ein Wochenendhaus im Grünen (in den neuen Bundesländern „Datsche" genannt) mit freundlichen Nachbarn. Beliebt sind Internet-Plattformen, auf denen Nutzer in unmittelbarer Nachbarschaft Kontakte pflegen können: für gemeinsame Hobbys oder unkonventionelle Hilfe.

## Aufgaben

1. Welche der folgenden Anzeigen sind Mietgesuche, welche sind Mietangebote?
2. Wie sieht nach diesen Anzeigen der „ideale" Mieter aus?

*Eine Jahresmiete im Voraus! Nette Freiberuflerin (30) mit Charme sucht 1-2-Zimmerwohnung bis 1000 Euro. Haus-WG*

Dachzimmer (19 qm) im Hexenhaus frei, gr. WZ mit off. Kamin. Dachterrasse., Flat, 500 Euro warm. Tel.

*Im Grünen leben. See und Alpen sehen in 3-Zimmer-Whg. (87 qm), Terrasse, Garten, Garage.- Nähe Allensbach. 895 Euro kalt. Tel.*

**München Zentrum**, 180 qm Jugendstilwhg. Mit 4,5 Zimmern, Erstbezug nach Renovierung, 2 Designerbäder, Loggia, Parkett, Wohnküche, 2. OG, ruh. Südlage, Euro 3.975,-- + NK, Weiß Immob. Tel.

*1000 Euro Belohnung für eine 1- bis 2-Zimmerwhg., zentral, bis 800 warm, an solvente, alleinstehende 40-jährige Frau.*

**Junger Mann**, angestellt in Bäckerei, sucht Einzimmerwhg. bis 600 Euro.

*Dresden, Ruhiglage, schöne Zweizimmer-Wohnung, 72 qm, Sonnenbalkon, Parkettboden, 800,-- Kaltmiete + Nebenkosten.*

**3.** Zurzeit wird viel gebaut, vor allem Mehrfamilienhäuser, aber die Zahl neuer Wohnungen reicht nicht aus und die Mieten steigen weiter. 2- und 3-Zimmer-Wohnungen sind gefragt. In den Ballungsräumen München, Frankfurt, Berlin und Hamburg werden Luxuswohnungen und Luxus-Apartments gebaut und gekauft oder Wohnraum in Luxuswohnungen umgewandelt (sogenannte Gentrifizierung). Junge Familien, vor allem Alleinerziehende, Rentner und Durchschnittsverdiener sowie Studenten haben es deshalb schwer, in den großen Städten eine günstige Mietwohnung zu finden. Dass weniger gut Verdienende wegziehen müssen, ist keine Seltenheit mehr. Positiv ist, dass Städte Mieter zum Teil schützen, indem sie Häuser kaufen und dadurch Luxussanierung verhindern.

Rund 40% der Haushalte in den Großstädten zahlen mehr als 30% für die Miete. Für einkommensschwache Personen bleibt da zu wenig übrig für Essen, Kleidung und Freizeit. Sie haben Anrecht auf eine billige Sozialwohnung, soweit vorhanden, und auf Wohngeld.
Gefordert werden neue Ideen für den sozialen Wohnungsbau: Modellhäuser mit neuen Wohnformen, in denen sich sowohl Patchworkfamilien als auch Alten-WGs zu Hause fühlen. Auch altersgerechte, staatlich geförderte Wohnungen wären für Rentner ein Ausweg. Mit dem Zustrom vom Land in die Ballungszentren und aus dem Ausland wird der Mangel an Wohnraum offensichtlich, mit dem Zustrom von Flüchtlingen ebenfalls.

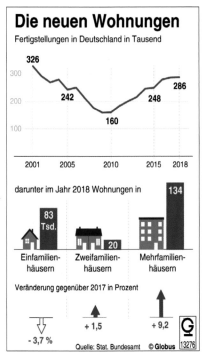

**4.** Seit Ende der 1990er-Jahre ist die Zahl der Obdachlosen gesunken; seit 2008 steigt sie wieder besonders in den teuren Großstädten. Obdachlose sind Alleinstehende ohne festen Wohnsitz, die auf der Straße leben oder Schlafplätze in Übernachtungsstätten haben. Gründe für ihre Obdachlosigkeit sind unter anderem Überschuldung, Mietschulden, Familientragödien oder besondere Schicksalsschläge. Zurzeit haben insgesamt ca. 820 000 Menschen keine vertraglich abgesicherte Wohnung, darunter 375 000 anerkannte Asylbewerber. 40 000 Menschen sind total obdachlos.

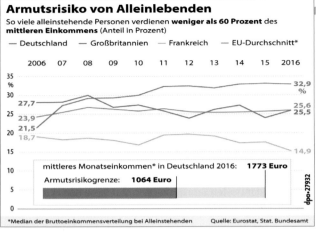

**Armutsrisiko von Alleinlebenden**

So viele alleinstehende Personen verdienen **weniger als 60 Prozent** des **mittleren Einkommens** (Anteil in Prozent)

— Deutschland — Großbritannien — Frankreich — EU-Durchschnitt*

| 2006 | 07 | 08 | 09 | 10 | 11 | 12 | 13 | 14 | 15 | 2016 |

32,9 %
27,7
23,9
21,5
18,7
25,6
25,5
14,9

mittleres Monatseinkommen* in Deutschland 2016: **1773 Euro**
Armutsrisikogrenze: **1064 Euro**

dpa-27932

*Median der Bruttoeinkommensverteilung bei Alleinstehenden      Quelle: Eurostat, Stat. Bundesamt

## Aufgaben

Die Zahl armer Menschen steigt seit Jahren. Ungefähr 7,5 Millionen Menschen gelten als arm oder von Armut bedroht. Ursache sind Schulden, vor allem geringe Löhne und zunehmend niedrige Renten, die zum Leben kaum reichen (siehe Stichwort Altersarmut, S. 75). Dazu gehören auch Zugewanderte und Menschen mit Migrationshintergrund. Ihre Lage bessert sich erst nach einem längeren Aufenthalt. Ziel ist, Zuwanderer zu qualifizieren, damit sie ihr Leben selbst in die Hand nehmen können. Maßnahmen gegen Ungleichheit und Armut bleiben deshalb auf der Tagesordnung. Kommentieren Sie.

## Das Stichwort ☞ Alleinerziehende

*Fast jede fünfte Familie besteht aus nur einem Elternteil, dem Vater, meist der Mutter, der/die das Kind oder die Kinder allein erzieht. Der Staat unterstützt, aber die Probleme sind groß. Viele Alleinerziehende, die unter der Armutsschwelle leben, brauchen eine Berufsaus- oder -fortbildung. Die ist im Alltag aber nur schwer zu organisieren. Meist sind es ärmere Familien, die zerbrechen und Alleinerziehende zurücklassen.*

## Das Stichwort ☞ Kinderarmut

*Die Zahl benachteiligter Kinder und Jugendlicher wächst. Abgehängt werden vor allem kinderreiche Familien und Alleinerziehende. Ganztagsschulen können da eine Unterstützung sein.*

## Wohnen in den neuen Bundesländern

**1.** Zwischen Elbe und Oder wurden nach der Wende 1989 Milliarden investiert, um verfallene Innenstädte zu sanieren und zu modernisieren. Häuser bekamen farbige Fassaden und die Infrastruktur wurde entwickelt. Die Bausubstanz hatte in den vierzig Jahren der kommunistischen Herrschaft stark gelitten, umweltschädliche Heizsysteme haben die Luft verpestet. In der ehemaligen DDR waren seit den 1960er-Jahren eintönige Bauten aus fertigen Betonplatten entstanden. Die relativ kleinen Wohnungen entsprachen einer bestimmten Norm, denn Geld und Wohnraum waren knapp. Dafür waren die Mieten extrem niedrig, die Wohnungen deshalb begehrt.

**2.** Seit der Wende haben Sanierungsprojekte die Wohnqualität verbessert; die Plattenbauten wurden neu aufpoliert. Heute ist das Image der „Platte" gestiegen. Viele schätzen die immer noch günstigen Mieten und das besondere Flair.

**3.** Die Lebensbedingungen in Deutschland West und Ost nähern sich langsam an. Die stufenweise Angleichung der Löhne geschieht in den einzelnen Branchen unterschiedlich. Die Mieten sind im Durchschnitt nicht so stark gestiegen wie im Westen. Sie belasten die Mieter nur mit ca. 20% des Einkommens. 10% der Wohnungen in Ostdeutschland stehen durch den Wegzug der Bewohner leer. In Westdeutschland sind es ca. 4%, besonders in ländlichen Gebieten. Das flache Land ist dadurch oft schlecht versorgt.
Die Bundesregierung strebt eine Angleichung der Lebensverhältnisse an: Jeder soll die gleichen Chancen haben, egal, ob er in einer boomenden Stadt oder auf dem Dorf wohnt, im Osten oder im Westen. Arme ländliche Gebiete sollen eine Zukunft bekommen, schnelles Internet und Finanzhilfen.

### Wohnen der Zukunft

Beim Hausbau fängt das Energiesparen an. Wer bauen will, denkt heute ökologisch. Die Regierung unterstützt Hausbesitzer, die ihr Haus energetisch sanieren wollen. Außerdem sind die Verbraucher wesentlich sparsamer geworden. Seit 2016 müssen Neubauten mit weniger Energie auskommen; es gelten strengere Standards. Auch Altbauten werden öffentlich gefördert und werden zu Niedrigenergiehäusern mit einem modernen Effizienzstandard. Energieeffizienzexperten erarbeiten die besten Lösungen.

Im Ruhrgebiet in der Stadt Bottrop entsteht seit 2010 die sogenannte „Innovation City", eine ökologische Modellstadt für 65 000 Menschen, in der Klimaschutz im Mittelpunkt steht. 2020 startet der Endspurt mit einem Bündel von Informationen für die Eigentümer im Pilotgebiet, denn die Stadt will eine große Mitmach-Gesellschaft für den Klimaschutz schaffen.

Stadtplaner entwerfen Modellstädte für nachhaltiges Wohnen, denn immer mehr Menschen ziehen vom Land in die Städte. Die Stadt der Zukunft wird grün sein: Natur in der Stadt, Urban Farming und Urban Gardening auf Dächern und Balkonen sind die Stichwörter. München soll zur „Cool City" werden, in der die Digitalisierung neue Möglichkeiten bietet: effizienter Energieverbrauch durch intelligente Anlagen, Apps zur Information und Kontrolle, kostenloser WLAN-Zugang, Mobilität durch Carsharing und Elektrofahrzeuge, Vernetzung kleiner virtueller Kraftwerke, die abhängig vom Stromverbrauch gesteuert werden. Wichtig ist, dass Verkehr und Energie zusammen gesehen werden.

Die Vernetzung im Haushalt, z.B. ein Kühlschrank mit Kamera zur Kontrolle, stößt aber nicht auf große Begeisterung. Zu groß ist die Angst vor Datenmissbrauch und auch davor, dass das Leben noch komplizierter wird. Festgestellt wurde auch, dass ein Smart-Home zwar weniger Energie verbraucht, aber wahrscheinlich mehr Energie benötigt: für mehr Geräte und mehr Nutzung.

# Die Frau, Familie und Beruf

**1.** Umfragen haben immer wieder ergeben, dass sich junge Familien zwei oder mehr Kinder wünschen. In Wirklichkeit wird die Zahl der Kinder oft davon abhängig gemacht, ob die Frau berufstätig bleiben kann oder nicht. Über 74% aller Frauen gehen einem Beruf nach und möchten Familie und Beruf „unter einen Hut bringen", 1992 waren es nur 56%. Väter nehmen immer häufiger die Elternzeit (meist aber nur 2 Monate) in Anspruch. Frauen entscheiden sich für die maximale Auszeit von 12 Monaten und arbeiten dann oft in Teilzeit. Ein neues Gesetz ermöglicht in großen Betrieben die Rückkehr in die Vollarbeitszeit, die bisher meist nicht möglich war und auch heute nicht ohne Hürden ist. Das alte Modell der Hausfrau, die lebenslang zu Hause bleibt, läuft aus. Dennoch stellte die OECD (= Organisation für wirtschaftliche Zusammenarbeit und Entwicklung) fest, dass in Deutschland mehr Frauen in Teilzeit und weniger in Vollzeit arbeiten als in anderen europäischen Ländern.

**2.** Die Zahl der Kita- und Kindergartenplätze (Kita = Krippe oder Kindertagesstätte für 1- bis 3-Jährige) sowie die Zahl der Grundschulen mit Ganztagsbetreuung haben sich verdoppelt. Trotzdem reicht die Zahl der Kitas, der Ganztagsbetreuung und der Horte für Kinder in der Grundschule sowie der Erzieher und Erzieherinnen noch nicht aus. Seit 2013 besteht ein Rechtsanspruch auf einen Kitaplatz oder eine Tagesmutter. Ausbildungsprogramme für Erzieher und Erzieherinnen sollen helfen, das Angebot zu erweitern. Alleinerziehende Mütter, für die das Geld knapp wird (Kinderarmut droht), und Menschen in „prekären" sozialen Verhältnissen sind auf eine Krippe angewiesen, um arbeiten gehen zu können.

## Das Stichwort ☛ **Mutterschutz**

*Schutzfrist für berufstätige Mütter. Sie dürfen sechs Wochen vor und acht Wochen nach der Geburt nicht arbeiten und bekommen Geld in der Höhe ihres Gehalts. Der Arbeitsplatz ist während dieser Zeit garantiert.*

## Das Stichwort ☛ Elterngeld/Elternzeit

*Seit dem 1.1.2007 gibt es das Elterngeld, das die Mutter und/oder der Vater je nach Vereinbarung insgesamt 14 Monate beziehen können (der Vater mindestens zwei Monate). Mit dem Elterngeld Plus können Eltern doppelt so lange, aber nur halb so viel Geld bekommen. Berechtigt sind auch Eltern in eingetragener Partnerschaft, Stiefeltern, Nichterwerbstätige und Selbstständige.*

**3.** Über 50% der Studienanfänger sind Frauen. Sie sind gut ausgebildet und deshalb ökonomisch unabhängiger geworden. Die Rahmenbedingungen haben sich in den letzten Jahren gebessert. Mehr als drei Viertel der Unternehmen boten im Rahmen einer Befragung flexible Arbeitszeitregelungen wie gleitende Tages- und Wochenarbeitszeiten, Teilzeit oder Homeoffice an. Deutlichen Nachholbedarf gegenüber anderen Ländern gibt es noch in der Kinderbetreuung (Betriebskindergärten, Krippen- und Kindergartenplätze).

**4.** Im öffentlichen Leben leisten Frauen einen großen Teil der sozialen und einen nicht zu unterschätzenden Teil der politischen ehrenamtlichen Tätigkeiten. In Führungspositionen des öffentlichen Lebens, in Verwaltung, als Professorinnen und in den Top-Etagen der Privatwirtschaft und auch auf mittlerer Führungsebene sind sie unterrepräsentiert, obwohl große Unternehmen sich 2001 verpflichtet hatten, den Frauenanteil zu erhöhen. In den Toppositionen im Gesundheitswesen, den Krankenkassen, sind sie kaum vertreten, obwohl meist Frauen in den Gesundheitsberufen arbeiten. Frauen kommen heute zwar schneller nach oben, aber nur bis zu einer bestimmten Ebene – die sogenannte „gläserne Decke". Hinderlich ist oft auch die eigene Zurückhaltung, Spitzenpositionen anzustreben.

## Das Stichwort ☛ Frauenquote

*Die Politik hat die Frauenquote in Aufsichtsräten durchgesetzt: mindestens 30% Frauen seit 2016 in den größten Unternehmen. Die Zahl der Posten ist, wie gesetzlich vorgeschrieben, erreicht, aber die Unternehmen zeigen weiterhin zu wenig Eigeninitiative. Vor allem Vorstände bleiben zu über 90% männlich. Deshalb wurde eine Mindestzahl von Frauen auch für Vorstände festgelegt.*

Frauen in Spitzenpositionen scheitern oft, weil die Unternehmen ihre Kultur nicht vorbereitet haben und sie trotz Qualifikation Fremde bleiben. Anpassung hilft meist nicht weiter. Jenseits der Frauenquote ist noch viel in der Führungskultur zu verändern, damit Deutschland nicht hinter seinen europäischen Nachbarn zurückbleibt.

Besser sieht es in der Politik aus. Nach der Bundestagswahl 2005 wurde zum ersten Mal eine Bundeskanzlerin – Angela Merkel – gewählt und dreimal wiedergewählt.

**5.** In den alten und den neuen Ländern verdienen Männer im Allgemeinen – als Angestellte und als Arbeiter – deutlich mehr als die Frauen, die selbst im gleichen Job 21% weniger verdienen. Die Politik hat das Prinzip „gleicher Lohn für gleiche oder gleichwertige Arbeit" („Equal Pay") bisher nicht durchgesetzt. Seit 2017 können nun Beschäftigte unter bestimmten Bedingungen erfragen, wie viel ihre Kollegen verdienen. Die Möglichkeit nutzen aber viele aus Angst vor Nachteilen nicht; dennoch haben Firmen ihre Gehälter oft entsprechend angepasst.

Gründe für die geringere Bezahlung sind, dass Frauen in schlechter bezahlten Berufen arbeiten (z.B. als Krankenschwestern, Pflegerinnen). Neue Erhebungen haben ergeben, dass Frauen in Ostdeutschland dagegen z.T. mehr verdienen als Männer oder deutlich weniger im Minus liegen als im Westen. Vermutlich ist dies ein Effekt aus der Zeit der DDR, als eine ganztägige Beschäftigung für Frauen selbstverständlich war.

## Das Stichwort ☞
## Allgemeines Gleichbehandlungsgesetz

*Das Allgemeine Gleichbehandlungsgesetz, auch Antidiskriminierungsgesetz genannt, ist ein deutsches Bundesgesetz von 2006. Es soll Diskriminierung wegen Alters, Geschlechts, Herkunft, Religion, einer Behinderung oder der sexuellen Identität verhindern und beseitigen. Bei Verstößen haben Personen Rechtsanspruch.*

**6.** Im Haushalt bewegt sich einiges. Immer öfter fühlen sich beide Partner fürs Putzen und Kochen zuständig, wobei laut einer Umfrage Männer allerdings meinen, dass Frauen für bestimmte Arbeiten, zum Beispiel fürs Bügeln und Wäschewaschen, mehr Talent hätten. Immer weniger wünschen sich das alte Hausfrauenmodell, dass sich Frauen um die Aufgaben des Haushalts kümmern, Kinder betreuen und Verwandte pflegen. Das Familienbild ist im Wandel: Immer öfter arbeiten beide Elternteile Vollzeit. Und es gibt auch das Modell, dass beide Teilzeit arbeiten, denn heutige junge Männer wollen ihre Kinder aufwachsen sehen und die Partnerin unterstützen.

## *Aufgaben*

1. Lesen Sie jetzt den Artikel über einen „Fall", der häufig vorkommt.

### Das Leben als Pendler

„Der Beruf macht uns beiden viel Spaß. Leider arbeiten wir in verschiedenen Branchen an verschiedenen Orten. Aber das ist kein Problem. Wir lieben uns." Das sagt mit Überzeugung Andrea Steiner, 38 Jahre alt, verantwortlich für eine Abteilung mit 45 Mitarbeitern in einem weltweit operierenden Unternehmen. Ihre Dynamik und ihre gute Ausbildung haben sie bisher über alle Hürden getragen. Die waren oft relativ hoch, vor allem Personalprobleme haben ihr ganzes psychologisches Geschick gefordert. Aber sie hat die Dinge zur Zufriedenheit von Management und Mitarbeitern gemeistert und fühlt sich angespornt, neue Aufgaben „anzupacken". Da kam das Angebot von der größeren Firma wie gerufen. Sie greift zu, zieht wieder um und managt souverän Umzug, Neuanfang und Familie.

Andrea Steiner liegt damit im Trend: Immer mehr Paare leben zeitweise getrennt, pendeln oder treffen sich nur am Wochenende. Früher waren es die Seeleute, die Frau und Familie für Monate verließen. Später die Piloten und Stewardessen im internationalen Flugverkehr, nicht zu vergessen auch die Fernfahrer oder die Ingenieure. Heute ist das Lebensmodell „Fernliebe" alltäglich geworden. Für gut ausgebildete Personen gibt es nur einen begrenzten Arbeitsmarkt, und der kann in einer anderen Stadt liegen. Andreas Partner Uwe ist Vertriebschef in einem Unternehmen der Elektrotechnik, verantwortlich für strategisches Marketing und folglich ständig rund um den Globus unterwegs. „Wir geben uns oft die Klinke in die Hand. Sie kommt, ich gehe oder umgekehrt." Weniger das Bewusstsein, Karriere zu machen oder eine Machtposition erreichen zu müssen, ist ihre Triebfeder, sondern das Gefühl der Zufriedenheit, etwas erreicht zu haben. Er versteht, was sie bewegt, und er liebt sie dafür. Für ihn, das gibt er gerne zu, ist die Karriere das lohnende Ziel. Beide stellen kritisch fest: Über WhatsApp tauscht man sich aus. Telefongespräche sind das emotionale Band, das sie verbindet, aber die Nähe des Partners fehlt in kritischen Momenten. Fernliebe hat leidenschaftliche Phasen, aber die Gefährdung der Liebe ist immer gegenwärtig. Nicht nur unverheiratete Paare, auch Familien entscheiden sich zum Pendeln: für den Job in der Woche und die Familie am Wochenende. Mehr als 2 Millionen Haushalte soll es geben, die eine Zweitwohnung unterhalten. Es sind vor allem Hochqualifizierte und Fach- und Führungskräfte, aber auch Menschen, die in der Nähe keinen Job finden können. Gefragt sind kleine Wohnungen, auch möbliert, und Wohngemeinschaften.

2. Psychologische Studien fanden heraus, dass sich getrennt lebende Paare besonders gut verstehen. Sie offenbaren ihre Gefühle am Telefon und über Netzwerke. Welche Erfahrungen haben Sie?

3. Ordnen Sie zu.

| | |
|---|---|
| aussteigen | Karriere machen |
| umsteigen | einen anderen Beruf erlernen |
| aufsteigen | aufhören zu arbeiten |
| absteigen | einen weniger qualifizierten Beruf annehmen |

# Jugendliche nach der Wende und heute

## Meinungen und Reaktionen

**1.** In den neuen Bundesländern war die Vereinigung ein krasser Einschnitt. Innerhalb kürzester Zeit mussten sich die Jugendlichen völlig neuen Lebensbedingungen anpassen. Die sozialistische Einheitspartei (SED) der ehemaligen DDR hatte das gesellschaftliche Leben geprägt. Gute sozialistische Bürger sollten sie werden, vor allem in Geschichte und Staatsbürgerkunde wurden sie entsprechend unterrichtet. Kinder und Jugendliche waren in der ehemaligen DDR in ein Schule und Freizeit umspannendes System eingebunden. Als Kinder waren sie „Junge Pioniere", als Jugendliche gingen sie meist in die FDJ (= Freie Deutsche Jugend). Reale Existenzängste waren nach der Wende die unausbleibliche Folge. Viele passten sich an, nicht wenige gingen in den Westen. Andere konnten sich nicht behaupten und fühlten sich als Verlierer. Sie reklamieren nach dreißig Jahren heute, dass auch ihre Lebensleistung in den schwierigen Zeiten der Wende und des Umbruchs anerkannt werden sollte.

### Der „Schlüssel" Sprachkenntnisse

Das bayerische Handwerk sucht junge Auszubildende. Die Handwerkskammer für München und Oberbayern (HWK) kümmert sich schon länger speziell um junge (teilweise unbegleitete) Flüchtlinge, um sie zu integrieren.

**Frage:** Seit wann gibt es dieses Projekt, ganz unbürokratisch Flüchtlingen (auch minderjährigen) zu helfen?
**IHK:** Das Projekt der Ausbildung gibt es seit 2009 und wird vom Bayerischen Staatsministerium für Arbeit und Soziales, Familie und Integration gefördert. Neben dem Ausbilder für Jugendliche mit Migrationshintergrund beschäftigt die Handwerkskammer seit August 2014 einen weiteren Ausbilder speziell für die Zielgruppe der jungen Flüchtlinge.
**Frage:** Wo müssen Sie ansetzen, um den Flüchtlingen zu helfen?
**IHK:** Wichtig ist es, den Menschen das System der dualen Berufsausbildung in Deutschland näher zu bringen und über die Vielfalt und Zukunftsmöglichkeiten der Ausbildungsberufe im handwerklichen Bereich zu informieren. Darüber hinaus beziehen wir auch immer das gesamte Netzwerk mit ein, das einen jungen Flüchtling begleitet – Betreuer, Vormund, Lehrkraft, Sozialarbeit usw. –, um für sie die beste Lösung zu finden. Wir werben bei den Handwerksbetrieben, Praktikums- und Ausbildungsplätze für junge Flüchtlinge bereitzustellen. Dann ist es wichtig, die Handwerksbetriebe zu informieren: über das Wie der Ausbildung, über rechtliche Bestimmungen oder Beschränkungen. Außerdem stellen wir den Kontakt zu weiteren Ansprechpartnern her, die in diesem Bereich tätig sind.
*(nach: Hallo Ramersdorf vom 29.04.2015)*

# Jugendliche melden sich zu Wort

### Ergebnisse der Shell Jugendstudie 2019

Seit 1953 beauftragt Shell unabhängige Wissenschaftler und Institute mit der Erstellung von Studien, um ein aktuelles Bild der jungen Generation zu dokumentieren. In der 18. Shell Studie 2019 wurden mehr als 2572 repräsentative Jugendliche und junge Erwachsene im Alter von 12 bis 25 Jahren befragt.

**1. Interesse an Politik:** Das politische Interesse ist bei Jugendlichen weiter stabil. Je höher das Bildungsniveau umso stärker ist das Interesse. Die Mehrheit informiert sich über News-Portale und Social Media. Aber nach wie vor wird den klassischen Medien das größte Vertrauen entgegengebracht: den ARD- oder ZDF-Nachrichten und den überregionalen Tageszeitungen. Dabei ist festzuhalten, dass Jugendliche in Ostdeutschland auch diesen deutlich weniger vertrauen.

**2. Ängste und Sorgen:** Während früher die wirtschaftliche Lage und die steigende Armut die größten Sorgen bereitet haben, sind es heute die Umweltverschmutzung, die Angst vor Terror und der Klimawandel. Jugendliche fürchten mehr eine wachsende Ausländerfeindlichkeit als weitere Zuwanderung, wobei sich ca. die Hälfte aber für weniger Zuwanderung als bisher aussprechen. Alles in allem ist die Mehrheit davon überzeugt, dass es in Deutschland gerecht zugeht. Jugendliche im Osten verweisen stärker auf fehlende soziale Gerechtigkeit.

**3. Europäische Union:** Jeder zweite Jugendliche beurteilt die EU positiv. Freizügigkeit in einem Europa ohne Grenzen und kulturelle Vielfalt finden allgemein Zustimmung. Auch wirtschaftlicher Wohlstand wird mit der EU gleichgesetzt.

**4. Populismus:** Gewisse rechtspopulistisch orientierte Aussagen finden auch bei Jugendlichen Zustimmung, z.B. „die Regierung verschweigt die Wahrheit" oder „Der Staat kümmert sich mehr um Flüchtlinge als um hilfsbedürftige Deutsche". Neigung zu Populismus zeigt sich in dem Empfinden, wenig Kontrolle über

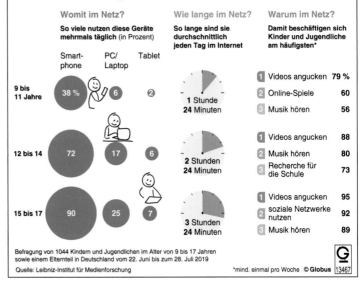

das eigene Leben zu haben, benachteiligt zu sein oder in der Ablehnung von Vielfalt. Dazu neigen vor allem weniger Gebildete. Auch haben ostdeutsche Jugendliche einen etwas höheren Prozentsatz an populistischen Neigungen als westdeutsche.

**5. Vielfalt und Toleranz:** Die große Mehrheit der Jugendlichen ist tolerant gegenüber anderen Lebensformen, Minderheiten oder sozialen Gruppen. Verschiedene gesellschaftliche Gruppen werden nur jeweils von unter 20% der Jugendlichen abgelehnt.

**6. Zufriedenheit mit der Demokratie, Politikverdrossenheit und Vertrauen in Institutionen:** Für die meisten der Jugendlichen ist Demokratie eine selbstverständliche Staatsform. Die Zufriedenheit ist auch bei ostdeutschen Jugendlichen gestiegen. Demokratie-feindliche Positionen finden sich nur bei der kleinen Gruppe der nationalpopulistisch eingestellten Jugendlichen. Unverändert wird der Polizei, dem Bundesverfassungsgericht und den Umweltschutzgruppen mehr Vertrauen entgegengebracht als den Parteien, Kirchen und Banken.

**7. Wertorientierungen:** Nach wie vor blicken Jugendliche optimistisch in die Zukunft (52%). „Familie" und „soziale Bindungen" sind weiterhin die wichtigsten Wertorientierungen. Auch die Betonung von Gesetz und Ordnung, Fleiß, Ehrgeiz und Streben nach Sicherheit sind konstant geblieben. Umwelt-, Klima- und Gesundheitsbewusstsein prägen stärker die Lebensführung, besonders bei jungen Frauen. Insgesamt sind idealistische und sinnstiftende Orientierungen gestiegen, materialistische und auf Macht zielende gesunken.

Jugendliche mit und ohne Migrationshintergrund unterscheiden sich nur wenig. Unterschiedlich ist das Gefühl von Benachteiligung zusammen mit persönlichem Durchsetzungswillen bei Jugendlichen mit Migrationshintergrund. Ähnliches gilt für Jugendliche aus den untersten Herkunftsschichten.

**8. Eltern und Familie:** Der Stellenwert der Familie ist ständig gewachsen. Die Eltern bleiben Erziehungsvorbilder. Die Jugendlichen wünschen sich später Kinder,

und zwar junge Männer wie auch junge Frauen. Im Westen sind die Vorstellungen von der Partnerschaft dann deutlich traditioneller: 58% der Männer und 56% der Frauen wünschen sich eine Familie mit männlichem Allein- oder Hauptversorger, während im Osten nur 38% der Männer und 31% der Frauen dem zustimmen. Gleichwertig aufgeteilte Modelle sind im Osten eindeutig beliebter.

**9. Religion:** In den letzten 20 Jahren hat der Glaube für katholische wie auch evangelische Jugendliche an Bedeutung verloren. Für nur 39% der katholischen und 24% der evangelischen Jugendlichen ist der Glaube wichtig. Dagegen ist der Gottesglaube für 73% der muslimischen Jugendlichen von besonderer Bedeutung.

**10. Bildung und Beruf:** Der Trend zur akademischen Ausbildung hält weiter an. Das Gymnasium und damit das Abitur haben Zuwächse in allen Bundesländern. Entsprechend geringer ist der Besuch von Haupt- und Realschulen. Zwischen Stadt und Land gibt es da keine Unterschiede. Nach wie vor haben Jugendliche aus bildungsfernen Elternhäusern geringere Chancen, das Abitur zu erreichen. Allerdings ist die Zahl derer gestiegen, die das Abitur anstreben bzw. auch erreichen. 93% der Jugendlichen halten einen sicheren Arbeitsplatz für besonders wichtig. Dabei dürfen Familie und Kinder neben dem Beruf aber nicht zu kurz kommen.

Foto: Metin Yilmaz

# Jugendliche heute

**1.** Für Jugendliche liegt die Wende weit zurück. Der Blick geht deshalb in die Zukunft und fokussiert sich auf die Chancen und Probleme. Sie wollen gehört werden und gehen laut in die Öffentlichkeit. Schülerinnen und Schüler demonstrieren für die Umwelt und fordern die Politiker auf, Taten folgen zu lassen und ihre Zukunft nicht zu gefährden.
Junge Leute sind aber auch gefährdet. Während Alkohol nicht mehr die Rolle spielt wie vor Jahren, haben Drogen beängstigend zugenommen.

**2.** Das Internet und die sozialen Medien sind Alltag der Jugendlichen und der Anteil, der täglich liest, nimmt ab, auch der Fernsehkonsum. 37% streamen oder gamen in ihrer Freizeit. 70% nutzen das Smartphone, um ins Internet zu gehen. 96% sind mindestens einmal täglich in den sozialen Netzwerken unterwegs. Unterhaltung, aber auch Informationen über Schule, Beruf oder Politik stehen an erster Stelle. Bedenken und Verunsicherung bezüglich des Internets sind vorhanden, werden aber nicht konkret. Nichtmediale Freizeitaktivitäten sind vor allem Geselligkeit, Sport und kreative und künstlerische Tätigkeiten.

**3.** Deutsche Jugendliche reisen gerne ins Ausland, mit der Familie oder mit der Schule. Immer beliebter werden Jugendreisen kommerzieller Veranstalter, die dem Bundesforum Kinder- und Jugendreisen angehören und gut organisiert und betreut sind. 13- bis 15-Jährige verreisen schon mal ohne Eltern in Sportcamps und Zeltlager, 16- bis 18-Jährige sowieso. Gelungene Ferien sind Ferien mit Sonne oder Schnee, mit Freunden, Flirts und Partys. Die Jugendlichen möchten etwas erleben, aber auch mal faul sein. Abwechslungsreiche Ferienaktivitäten bietet das Deutsche Jugendherbergswerk (DJH) zum Beispiel mit sportlichen Workshops oder Kunstcamps. Aktiv geht's auch im Deutschen Alpenverein (DAV) zu mit Kletterkursen oder Engagements für den Naturschutz. Nicht zu vergessen sind Sprachurlaube und internationaler Jugendaustausch mit Frankreich,

Russland, Japan oder Israel. Wer nach dem Turbo-Abitur zu sich selbst kommen will, entscheidet sich für ein sogenanntes GapJahr, ein Lücken-Jahr, vor dem Studium. Jugendliche gehen über Reiseveranstalter wie Work and Travel oder mit dem Freiwilligendienst „Weltwärts" ins Ausland, den das Bundesministerium für wirtschaftliche Zusammenarbeit und Entwicklung ins Leben gerufen hat. Viele wollen sich sozial engagieren und arbeiten im Bildungsbereich mit Kindern und jungen Leuten. Andere bringen sich in Umwelt- und Tierschutzprojekten ein und machen nachhaltige Erfahrungen für sich selbst.

**4.** Wehr- und Zivildienst haben einen grundlegenden Wandel durchgemacht. Der Wehrdienst ist nach 50 Jahren Wehrpflicht freiwillig geworden, d.h. er ist ausgesetzt, aber weiterhin im Grundgesetz verankert. Das Selbstverständnis des Soldaten als „Bürger in Uniform" bleibt erhalten. Die Bundeswehr wird kleiner und wird den neuen internationalen Aufgaben angepasst. Statt des Zivildiensts gibt es den erfolgreichen Bundesfreiwilligendienst (BFD – die Bundesfreiwilligen werden Bufdis genannt) im sozialen Bereich, in Sport, Naturschutz, Bildung und Integration. Er ergänzt das Freiwillige Ökologische Jahr (FÖJ) und das Freiwillige Soziale Jahr (FSJ) und ist auch für ältere Bürgerinnen und Bürger offen.
Der Auftrag der Bundeswehr wandelte sich: 1994 verkündete das Bundesverfassungsgericht, dass militärische Einsätze legitim sind und dem Grundgesetz nicht widersprechen. Aber jeder Einsatz braucht die Zustimmung des Bundestags, denn die Bundeswehr ist eine Parlamentsarmee. Nicht mehr die Landesverteidigung wurde ihre Aufgabe, sondern weltweite Einsätze: von Friedensmissionen bis zur humanitären Not- und Katastrophenhilfe, wobei Personal und Material an ihre Grenzen kommen.
2001 erteilte der Deutsche Bundestag das Mandat für die Beteiligung am ISAF (= International Security Assistance Force) - Einsatz der NATO in Afghanistan,

das Ende 2014 beendet und zu einer Ausbildungsmission umgewandelt wurde. Im Irak unterstützt Deutschland die Ausbildung der irakischen Armee im Kampf gegen den „IS". Neu hinzugekommen ist die NATO-Mission zur Sicherheit im Mittelmeer „Sea Guardian". Bundeswehrsoldaten sind bei Missionen in Europa, Asien, Afrika, im Mittelmeer und am Horn von Afrika im Einsatz. Die Bundeswehr sieht sich vielen Bedrohungen gegenüber: Terror, Cyberangriffen, Gefahren durch fragile Staaten, Klimaproblemen, Radikalisierung.
Heute werden die Erfolge im Ausland kritisch betrachtet. Neue Konzepte rücken die Bündnis- und Landesverteidigung wieder stärker in den Fokus.

## Jugendorganisationen – Jugendprogramme

Viele junge Menschen engagieren sich in Jugendverbänden, z.B. bei der Deutschen Jugendfeuerwehr oder bei den Pfadfindern, in Parteien und Gewerkschaften, in Umwelt- und Naturschutzverbänden, in Sportverbänden, in religiösen Jugendverbänden oder Verbänden aus der Wirtschaft. Sie gehen in Chöre (Deutsche Chorjugend) oder in Trachtenvereine. Bei der Gewerkschaftsjugend streifen sie das verstaubte Image ab und beteiligen sich an Unterschriftenaktionen und Info-Ständen. Zuständig für die Jugendarbeit – für ein Angebot an Sportvereinen, Musikschulen usw. – sind in der Bundesrepublik die Kommunen. Bund und Länder sind verantwortlich für die rund 80 überregionalen Jugendverbände. Die meisten Verbände sind im Deutschen Bundesjugendring (DBJR) zusammengefasst:

FLUCHT
POSITIONEN DES DBJR

**Deutscher Bundesjugendring**
Die Vollversammlung des DBJR hat 2014 die Position „Gleichberechtigte Teilhabe für junge Flüchtlinge ermöglichen!" beschlossen. Außerdem gab es den Beschluss „Folgen des Klimawandels als Fluchtgrund anerkennen".

## Austausch in der Schule

Schulen: Partner der Zukunft

Der Schüleraustausch fördert besonders die internationalen Kontakte zwischen Schülern, Lehrern und Schulen. Die Projekte werden vom Pädagogischen Austauschdienst (PAD) der Kultusministerkonferenz (www.kmk.org) durchgeführt.
Es gibt folgende Schwerpunkte:
• 2014 ist das neue EU-Programm für Bildung, Jugend und Sport ERASMUS+ 2014 - 2020 gestartet. Unter dem Dach von ERASMUS+ werden die bisherigen Programme für lebenslanges Lernen, Jugend in Aktion sowie die internationalen EU-Hochschulprogramme zusammengefasst und neu strukturiert. Der Markenname COMENIUS für die schulischen Aktionen bleibt erhalten.
• Die Initiative „Schulen: Partner der Zukunft" (PASCH) wurde 2008 vom Auswärtigen Amt ins Leben gerufen, um jungen Menschen weltweit Zugang zur deutschen Sprache und Bildung zu ermöglichen. Es besteht ein Netz von 1800 Partnerschulen. Schwerpunktregionen sind Asien, Naher und Mittlerer Osten sowie Mittel- und Osteuropa.

Die 140 deutschen Auslandsschulen in 72 Ländern, ein zentrales Element der Auswärtigen Kultur- und Bildungspolitik, sind Stätten der Begegnung im Gastland. Unterstützt wird das Auswärtige Amt von den Bundesländern. Ein Viertel der Schüler sind deutscher Herkunft. Gefördert werden auch 1200 Schulen, die die Voraussetzung für ein Studium in Deutschland schaffen. Das Netzwerk der Auslandsschulen und die Schulpartnerschaften sollen weiter ausgebaut werden.

## Mitsprache in der Politik

In Städten und Kommunen gibt es die verschiedensten Modelle für die aktive Beteiligung von Kindern und Jugendlichen an politischen Entscheidungen, die ihre Interessen betreffen. Es gibt Jugendparlamente, Jugendforen, Jugendgemeinderäte oder Jugendräte. Politische Bildungsarbeit betreibt auch das Europäische Jugendparlament in Deutschland, das Teil des

European Youth Parliaments (EYP) ist, das aus 40 nationalen Vereinen besteht. Ihr Motto: Understanding Europe, Rethinking Europe, Shaping Europe. Ihr neuester Vorschlag betrifft EU-Institutionen, die ihre Arbeit den Bürgern besser erläutern sollen.

Im Folgenden stellen wir Ihnen das Planspiel „Jugend und Parlament" vor, an dem die Bayreutherin Lisa Ziegler teilgenommen hat. Sie berichtete davon im Nordbayerischen Kurier vom 5. Juli 2012 (ein Auszug).

### Auf Erfahrungsjagd im Bundestag

Jedes Jahr treffen sich etwa 350 Jugendliche im Alter von 16 bis 20 Jahren aus ganz Deutschland im Deutschen Bundestag. Ich war eine davon. ... Zusammen mit den anderen Teilnehmern durfte ich vier Tage lang in den Originalräumen im Deutschen Bundestag Gesetz-

gebung spielen. Fiktive Parteien wurden gegründet, Landesgruppen gesammelt, Arbeitsgruppen und Ausschüsse bestimmt und Vorstandvorsitzende gewählt. Was im normalen Leben Wochen, vielleicht sogar Monate dauert, wird beim Planspiel innerhalb von ein paar Minuten per Auslosverfahren bestimmt. Vor dem Planspiel musste jeder Teilnehmer einen fiktiven Namen annehmen. Bei der Ankunft erhielt jeder ein Rollenprofil mit einem neuen Ich.

Vier Gesetzesentwürfe wollten durchdiskutiert, verändert und verbessert werden. Dabei ging es zum Beispiel um die Einführung einer Pkw-Maut (Anm.: Gebühr für Pkws für die Benutzung von Autobahnen) oder den Datenschutz in digitalen Medien. In Arbeitsgruppen und Fraktionssitzungen (Anm.: Sitzung mit allen Abgeordneten einer Partei) ... ging es dann heiß her. Fünf verschiedene Parteien mussten alle ihre Standpunkte

unter einen Hut bringen und schlussendlich einen endgültigen Gesetzesentwurf verfassen. ... Zum Schluss durften dann alle Teilnehmer über die vier Gesetzesentwürfe abstimmen.

Nach vier interessanten Tagen ging es wieder zurück in die Heimat. Politikerin möchte ich später nun trotzdem nicht werden. Das Leben eines Abgeordneten wäre mir eindeutig zu stressig.

*(Auszug aus einem Artikel im Nordbayerischen Kurier, Donnerstag 5. Juli 2012, S. 20. Im Jahr 2019 haben wieder 300 Jugendliche am Planspiel teilgenommen.)*

### Aufgaben

1. Wie ist Ihre Meinung zur Stärkung der Rechte von Kinder- und Jugendlichen?
2. In welchen Netzwerken sind Sie engagiert?

## Thema Jugendgewalt

Das Thema Jugendgewalt verschwindet nicht aus den Schlagzeilen. Laut Statistik ist zwar die Zahl der Gewaltdelikte zurückgegangen, doch erschüttern immer wieder Gewaltexzesse, auch mit Todesfolge, vor allem die Menschen in den größeren Städten. Rupert Voß ist überzeugt, dass Jugendhilfemaßnahmen, nicht verschärfter „Knast" weiterhelfen können. Seine Firma hand-in ist Träger der Jugendwerkstatt Work and Box Company. Sie ist in mehreren Städten in Deutschland tätig und arbeitet mit männlichen gewaltbereiten Jugendlichen zwischen 16 und 21 Jahren, die bereits Erfahrung mit Polizei, Gericht oder auch Gefängnis gemacht haben. Alle leben mit ihrer Familie im Konflikt und sind in Schule und Ausbildung gescheitert. Meist kommen Arbeitslosigkeit, Schulden oder Drogen noch hinzu.

Die Company arbeitet an der sozialen und beruflichen Integration der Jugendlichen und bietet auch Unterstützung bei der Bewältigung persönlicher Probleme. Es geht darum, Aggressionen abzubauen und das Selbstbewusstsein und Selbstwertgefühl zu stärken, damit auf Gewalt verzichtet werden kann. In den

erlebnispädagogischen Phasen – oder Boxen – setzen sich die Jugendlichen mit ihrer individuellen Gewaltproblematik auseinander. Sie sollen neue Verhaltensweisen ausprobieren und bearbeiten Themen wie Respekt, Selbstkontrolle, Niederlage oder Angst. Wer Perspektiven entwickelt, leistet ein Berufspraktikum in der freien Wirtschaft und kann einen Ausbildungs- oder Arbeitsvertrag bekommen. Es geht um die letzte Chance für die Jugendlichen, sich einen Platz in der Gesellschaft zu erobern. (mehr unter www.hand-in.de)

## Überzeugt und engagiert

### Rassismus im Alltag

Ali Can, geboren 1993, ist Begründer der »Hotline für besorgte Bürger« gegen Vorurteile und Alltagsrassismus. Nun ist er auch verantwortlich für den erfolgreichen Hashtag #MeTwo, unter dem Menschen mit Migrationshintergrund ihre erschütternden Erfahrungen mit Rassismus im Alltag veröffentlichen. Innerhalb kürzester Zeit wurde der Hashtag zum Erfolg; die meisten zeigen, wie alltäglich Rassismus in Deutschland ist: #MeTwo@alicanglobal. Ali erklärt die Bedeutung des Hashtags: Die Zwei stehe dafür, dass er mehr als nur eine Identität habe. Er

fühle sich in Deutschland zu Hause, sei aber auch dem Land seiner Eltern verbunden. Diese Mehrfach-Identität sei nichts Negatives für die deutsche Gesellschaft, sondern wertvoll. „Die deutsche Gesellschaft ist keine Monokultur", sagt Ali. Ali Can: „Immer mehr Menschen sind in den vergangenen Jahren einem Rechtsruck ausgesetzt, nur weil sie zwei Herzen in der Brust tragen. ... Es gibt unzählige Negativbeispiele für die strukturelle oder institutionelle Benachteiligung von Menschen mit Migrationshintergrund. Die Debatte über das Deutschsein war ein anderer Auslöser für die Hashtag-Kampagne. Einer dunkelhäutigen Frau sieht man

äußerlich vielleicht an, dass sie aus einem anderen Land stammt, aber eben nicht, dass sie vielleicht für die freiheitlich-demokratische Grundordnung (FDGO) einsteht. Es ging mir also darum, sichtbar zu machen, wie viele Menschen täglich mit Rassismus zu kämpfen haben, nur weil sie einen anderen Namen haben oder aus einem anderen Land sind. Der Hashtag ist zur Versöhnung gedacht. Und damit wir gemeinsam Konzepte für Politik, Schule und Institutionen entwickeln, um das Miteinander voranzutreiben."

### Für Demokratie und Toleranz

Am Jahrestag der Verkündigung des Grundgesetzes am 23. Mai 2000 gründeten die Bundesministerien des Innern und der Justiz das „Bündnis für Demokratie und Toleranz – gegen Extremismus und Gewalt" (BfDT). Ziel ist es, das zivilgesellschaftliche Engagement zu vernetzen und in die Öffentlichkeit zu tragen sowie die Bürger zum Einsatz für die Demokratie zu ermutigen.

### Einsatz gegen Rechts

*Entscheidend sind Hartnäckigkeit und gute Ideen*
*Von Manja Greß und Florian Oertel*
Über Hakenkreuze auf dem Schulklo und rechte Pöbeleien kann man sich ärgern – man kann aber auch etwas dagegen unternehmen. Vielen fehlt dazu der Mut, und gerade da, wo „die Rechten" den Ton angeben, ist das verständlich.

Doch es gibt viele Beispiele, die zeigen, dass es sich lohnt, wenn sich junge Leute zusammentun, um Neonazis – ganz ohne Gewalt – etwas entgegenzusetzen. Eine „braune Tonne" zum Beispiel stellten Schüler in einer Stadt in Niedersachsen auf dem Schulhof auf, erzählt Holger Kubick vom Projekt „Mut gegen rechte Gewalt" in Berlin. „Die Tonne ist für rechtsradikale Flugblätter und CDs gedacht, die dort immer wieder verteilt werden." Wer ein Zeichen setzen will, kann

versuchen, seine Mitschüler für das Projekt SCHULE OHNE RASSISMUS – SCHULE MIT COURAGE zu gewinnen. Diesen Titel in Form eines Metallschilds bekommen Schulen, in denen mindestens 70 Prozent aller Schüler, Lehrer und Angestellten per Unterschrift erklärt haben, sich gegen Diskriminierung und Rassismus einzusetzen. Derzeit tragen über 2 500 Schulen das Metallschild, sagt Projektleiterin Sanem Kleff in Berlin.
*(Aus: Nordbayerischer Kurier vom 18./19. 06. 2005, aktualisiert 2017)*

**Das Stichwort ☞ Schule ohne Rassismus**

*Das Netzwerk „Schule ohne Rassismus – Schule mit Courage" (SORSMC) ist eine europäische Jugendbewegung. Nationale Koordinierungsstellen gibt es in Belgien (seit 1988), wo das Projekt entstand, den Niederlanden (seit 1992), Deutschland (seit 1995), Österreich (seit 1999) und Spanien (seit 2002). Gemeinsam ist in allen beteiligten Ländern folgende Grundidee: Schulen, die sich dem Netzwerk anschließen, einigen sich in einer Selbstverpflichtung mehrheitlich darauf, aktiv gegen Rassismus und gegen salafistische und rechtsextremistische Gruppen vorzugehen.*

Neu sind politische Bewegungen von Jugendlichen, die Gleichaltrige motivieren, aktiv zu werden gegen Rechtspopulismus, Ausgrenzung und Hass und sich für positive Werte einzusetzen. Besonders hervorgetreten dabei ist die in Initiative „Kleiner Fünf" (Ziel: AfD unter 5%, d.h. nicht in den Bundestag), gegründet von Martina Fröhlich, die der Konfrontation nicht ausweicht und sich höflich und radikal gegen rechtspopulistische Parolen und Forderungen stellt.).

Obwohl das eigentliche Ziel nicht erreicht wurde, macht die Initiative über alle Kanäle und Netzwerke weiter. (www.kleinerfuenf.de)

Dass Rassismus in der Schule zum Problem geworden ist, ist längst kein Geheimnis mehr. Antidemokratisches Gedankengut findet sich sowohl bei Schülern wie auch bei Lehrern: verbotene Symbole und Menschenfeindlichkeit gegenüber bestimmten Gruppen. Gegengesteuert wird mit Anti-Rassismus-Workshops und Demokratieerziehung im Rahmen der politischen Bildung.

## Einsatz für die Umwelt

Im Netz und auf der Straße ist eine Jugendbewegung entstanden, die mit viel Selbstbewusstsein Politik und Institutionen für mehr Klimaschutz herausfordert. Mit ihren inzwischen weltweiten Demonstrationen „Fridays for Future" leisten sie zivilen Ungehorsam und Widerstand gegen die Unvernunft der Älteren und wollen erreichen, was diese bisher nicht geschafft haben. Sie wollen rein in die Politik und aufrütteln, um der Klimakrise Einhalt zu gebieten für den Erhalt des Planeten und die Zukunft der jüngeren Generation. Die Klimaaktivistin Greta Thunberg aus Schweden hat 2018 den Stein ins Rollen gebracht. Sie gelangte bis zu den Vereinten Nationen, wo sie mit einer Wutrede die Mächtigen irritierte. 2019 bekam sie den Alternativen Nobelpreis (= Auszeichnung für die Gestaltung einer besseren Welt).

# Die Alten heute und morgen

**1.** Eine „Revolution" kommt auf uns zu – darüber sind sich viele einig –, die einschneidender sein wird als ein politischer Umsturz: Die Gesellschaft ergraut. Was passiert? Die Bundesbürger werden heute dreimal so alt wie vor 200 Jahren und gleichzeitig werden zu wenige Kinder geboren. Der demografische Wandel betrifft alle Industrieländer und wird zunehmend zu einem weltweiten Problem. Lag der Anteil der über sechzigjährigen Deutschen im Jahr 1990 noch bei 21 Prozent, so ist er seitdem ständig gestiegen und steigt weiter. Zu fragen ist, ob die Entwicklung so verlaufen wird, wie heute prognostiziert wird. Junge Familien entscheiden sich wieder öfter für Kinder und die Zuwanderung ist ein ganz neuer Faktor, der noch nicht berücksichtigt ist.

**2.** Wer sind die Alten? Allen Zerrbildern vom „vertrottelten Greis" zum Trotz meistert die Mehrheit ihren Alltag mit ziemlicher Kompetenz und bei guter Gesundheit. Man unterscheidet „junge Alte" zwischen 65 und 80 Jahren und Alte über 80. Die „jungen Alten" helfen den Kindern bei täglichen Erledigungen, springen ein im Urlaub, passen auf die Enkelkinder auf. Sie leben am liebsten im eigenen Haushalt, möglichst in der Nähe der Familie. Oft sehen sie sich in der Pflicht, sich um die Pflege der ganz Alten zu kümmern.

**3.** Wie soll das soziale Gefüge in Zukunft aussehen? Immer weniger Aktive müssen mehr Ruheständler finanzieren. Das Renteneintrittsalter steigt langsam auf 67 Jahre. Viele Arbeitnehmer jenseits der 60 arbeiten aber heute schon länger als noch vor Jahren, zum Teil weil sie fit sind, die Arbeit ihnen Spaß macht und ihnen einen Sinn gibt. Zum Teil bessern sie ihre Rente mit Minijobs oder geringfügiger Beschäftigung auf.

## Das Stichwort ☞
### Altersarmut

*Die Bürger werden zu mehr Eigenvorsorge aufgerufen. Oft reicht der Verdienst aber nicht aus, um auch für das Alter vorzusorgen. Schon heute wächst die Altersarmut, wenn Arbeitslosigkeit oder Niedrigeinkommen dazu führen, dass die Rente kaum zum Leben reicht. Immer mehr alte Menschen kommen zu den Tafeln (siehe S. 81). Rentner suchen Aushilfsjobs, um über die Runden zu kommen und um Sozialhilfe zu vermeiden. Es wird gefordert, alle Arten der privaten Altersvorsorge zu fördern und das Rentensystem auf eine solide Basis zu stellen. Nicht nur abhängig Beschäftigte sollten gesetzlich in die Rentenkasse einzahlen, sondern auch Selbstständige, die sich derzeit freiwillig versichern, und Beamte.*

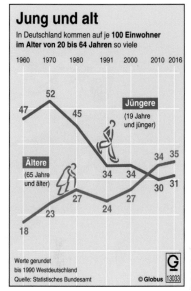

Es geht um die Frage: Wie kann Geringverdienern, die ein ganzes Leben lang gearbeitet haben, ein Alterseinkommen gesichert werden, das mehr ist als die Grundsicherung (siehe Grundrente S. 77)?

**4.** Das Leben im Alter kann sehr verschieden aussehen. Soziales Engagement wird zu einem wichtigen Faktor im Leben vieler älterer Menschen. Selbstständige arbeiten auch nach Renteneintritt weiter; einige gründen sogar Unternehmen. Daneben stehen Selbstverwirklichung, Konsum und Reisen bei einem Viertel der 55- bis 70-Jährigen hoch im Kurs. Man macht in Kultur, pflegt seine Hobbys, setzt sich noch einmal in Universitätsseminare und studiert Geschichte und Philosophie. Das sogenannte Seniorenstudium wird begeistert angenommen. Ein Bundesprogramm schafft Mehrgenerationenhäuser, die allen, unabhängig von Alter und Herkunft, offen stehen. In rund 540 Häusern begegnen sich die Generationen und helfen einander. Die Angebote sind vielfältig. Freiwillig Engagierte leisten wertvolle Arbeit.

*(gekürzt; nach: Michael Scholing, in: Vorwärts, März 1993, S. 6/7; aktualisiert 2018)*

## Aufgaben

1. Welche soziale Rolle spielen die Alten in Ihrem Land?
2. Sind Sie der Meinung, dass die Situation der älteren Menschen zu positiv gesehen wurde? Dann lesen Sie den folgenden Artikel.

**Der Wert des Lebens – eine Kostenfrage**
Unter immensen Opfern der Angehörigen werden zwei Drittel aller Pflegebedürftigen zu Hause betreut. Ca. 3,4 Millionen Pflegefälle (2018) gibt es in Deutschland, mit steigender Tendenz. 76% werden zu Hause zum Teil mit Hilfe ambulanter Pflege versorgt. Bei 70% der meist alten Menschen reicht die Rente nicht für die Heimkosten von 3000 Euro und mehr im Monat, die Pflegeversicherung muss einspringen. Es ist oft der Zufall, der die häusliche Pflege bestimmt – ob es Angehörige gibt, an welche Hilfsorganisationen die alten Menschen geraten, ob dort Kapazitäten frei sind. Es ist Zufall, ob eine Schwester morgens eine Stunde lang als Hilfe kommt oder erst mittags und nur für zehn Minuten, sodass nur Fließbandpflege möglich ist. Das Wort „Pflegenotstand" macht die Runde. Die Bürger machen Druck auf die Politik, um die Pflege zu sichern. Und die Politik bewegt sich und bringt Reformen auf den Weg. Geld wird für die Pflege zur Verfügung gestellt, aber ausreichend Pflegekräfte fehlen.

*(nach: Heidrun Graupner, Der Wert des Lebens – eine Kostenfrage, in: SZ vom 8./9.05.1993; aktualisiert 2019).*

**5.** 1995/96 ist eine lang diskutierte Reform verwirklicht worden, die hilfsbedürftige Bürger gegen das finanzielle Risiko absichern soll. Diese soziale Pflegeversicherung hilft bei der Pflege zu Hause oder im Heim. In die Pflegekassen zahlen Arbeitnehmer und Arbeitgeber. Die Pflege gehört immer mehr zur Lebenswirklichkeit der Menschen. Es betrifft vor allem Frauen der sogenannten Sandwich-Generation, die gleichzeitig für die Kinder wie für die Eltern da sein müssen. Pflegende berufstätige Angehörige können in Notfällen 10 Tage frei nehmen, dann eine Auszeit von 6 Monaten oder eine Familienpflegezeit von 24 Monaten (das Gehalt wird gekürzt).

Die Erfahrungen mit der Pflegeversicherung sind gespalten: Es mangelt an Geld und vor allem an Personal und die Angehörigen sind überfordert. Die Pflegereform 2015 will bei der häuslichen Pflege auch die Demenzkranken unterstützen. „Ambulant vor stationär", altersgerechtes Wohnen, der Umbau der Wohnung fürs Alter sind wichtige Themen. Seit 2017 werden auch geistige und psychische Krankheiten berücksichtigt. Die Pflegeversicherung deckt im Pflegefall aber nur einen Teil der Kosten und jeder muss zuzahlen.

Umfragen haben ergeben, dass alte Menschen ganz konkrete Vorstellungen haben, wie sie im Pflegefall versorgt werden möchten. Nur jeder Dritte sieht die Familie in der Pflicht, jeder weitere Dritte denkt an ein Mehrgenerationenhaus, Pflege- oder Alten-WGs und stellt sich neue Wohnformen vor. Aber die Realität sieht oft weniger ideal aus.

## Das Stichwort ☛
### Grundsicherung, Grundrente
*Die Grundsicherung soll Armut vermeiden. Es ist eine Sozialleistung für Bedürftige, die aus Steuergeldern bezahlt wird. Hierzu gehören Bezieher von Hartz IV, von Sozialhilfe (Hilfe im Alter und Hilfe zum Lebensunterhalt) und Sozialgeld (sonstige hilfsbedürftige Personen). Diese Mindestsicherung gibt es in den meisten europäischen Staaten. Eine Grundrente gibt es für Geringverdiener, die lange gearbeitet haben, aber als Rentner zu wenig Geld zur Verfügung haben.*

## Das Stichwort ☛ Hilfsorganisationen
*Altenarbeit leisten die Kirchen (Caritas, Diakonisches Werk), die Gewerkschaften und die großen Wohlfahrtsverbände wie das Rote Kreuz und die Arbeiterwohlfahrt, außerdem Selbsthilfegruppen, die Interessenvertretungen der Senioren und private Initiativen (siehe S. 82). Bei der Betreuung Hilfs- und Pflegebedürftiger haben sich besonders die Sozialstationen bewährt. Das sind lokale Einrichtungen der Wohlfahrtsverbände. Ihre bezahlten Fachkräfte, Helferinnen und Helfer kommen ins Haus und leisten medizinisch-pflegerische Hilfe. Zu ihren Diensten gehört auch die Versorgung mit warmem Essen, das als „Essen auf Rädern" von Helfern in die Wohnung gebracht wird.*

### Aufgabe
Es fehlen Pflegekräfte. Können Sie sich vorstellen, dass in Zukunft auch Roboter die Pflege übernehmen?

# Freizeit und Sport

**1.** Die Deutschen haben im Jahr 30 Arbeitstage Urlaub, wie viele Länder in Europa auch. Hinzu kommen neben den freien Wochenenden etliche Feiertage, vor allem kirchliche Festtage. Die Zahl der jährlichen Arbeitsstunden liegt deshalb rund 100 Stunden unter dem EU-Durchschnitt. Die wöchentliche Arbeitszeit ist dagegen relativ hoch: Zu den durchschnittlich 35 Arbeitsstunden kommen bei Gutverdienern noch unbezahlte Überstunden hinzu. Jeder zweite Arbeitnehmer liest geschäftliche E-Mails auch in seiner Freizeit. Fast jeder Vierte arbeitet regelmäßig abends, wobei flexible Arbeitszeitmodelle oft zu Mehrarbeit verleiten.

**2.** Und was machen die Deutschen am Wochenende? Die meisten machen es sich zu Hause gemütlich, sehen fern, telefonieren und ruhen sich aus. Für junge Leute rangieren Musik hören, soziale Netzwerke und Computerspiele und natürlich Ausgehen ganz oben. Und wie sieht die verbleibende Freizeit aus? Im Allgemeinen kümmert sich der Bundesbürger um die Familie, die Hobbys und treibt etwas Sport: Wandern und

*Mittelalterfest in Rothenburg*

Spazierengehen. Überhaupt die Bewegung an frischer Luft, in den Bergen, an Flüssen und Seen ist sehr beliebt. Oft geht er auch mit Freunden ausgiebig und gut essen. Viele Menschen nützen ihre Freizeit zur Weiterbildung jeglicher Art: Sprachen lernen, Tanzen, auch Yoga, kulturelle Veranstaltungen und vieles mehr. Frauen lesen im Allgemeinen mehr als Männer, die gern heimwerken. Wenn man der Statistik glauben darf, gehört die Hälfte der Deutschen einem oder mehreren Vereinen an. Dazu gehören vor allem Sportvereine, die in Konkurrenz zu den Fitnessstudios stehen. Es folgen Kegelclubs, kirchliche Vereine, Gesangs- und Schützenvereine, Wander-, Tier- und Naturschutzvereine und nicht zuletzt die Kleingartenvereine. Festzustellen ist aber, dass die Beliebtheit von Vereinen bei den Jungen zu schwinden scheint.

*Oktoberfest München*

**3.** Feste soll man feiern, wie sie fallen … so heißt es im Sprichwort. An erster Stelle stehen die kirchlichen Feste, die das Jahr begleiten: das Osterfest zum Tag der Auferstehung Christi, Fronleichnam mit seinen feierlichen Prozessionen, Pfingsten und Weihnachten, das Fest der Geburt Jesu. Die vorweihnachtliche Adventszeit und Weihnachten sind verbunden mit einer unverwechselbaren Stimmung, mit Festvorbereitungen, dem Schmücken des Weihnachtsbaums, mit Geschenken, Verwandtenbesuchen, aber auch mit Hektik und „Kaufzwängen".

Unüberschaubar sind die Feste, die an bestimmte Regionen und Orte gebunden sind. Auf dem Lande bestimmte schon immer die Ernte das festliche Leben,

in den Städten waren es seit dem Mittelalter die Bürger und die Handwerkszünfte, die Umzüge und Festlichkeiten organisierten. In dieser Tradition stehen der rheinische Karneval (Köln), die schwäbisch-alemannische Fasnet und der Münchner Fasching. Erstaunlich viele Kleinstädte feiern das Mittelalter mit Ritterspielen, alten Kostümen und der Demonstration alter Handwerkstechniken.

Andere Feste gehen auf historische Ereignisse zurück, zum Beispiel das berühmte Münchner Oktoberfest auf ein Pferderennen anlässlich der Vermählung des Kronprinzen im Jahr 1810. Und wenn in München das „größte Volksfest der Welt" beginnt, finden auch die Weinfeste zur Weinlese an Rhein und Mosel, in Baden, der Pfalz und in Franken statt. Gesetzliche Feiertage sind bestimmte kirchliche Feste, außerdem der 1. Mai als „Tag der Arbeit" und der 3. Oktober, der „Tag der Deutschen Einheit" (siehe Seite 87).

**4.** Bei der Gestaltung des Urlaubs oder auch nur einiger freier Tage zwischendurch hat das Reisen höchste Priorität. Der Schüleraustausch macht es möglich, dass Schüler einige Wochen oder Monate im Ausland verbringen und dort in einer Gastfamilie wohnen, zum Teil sogar am Ort zur Schule gehen. Erwachsene reisen individuell oder in der Gruppe, oft pauschal oder all-inclusive aus Kostengründen. Sie buchen auch online und sind ihr eigener Dienstleister. Der Städte- und Fahrradtourismus sowie Kreuzfahrten und Busreisen boomen, auch Sprach- und Bildungsreisen. In Europa sind Österreich, Spanien und Italien die beliebtesten Reiseziele.

Die Zahl der Flugreisen nimmt ständig zu, aber auch das schlechte Gewissen. Und so kann man bei der Flugbuchung ein paar Euro drauflegen für Klimaschutzprojekte und so den $CO_2$-Ausstoß vermeintlich kompensieren. Viele entscheiden sich aber auch für einen Urlaub in Deutschland und entdecken zu Fuß oder mit dem Fahrrad die nähere Umgebung. Schwerpunkte bilden die Ostsee in Mecklenburg-Vorpommern und Bayern rund ums Jahr (Wandern, Ferien auf dem Bauernhof für die Jüngsten) und Ost- und Nordsee im Sommer. Aufwendige Sportarten, die gute Ausrüstung und viel Training erfordern, haben von Jahr zu Jahr zugenommen.

Sie sind für viele ein wichtiger Bestandteil von Freizeit und Urlaub. Neben Fußball, Schwimmen, Joggen, Radfahren sind besonders Skifahren, Tennis und Golf beliebt. Hinzu kommen Extrem-Sportarten für Wagemutige wie Freeclimbing, Kajakfahren und Paragliding, aber auch neue Fun-Sportarten wie z.B. Kitesurfen oder Stand-up-paddling. Unübertroffen ist aber traditionell die Freude am Wandern. Outdoor ist „mega-cool" auch unter Kids und Jugendlichen. Markierte Wege eignen sich zum Wandern, Trekking oder Nordic Walking. Und der Radsportbegeisterte bewegt sich vorwärts auf dem Trekkingrad, dem Mountainbike im Gelände oder dem E-Bike, das ein „Renner" auch für Ältere geworden ist.

5. Freizeit ist mit Mobilität verbunden. Viele Menschen verbringen sie am liebsten mit dem eigenen Pkw. Die Folgen sind der ständig wachsende Verkehr, Staus, Luftverschmutzung, Umweltschäden in Landschaft und Tierwelt. Der Massentourismus hat deutlich die Gefahren für Natur und Umwelt aufgezeigt: 40 000 Skipisten in den Alpen und die Verbindung von Skigebieten zu Skischaukeln brachten Waldrodungen

*Die Alpen sind Lebens- und Wirtschaftsraum für 11 Millionen Einwohner und Erholungsraum für rund 100 Millionen Menschen aus der ganzen Welt. Somit ist der Tourismus heute der wichtigste Wirtschaftszweig, doch er trägt zunehmend auch zur starken Belastung von Mensch und Natur bei.*

und Geländekorrekturen mit sich. Diese Eingriffe in die Natur führen immer häufiger zu gefährlichen Bergrutschen und im Winter zu Lawinenabgängen. Weil die Temperatur steigt und Schnee häufig fehlt, werden Schneekanonen in den Skigebieten eingesetzt, Speicherseen für Kunstschnee angelegt, um den Skitourismus aufrecht zu erhalten. Event-Tourismus entsteht, um die Gebirgswelt noch besser zu vermarkten: Hängebrücken, Glasplattformen und Aussichtsstege über schwindelnde Abgründe, z.B. der AlpspiX an der Zugspitze, eine Aussichtsplattform über einen 1000 Meter tiefen Abgrund. Skiorte umwerben Mountainbiker, die die Hänge für Abfahrten nutzen und auch Regionen nicht schonen, die bisher geschützt waren.

Naturschützer und der Alpenverein protestieren gegen diese Entwicklung. Der Bund für Umwelt und Naturschutz Deutschland (BUND), eine bundesweit tätige Naturschutzorganisation, wirbt für einen nachhaltigen Tourismus, der die natürlichen Ressourcen schont. Der Alpenkonvention zum Schutz der Alpen sind 8 Alpenstaaten beigetreten. Im Bayerischen Alpenplan, der vorbildlich ist, werden Schutzzonen ausgewiesen, in denen jede technische Erschließung ausgeschlossen ist.

Die Internationale Alpenschutzkommission CIPRA, eine nichtstaatliche Dachorganisation für über 100 Organisationen in den Alpenländern setzt sich für den Schutz und die nachhaltige Entwicklung der Alpen ein. Notwendig ist ein sanfter, d.h. bewusster Tourismus, der die regionale Wirtschaft und regionale Produkte fördert und damit den Wegzug in die Städte stoppt. Der Tourismus braucht die Landwirtschaft, die die Natur pflegt, und die Landwirtschaft braucht den Tourismus, der Geld auch in entlegene Täler bringt.

CIPRA
LEBEN IN
DEN ALPEN

## Breitensport und Spitzensport

**1.** Sport in Deutschland ist zum großen Teil Breitensport, d.h. er steht dem Bundesbürger vom Kindes- bis zum Seniorenalter offen. Basis der Sportbegeisterung sind die über 90 000 Sportvereine, die im Deutschen Sportbund (DSB) zusammengefasst sind. Der Deutsche Fußballbund (DFB) ist mit seinen 7 Millionen Mitgliedern der größte Fachverband in Deutschland, auch in den Medien ist er Favorit. Nicht zu übersehen sind aber auch der Deutsche Handballbund (DHB), der Deutsche Turnerbund, der Deutsche Tennisverband, der Deutsche Schützenbund oder der Deutsche Leichtathletikverband; dazu die Wintersportler, Reiter und Segler. Sehr beliebt sind Aktionen des DSB wie Volksläufe oder Marathon-Läufe, die Tausende von sportlich trainierten Menschen anziehen.

Der DSB verleiht das Sportabzeichen in Gold, Silber und Bronze, das jährlich Hunderttausende in allen Altersgruppen in den Disziplinen ihrer Wahl erwerben. Das Silberne Lorbeerblatt als höchste Auszeichnung erhalten allerdings nur Spitzensportler, und zwar aus der Hand des Bundespräsidenten. In letzter Zeit mehren sich Klagen der Sportvereine über Nachwuchssorgen, denn Ganztagsschulen und Schulstress lassen den Schülern immer weniger Zeit, aktiv Sport zu treiben.

**2.** Im Sommer 2011 fand in Deutschland die Frauen-Fußballweltmeisterschaft (Frauen-WM) statt. Sie übertraf alle Erwartungen: volle Stadien, eine tolle Stimmung und gute Leistungen. Mit Erstaunen erinnerte man sich, dass bis 1970 der Frauenfußball in Deutschland verboten war. Das Interesse, auch das mediale, hat nach diesem Sportereignis nicht

nachgelassen, obwohl hohe Einschaltquoten und damit die Aufmerksamkeit der Sponsoren vor allem dem Profi-Fußball der Männer gilt.

### 3. Fußball-Weltmeisterschaften

| Jahr | Weltmeister | Finalist | Ergebnis / Ort |
|------|-------------|----------|----------------|
| 2018 | Frankreich | Kroatien | 4 : 2 Moskau |
| 2014 | Deutschland | Argentinien | 1 : 0 Rio de Janeiro |
| 2010 | Spanien | Niederlande | 1 : 0 Johannesburg |
| 2006 | Italien | Frankreich | 6 : 4 Berlin |
| 2002 | Brasilien | Deutschland | 2 : 0 Yokohama |
| 1998 | Frankreich | Brasilien | 3 : 0 St. Denis |
| 1994 | Brasilien | Italien | 3 : 2 Los Angeles |
| 1990 | Deutschland | Argentinien | 1 : 0 Rom |
| 1986 | Argentinien | Deutschland | 3 : 2 Mexico City |
| 1982 | Italien | Deutschland | 3 : 1 Madrid |
| 1978 | Argentinien | Niederlande | 3 : 1 Buenos Aires |
| 1974 | Deutschland | Niederlande | 2 : 1 München |
| 1970 | Brasilien | Italien | 4 : 1 Mexico City |
| 1966 | England | Deutschland | 4 : 2 London |
| 1962 | Brasilien | Tschechoslowakei | 3 : 1 Santiago |
| 1958 | Brasilien | Schweden | 5 : 2 Stockholm |
| 1954 | Deutschland | Ungarn | 3 : 2 Bern |

Der FC Bayern München ist einer der bekanntesten und erfolgreichsten Fußballclubs der Welt. Die Zahl seiner Mitglieder und Fans bricht alle Rekorde. Er ist der reichste Club überhaupt; deshalb blieben Probleme nicht aus.

# Engagement in Ehrenämtern

**1.** Die „Süddeutsche Zeitung" veranstaltete eine Podiumsdiskussion mit dem Titel „Zukunft der Bürgerarbeit". Das Ergebnis: Die Bereitschaft, soziale Verantwortung zu übernehmen, wächst. 12 Millionen Menschen engagieren sich bürgerschaftlich in Ehrenämtern. Zählt man noch jene hinzu, die sich in Vereinen und Initiativen engagieren, kommt man auf 36 Millionen laut einer Umfrage des Bundesfamilienministeriums; d.h., jeder dritte Deutsche setzt sich in seiner Freizeit für das Allgemeinwohl ein. Die „Klage über soziale Kälte und Egoismus ist ein altes Klischee", hieß es. Die Schlagworte sind „Zusammenhalt" und „Solidarität" gegen „Vereinzelung" und den Zerfall der Gesellschaft in getrennte Gruppen.

Das Ehrenamt hat aber einen Wandel durchgemacht: Freiwillige wollen sich kurzfristig und unverbindlich engagieren, und zwar für ein bestimmtes Projekt. Vor allem Jugendliche wollen nicht mehr von Institutionen bestimmt sein – von Parteien, Kirchen und Vereinen –, sondern ihr Engagement selbst bestimmen. Die Menschen suchen Anerkennung und Spaß, vor allem im sportlichen Bereich. Es entstehen auch Selbsthilfegruppen, die sich um Suchtprobleme kümmern, und die Familienselbsthilfe, die Nachbarschaftshilfe sowie private Initiativen für mehr Zivilcourage, insgesamt

also Initiativen für mehr Solidarität (siehe auch Helferkreise, S. 19). Die meisten Ehrenamtlichen sind zwischen 35 und 45 Jahre alt, aber auch Jugendliche und über 65-Jährige engagieren sich ehrenamtlich.

**2.** Das Christliche Kinder- und Jugendwerk DIE ARCHE, 27mal in Deutschland, kämpft gegen Kinderarmut mit kostenlosem Mittagstisch, Nachhilfe und vorbildlicher Kinder- und Jugendarbeit.

In Deutschland haben sich etwa 240 Organisationen aus Gesellschaft, Politik und Wirtschaft zum Bundesnetzwerk Bürgerschaftliches Engagement (BBE) zusammengeschlossen. Das BBE ist ein offenes Netzwerk für alle Akteure, die Engagement fördern. Strukturen von Migrantenorganisationen sind mit eingeschlossen. Die Freiwilligen-Agentur Tatendrang München berät Freiwillige, die ein Ehrenamt suchen. Einsatzorte sind Altenheime, Kindergärten oder Hilfe für Behinderte usw. Ehrenamtliche tun etwas Gutes für andere und bekommen kein Geld dafür: info@tatendrang.de.

*Lernpaten, die es an jedem Ort gibt, helfen Kindern bei den Hausaufgaben (siehe auch S. 108)*

**TAFEL DEUTSCHLAND**

**3**. Immer beliebter und leider auch notwendig werden die sogenannten Tafeln, die Bedürftige gratis oder für einen symbolischen Beitrag mit überschüssigen Lebensmitteln aus Supermärkten, Bäckereien und anderen Unternehmen versorgen. Bundesweit gibt es über 900 Tafeln mit über 2100 Läden und Essensausgaben, die ca. 1,65 Mio. Personen erreichen. Mit 60 000 teils ehrenamtlichen Helfern gelten die Tafeln als eine der größten sozialen Bewegungen heute. Neben der Verteilung von Lebensmitteln bieten Tafeln auch warmes Essen an und beliefern soziale Einrichtungen. Seit der Einführung von Hartz IV, dem Niedriglohnsektor, ist die Zahl der Bedürftigen ständig gestiegen. Die Politik ist gefordert, das Armutsproblem zu lösen. Mehr Weiterbildung und Beschäftigung kann dabei helfen. Der Bundesverband Deutsche Tafel e.V., gegründet 1995, ist Sprachrohr der Tafeln. Schirmherr ist das Bundesfamilienministerium.

## Die Tafeln – Interview mit Sabine Werth, Berlin

Die Tafelbewegung wurde 1993 in Berlin gegründet. Die Gründerin und Vorsitzende der Berliner-Tafel Sabine Werth äußerte sich in einem Interview über Probleme der Armut. Ihr größtes Problem ist, dass durch die Flüchtlinge mehr Menschen zu den Tafeln kommen, dass es aber immer weniger überschüssige Lebensmittel gibt. Denn die Händler kaufen entsprechend dem Bedarf ein. Hier ein paar Ausschnitte:

*„Als 2005 Hartz IV eingeführt wurde, war das ein gewaltiger Einschnitt. Damals ist meiner Meinung nach der Solidargedanke den Bach runtergegangen. Und es hatte auch Auswirkungen auf unsere Arbeit. Es kamen auffällig mehr Leute zu den Tafeln."*

*„Die Idee stammte von einer Bekannten, sie kam von einer USA-Reise zurück und erzählte von City-Harvest, einer tafelähnlichen Organisation in New York. Da dachte ich mir, so etwas muss es bei uns auch geben. Von der Konditorei Raschke bekam ich Brötchen und ein paar Hotels und Restaurants kochten für uns jede Woche 60 Essen. Ich lud alles in mein Auto und fuhr damit zu einer Notunterkunft für Obdachlose. Es war Winter und die Leute waren schon den ganzen Tag draußen in der Kälte. Wie die sich über das warme leckere Essen gefreut haben! Eigentlich wollten wir das nur einen Winter lang machen."*

*„Immer mehr soziale Einrichtungen fragten uns, ob wir sie auch beliefern können. Aber es gab auch viele Skeptiker. ... Diese Zeit war die anstrengendste."*

*„Jeden Monat kommen 50 000 Menschen zu den 45 Ausgabestellen in Berlin. Dazu beliefern wir noch 300 soziale Einrichtungen, davon profitieren 75 000 Leute. Die Lebensmittel bekommt jeder, mit Nachweis über die eigene Bedürftigkeit, entweder umsonst oder gegen eine geringe symbolische Gebühr. ... Ein Drittel sind Alleinerziehende mit Kindern, ein Drittel alte Menschen und der Rest bunt gemischt."*

*„Erst durch die Tafeln ist die Armut sichtbarer geworden."*

*(Auszüge aus: „Wir haben momentan ganz andere Probleme"; Interview von Michaela Schwinn, in: Süddeutsche Zeitung vom 3. März 2018).*

In einem weiteren Interview im September 2019 betont Sabine Werth, dass in letzter Zeit der Anteil der Senioren um 20% gestiegen sei. Auch 10% mehr Kinder und Jugendliche würden zu den Tafeln kommen. Die Versorgung würde sich nach Bedürftigkeit und nicht nach der Herkunft richten.

## Aufgaben

1. Für welches Ehrenamt würden Sie sich interessieren?
2. Wie sieht soziales Engagement in Ihrem Land aus?

# 4. Politik
# und öffentliches Leben

*Europäisches Parlament in Straßburg*

| Fraktion | |
|---|---|
| **EVP** Christdemokraten, Konservative | |
| **S&D** Sozialdemokraten | |
| **EKR** Konservative, EU-Skeptiker | |
| **ALDE** Liberale, Zentristen | |
| **Grüne/EFA** Grüne, Regionalparteien | |
| **GUE/NGL** Linke, Kommunisten | |
| **EFDD** EU-Skeptiker, Rechtspopulisten | |
| **ENF** Rechtspopulisten, Rechtsextreme | |
| *fraktionslos* | |

*Angela Merkel (Bundeskanzlerin)*
*im Gästehaus Meseburg*

*Reichstag in Berlin, Sitz des Bundestags*

Grundgesetz
für die Bundesrepublik Deutschland

# Das parlamentarische Regierungssystem

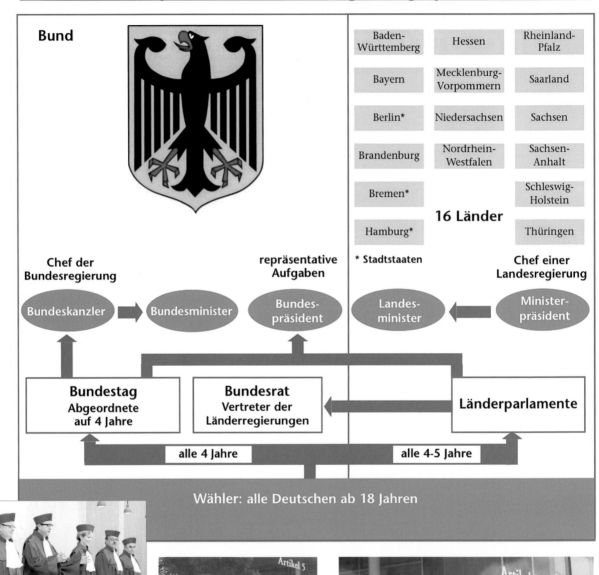

**Bund**

| | | |
|---|---|---|
| Baden-Württemberg | Hessen | Rheinland-Pfalz |
| Bayern | Mecklenburg-Vorpommern | Saarland |
| Berlin* | Niedersachsen | Sachsen |
| Brandenburg | Nordrhein-Westfalen | Sachsen-Anhalt |
| Bremen* | | Schleswig-Holstein |
| Hamburg* | | Thüringen |

**16 Länder**

\* Stadtstaaten

Chef der Bundesregierung

repräsentative Aufgaben

Chef einer Landesregierung

Bundeskanzler → Bundesminister

Bundespräsident

Landesminister ← Ministerpräsident

**Bundestag**
Abgeordnete auf 4 Jahre

**Bundesrat**
Vertreter der Länderregierungen

**Länderparlamente**

alle 4 Jahre

alle 4-5 Jahre

Wähler: alle Deutschen ab 18 Jahren

Artikel 5

(1) Jeder hat das Recht, seine Meinung in Wort, Schrift und Bild frei zu äußern und zu verbreiten und sich aus allgemein zugänglichen Quellen ungehindert zu unterrichten. Die Pressefreiheit und die Freiheit der Berichterstattung durch Rundfunk und Film werden gewährleistet. Eine Zensur findet nicht statt. (2) Diese Rechte finden ihre Schranken in den Vorschriften der allgemeinen Gesetze, den gesetzlichen Bestimmungen zum Schutze der Jugend und in dem Recht der persönlichen Ehre. (3) Kunst und Wissenschaft, Forschung und Lehre sind frei. Die Freiheit der Lehre entbindet nicht von der Treue zur Verfassung.

Artikel 8

(1) Alle Deutschen haben das Recht, sich ohne Anmeldung oder Erlaubnis friedlich und ohne Waffen zu versammeln. (2) Für Versammlungen unter freiem Himmel kann dieses Recht durch Gesetz oder auf Grund eines Gesetzes beschränkt werden.

**Artikel 1**
Die Würde des Menschen ist unantastbar.

**Artikel 3**
(1) Alle Menschen sind vor dem Gesetz gleich.

(2) Männer und Frauen sind gleichberechtigt.

**Artikel 5**
(1) Jeder hat das Recht, seine Meinung in Wort, Schrift und Bild frei zu äußern und zu verbreiten ... Eine Zensur findet nicht statt.

**Artikel 20**
Die Bundesrepublik Deutschland ist ein demokratischer und sozialer Rechtsstaat.

*Grundlagen der politischen Ordnung*

**1.** Die Grundrechte und die wesentlichen Elemente des parlamentarischen Systems sind im Grundgesetz festgelegt. Der erste Repräsentant des Staates ist der Bundespräsident. Er wird von der Bundesversammlung (= die Bundestagsabgeordneten und die Wahlmänner und -frauen, die von den Länderparlamenten bestimmt werden) für fünf Jahre gewählt. Durch seine Autorität soll er zwischen den verschiedenen gesellschaftlichen Gruppen ausgleichen. Er ist überparteilich und hat kaum politische Entscheidungsgewalt, äußert sich öffentlich aber auch zu aktuellen politischen Fragen. Seine Amtszeit ist auf zehn Jahre begrenzt.

**2.** Die Bürger wählen in freier und geheimer Wahl die Abgeordneten für den Deutschen Bundestag und die Länderparlamente sowie die Vertreter auf kommunaler und regionaler Ebene. Wahlberechtigt sind alle volljährigen deutschen Staatsbürger. (Volljährig ist, wer das 18. Lebensjahr vollendet hat.) Gewählt wird nach dem Verhältniswahlrecht.

**3.** Der Bundestag beschließt die Gesetze und wählt auf Vorschlag des Bundespräsidenten den/die Bundeskanzler/in. Der/Die Bundeskanzler/in wiederum bestimmt die Minister und bildet zusammen mit ihnen die Bundesregierung. Er/Sie legt die Richtlinien der Politik fest.

## Das Stichwort ☛ **Verhältniswahlrecht**
*Jeder Wähler hat zwei Stimmen: Mit der ersten Stimme wählt er den Direktabgeordneten seines Stimmkreises, mit der zweiten Stimme eine Partei. Die Sitze im*

*Parlament werden dann im Verhältnis der abgegebenen Stimmen verteilt. Eine adäquate Vertretung der Minderheit ist damit gesichert. Wenn eine Partei in den Bundestag gelangen will, muss sie im Regelfall mehr als 5% der Zweitstimmen auf sich vereinen (sogenannte 5%-Klausel). Damit soll eine Zersplitterung in viele kleine Parteien vermieden werden.*

Im Bundesrat sind die Bundesländer vertreten. Ihre Mitglieder sind Vertreter der Landesregierungen. Bei der Verabschiedung von Gesetzen wirkt der Bundesrat mit; in bestimmten Fällen ist seine Zustimmung erforderlich (siehe S. 25).

## Das Stichwort ☛ **Repräsentative Demokratie**
*Klassische liberale Demokratien sind stark durch ihre Parlamente und durch direkte Demokratie für lokale Themen. Angegriffen werden sie von Populisten, die ihnen fälschlicherweise „Volksferne" vorwerfen. Richtig ist, dass Demokratie Arbeit bedeutet. Komplexe Probleme brauchen intensive Bearbeitung bis hin zu Kompromissen, die nicht über Nacht zu bekommen sind. Demokratie hat auch eine kulturelle Komponente, nämlich den Respekt vor anderen und Andersdenkenden.*

**4.** Neben Bundesregierung (= Exekutive), Bundestag und Bundesrat (= Legislative) ist das Bundesverfassungsgericht (= Judikative) in Karlsruhe der dritte unabhängige Träger der Staatsgewalt. Dieses höchste deutsche Gericht überwacht die Einhaltung des Grundgesetzes. In den Jahren nach der Wende bis heute ist das Verfassungsgericht ungewöhnlich oft angerufen worden, zum Beispiel in der Frage des Asylrechts oder der Euro-Rettung.
Der Europäische Gerichtshof in Brüssel (EuGH) vertritt europäisches Recht und das Bundesverfassungsgericht deutsches Recht. Beim Schutz von Grundrechten kann es zu Kompetenzproblemen kommen. Die Grundrechte des Grundgesetzes überschneiden sich mit den umfangreicheren 50 Grundrechten der EU-Charta.

Tendenziell haben personale und soziale Grundrechte im Grundgesetz mehr Gewicht, wirtschaftliche Freiheiten dagegen in der EU-Charta (siehe Seite 94). Die Bedeutung von nationalen Verfassungen nimmt ab, je mehr Kompetenzen der EU übertragen werden. Diese Tatsache ruft in einigen Ländern Misstrauen und Ablehnung hervor.

## 5.

## Das Stichwort ☛ Das Grundgesetz

*Das Grundgesetz (GG) vom Mai 1949 ist die Verfassung der Bundesrepublik Deutschland. Mit der deutschen Wiedervereinigung am 3. Oktober 1990 wurde es die Verfassung des gesamten Landes. Es bewährte sich als Grundlage einer freiheitlich-demokratischen Gesellschaft und ist hochgeachtet. Es kann nur mit einer Zweidrittelmehrheit von Bundestag und Bundesrat geändert werden. Das Grundgesetz wird ständig fortentwickelt, nur die Grundrechte in Artikel 1-19 sind Ewigkeitsklauseln, die nicht abgeschafft werden können.*
*Das Grundgesetz besteht 1. aus den Grund- und Freiheitsrechten und 2. den Prinzipien, wie der Staat organisiert ist: als Demokratie, Sozialstaat, Rechtsstaat, mit Gewaltenteilung. Es schützt die Freiheit und das Recht.*
*Der Satz „Die Würde des Menschen ist unantastbar" (Artikel 1, Absatz 1) ist der Leitsatz des Grundgesetzes, der den Einzelnen als Ausgangsbasis aller weiteren Bestimmungen begreift. Ein Meilenstein in der Entwicklung des Rechts ist der Satz „Männer und Frauen sind gleichberechtigt" (Artikel 3), den Elisabeth Selbert als eine von 4 Frauen neben 61 Männern im Parlamentarischen Rat durchsetzte und damit viele Ungerechtigkeiten im Familienrecht beseitigte (Eine Frau brauchte z.B. die Erlaubnis des Mannes, wenn sie arbeiten wollte. Der Mann verwaltete ihr Geld).*
*Das Grundgesetz enthält keine „Leitkultur" für das Leben in Deutschland.*

Der Parlamentarische Rat erarbeitete 1949 das Grundgesetz, das als Provisorium bis zu einem endgültigen Friedensvertrag gelten sollte. Im Einigungsvertrag wurde eine Überarbeitung in der Folge der deutschen Einheit vorgesehen. Eine Verfassungskommission arbeitete 1992 bis 1993 verschiedene Erweiterungen aus. Als Staatsziele wurden schließlich der Schutz der natürlichen Lebensgrundlagen, die Förderung der Gleichberechtigung von Frauen und Männern sowie der Schutz Behinderter aufgenommen. Der neue Europa-Artikel 23 wurde eingefügt, der die Mitwirkung von Bundestag und besonders Bundesrat bei der Herstellung der Europäischen Union regelt.

Kritiker werteten die Ablösung des Provisoriums als Enttäuschung: Besser wäre eine große symbolische Lösung gewesen, bei der das gesamte deutsche Volk, Ost und West, sich eine Verfassung gegeben hätte. Aber die Zeit drängte. Umgesetzt wurde die kleine Lösung: die Beitrittslösung. Eingebracht ins Grundgesetz hat der Osten nur den Umweltschutz und die Förderung der Gleichberechtigung. Ostdeutschland trat der Bundesrepublik bei. Das Ergebnis: Für den Osten änderte sich alles, für den Westen fast nichts.

**6.** Richard von Weizsäcker (1920-2015), Bundespräsident von 1984–1994, hat durch seine Reden international große Achtung erworben. Hier ein Auszug aus einer Ansprache zum 40. Jahrestag des Kriegsendes am 8. Mai 1985:

Schuld oder Unschuld eines ganzen Volkes gibt es nicht. Schuld ist, wie Unschuld, nicht kollektiv, sondern persönlich.
Es gibt entdeckte und verborgen gebliebene Schuld von Menschen. Es gibt Schuld, die sich Menschen eingestanden oder abgeleugnet haben. Jeder, der die Zeit mit vollem Bewusstsein erlebt hat, frage sich heute im Stillen selbst nach seiner Verstrickung. Der ganz überwiegende Teil unserer heutigen Bevölkerung war zur damaligen Zeit entweder im Kindesalter oder noch gar nicht geboren. Sie können nicht eine eigene Schuld bekennen für Taten, die sie gar nicht begangen haben. Kein fühlender Mensch erwartet von ihnen, ein Büßerhemd zu tragen, nur weil sie Deutsche sind. Aber die

Vorfahren haben ihnen eine schwere Erbschaft hinterlassen.

Wir alle, ob schuldig oder nicht, ob alt oder jung, müssen die Vergangenheit annehmen. Wir alle sind von ihren Folgen betroffen und für sie in Haftung genommen. Jüngere und Ältere müssen und können sich gegenseitig helfen zu verstehen, warum es lebenswichtig ist, die Erinnerung wachzuhalten.

Es geht nicht darum, Vergangenheit zu bewältigen. Das kann man gar nicht. Sie lässt sich ja nicht nachträglich ändern oder ungeschehen machen. Wer aber vor der Vergangenheit die Augen verschließt, wird blind für die Gegenwart. Wer sich der Unmenschlichkeit nicht erinnern will, der wird wieder anfällig für neue Ansteckungsgefahren.

*(aus: Richard von Weizsäcker, Von Deutschland aus, a. a. O., S. 19/20)*

## Aufgaben

1. Demokratie ist für die Deutschen 1. die repräsentative Demokratie, 2. für viele auch die direkte Beteiligung an politischen Entscheidungen (= direkte Demokratie), 3. die gerechte Verteilung von sozialen Standards und der soziale Zusammenhalt. Was verstehen Sie unter Demokratie?

2. In Niedersachsen können schon 16-Jährige wählen. Sollte das Wahlalter auf 16 Jahre herabgesetzt werden? Diskutieren Sie das Für und Wider.

3. Wie soll die Politik gegen Hassmails im Netz vorgehen? Wo sind die Grenzen der Meinungsfreiheit?

## Die Parteien und die ersten gesamtdeutschen Wahlen

**1.** Im Grundgesetz ist festgelegt, dass die Parteien an der politischen Willensbildung mitwirken. Ihre Gründung ist frei. Sie müssen demokratischen Grundsätzen entsprechen.

**2.** In den Achtzigerjahren hatten sich ostdeutsche Bürgerrechtsgruppierungen in den Vereinigungen

„Demokratie jetzt", „Initiative Frieden und Menschenrechte" und im „Neuen Forum" zusammengeschlossen. Während 1989 die ostdeutschen Bürgerrechtler am „runden Tisch" über eine neue gemeinsame Verfassung und einen „dritten Weg" zwischen Kapitalismus und Sozialismus diskutierten, überschlugen sich die Ereignisse. Man spricht von einem einmaligen internationalen „Zeitfenster", das die Wiedervereinigung möglich machte. Die Regierungsparteien CDU/CSU trieben den Vereinigungsprozess voran und sagten einen Konjunkturaufschwung voraus, der die Einheit fast automatisch finanzieren werde. Nachdem die DDR der Bundesrepublik nach Artikel 23 Grundgesetz (dieser Artikel ist heute der Europa-Artikel) am 3.10.1990 beigetreten war, konnten die ersten gesamtdeutschen Wahlen am 2.12.1990 stattfinden. Die CDU mit Helmut Kohl ging als Sieger aus dieser Wahl hervor.

Diesen Wahlen gingen folgende Ereignisse voraus:

1. Die neuen Bundesländer wurden konstituiert.

2. Ein einheitliches Wahlverfahren wurde erarbeitet.

3. Die Parteien ordneten sich neu.

In den folgenden Jahren zeigte sich schnell Unzufriedenheit, und zwar im Osten wie im Westen. Die Ostdeutschen hatten ein schnelleres Tempo erwartet. Die versprochenen „blühenden Landschaften" waren in einer Zeit weltweiter wirtschaftlicher Rezession nicht zu realisieren. Arbeitsplatzabbau und Betriebsstilllegungen drückten auf die Stimmung. 1991 kamen auf alle Deutschen zusätzliche finanzielle Belastungen mit dem Solidaritätszuschlag (= „Soli") zu. Erst Ende 2020 wurde er für die meisten Bürger (Ausnahme: hohe Einkommen) wieder abgeschafft.

**3.** Es gibt folgende Parteien im Bundestag:
**CDU/CSU** (= Christlich Demokratische Union und Christlich Soziale Union in Bayern)
**Bündnis 90/Die Grünen**
**SPD** (Sozialdemokratische Partei Deutschlands)
**AfD** (= Alternative für Deutschland)
**FDP** (= Freie Demokratische Partei / Freie Demokraten)
**Die Linke**

Die großen Volksparteien CDU/CSU und SPD beanspruchen, die Gesamtheit der Bürger zu vertreten. Beunruhigend ist, dass sie Anhänger verlieren. Eine Regierungsbildung wird dadurch immer schwieriger. Wie in anderen europäischen Ländern werden die Parteien der Mitte schwächer und die der Ränder stärker. Die großen Volksparteien sind heute überaltert und die Jungen drängen auf Reformen: mehr junge Leute in die Parteien, mehr Online-Aktivitäten und Beteiligung.

*Bündnis 90/ Die Grünen Bundestags- fraktion*

Die Partei Bündnis 90/Die Grünen (gegründet 1980) hat ihre Wurzeln in der Friedens- und Umweltbewegung. Unzufriedenheit mit den etablierten Parteien führte zur Unterstützung der Grünen, die inzwischen wachsende Zustimmung erfahren. Die Grünen stehen für mehr erneuerbare Energien, moderne Mobilität, regionale Biolandwirtschaft, Ganztagsschulen, für legale und sichere Fluchtwege nach Europa und für eine soziale, umweltbewusste und demokratische Europäische Union. Die Grünen und die Linken sind die einzigen Parteien mit mehr weiblichen als männlichen Abgeordneten im Bundestag.

Seit 2013 gibt es eine Protestpartei im rechten Spektrum, die AfD (= Alternative für Deutschland), die als „Anti-Euro-Partei" begonnen hat. Sie hat es ins Europa-Parlament, in den Bundestag und in die Landtage geschafft. Die Partei hat ein rückwärtsgewandtes Themenspektrum. Sie gilt als rechtspopulistisch und nationalkonservativ  mit Kontakten zur rechtsextremen Szene. Zulauf bekommt die Partei von Protestwählern in Ost- und auch Westdeutschland, die sich vor Flüchtlingsströmen, Terror, offenen Grenzen und ein größeres Europa fürchten. Die Partei will ein anderes Deutschland.

Die Linken haben seit der Wende 1989 eine wechselvolle Geschichte durchlebt: Die „Sozialistische Einheitspartei Deutschlands" der ehemaligen DDR nannte sich ab 1990 „PDS" (= Partei des Demokratischen

Gerechtigkeit, Solidarität, Freiheit
Mehr Wettbewerb, mehr Freiheit, mehr Teilhabe

Bürgersicherheit im Alltag

Schutz der Natur Vorrang vor ständigem Wachstum Gewalt kein Mittel der Innen- und Außenpolitik

Für einen vorsorgenden Sozialstaat und existenzsichernde Erwerbsarbeit
Für soziale Gerechtigkeit

Für ein gleichberechtigtes und solidarisches Miteinander

Vorankommen durch eigene Leistung

Sozialismus) und vor der Bundestagswahl im Jahr 2005 schließlich „Linkspartei. PDS". Gleichzeitig entstand der Verein WASG (= Wahlalternative Arbeit und soziale Gerechtigkeit e.V.), der von enttäuschten Sozialdemokraten und Gewerkschaftern gegründet wurde. Der Verein wurde in eine Partei umgewandelt und fusionierte 2007 mit der „Linkspartei.PDS" zur Partei „DIE LINKE." Ihre Stammwähler waren enttäuschte Ostdeutsche, auch sozialkritische Stimmen im Westen.

**4.** Nicht zu verwechseln sind linke Gruppierungen wie Attac mit den Linksautonomen, die wie die rechtsextremen Gruppen immer wieder durch Demonstrationen Aufmerksamkeit erregen. Linksextreme wenden sich gegen die kapitalistische Gesellschaft und organisieren Widerstand, während rechte Gruppen eher zu Gewalt gegen Flüchtlinge und Politiker, die sich für Migranten einsetzen, neigen. Links wie rechts bergen Gefahren für die Demokratie.

**5.** Die Polizei macht Razzien gegen Rechtsextreme und ermittelt gegen Gruppen gewaltbereiter Neonazis. Kleinere vernetzte Gruppen, besonders in Ostdeutschland, werden sporadisch aktiv und schrecken auch vor Mord nicht zurück. Bedroht sind Politiker in den Kommunen, Journalisten und die freie Presse. Rechtsextreme lancieren Kampagnen und greifen neue Themen auf, um in die Mitte der Gesellschaft zu gelangen. Die Übergänge zu rechtsextremistischen Jugendcliquen und rechtsextremen Politikern sind fließend. Verbote werden ausgesprochen. Bürger in vielen Städten gründen Bündnisse und Netzwerke gegen rechts und wehren sich gegen Demonstrationen rechter Gruppierungen. Sie wollen nicht zulassen, dass Feinde der Demokratie die demokratischen Grundprinzipien in Frage stellen.

## Bürgerinitiativen

**1.** Bürgerinitiativen sind basisdemokratisch, da sie Veränderungen von der Basis her anstreben. Es sind Zusammenschlüsse von Bürgern, die sich aus persönlicher Betroffenheit gegen bestimmte Zustände oder Entscheidungen der Gemeinden, der Bundesländer oder des Bundes wehren. Bürgerinitiativen werden unmittelbar tätig oder versuchen, über Unterschriftenlisten Gleichgesinnte zu mobilisieren.

Die Gründe für die Entstehung von Bürgerinitiativen sind vielfältig: Es gibt Initiativen gegen die Fracking-Methode, gegen den Flughafenausbau, gegen Nachtflüge und Fluglärm, Windkraftanlagen und Stromtrassen. Ein Novum ist die Europäische Bürgerinitiative, die im Lissabon-Vertrag eingeführt wurde. „Right2Water" verhinderte mit 1 Million Unterstützern die Privatisierung der Wasserversorgung.

**2.** Im Gegensatz zu Bürgerinitiativen gibt es direktdemokratische Abstimmungen in allen Bundesländern, die gesetzlich geregelt sind: Volksbegehren und Volksentscheid. Durch diese Instrumente ist es möglich, ein Gesetz außer Kraft zu setzen oder eine Gesetzesänderung herbeizuführen. 2009 setzten sich die Bürger in Bayern für ein strenges Antirauchergesetz ein. Es gibt aber keine direktdemokratischen Volksabstimmungen für ganz Deutschland.

**3.** Die Bürger gehen auf die Straße und wehren sich, wenn sie politische Entscheidungen oder Entwicklungen nicht mittragen wollen. Beispiele hierfür sind Demonstrationen für den Ausstieg aus der Kohle, gegen Nationalismus, Rassismus, Antisemitismus und rechte Parolen, gegen Hass, Gewalt und Angst. Große Infrastrukturprojekte stoßen an ihre Grenzen, wenn die Bürger gegen die enormen Kosten protestieren. Andererseits gibt es aber auch verschiedene Beteiligungsmodelle, z.B. bei der Planung und Genehmigung von Großprojekten, Bürgerversammlungen bis hin zu Bürgersprechstunden. Und alle Parteien sehen sich in der Pflicht, die Bürgerbeteiligung oder Partizipation in ihr Programm aufzunehmen.

# Europa und die EU

## 1. Ein Rückblick

**1949** Gründung des Europarats: Er bemüht sich um die Zusammenarbeit seiner Mitgliedstaaten auf sozialem, kulturellem, wirtschaftlichem und wissenschaftlichem Gebiet.

**1950** Europäische Menschenrechtskonvention: Der Europarat erklärt sich gegen Fremdenfeindlichkeit, für Minderheitenrechte und für die Demokratisierung in bestimmten Ländern.

**1951** Gründung einer Europäischen Gemeinschaft für Kohle und Stahl (EGKS), später bekannt als Montanunion.

**1957** Römische Verträge: Gründung der Europäischen Wirtschaftsgemeinschaft (EWG) und der Europäischen Atomgemeinschaft (EURATOM). Die EWG zählte sechs Gründungsmitglieder: Belgien, die Bundesrepublik Deutschland, Frankreich, Italien, Luxemburg und die Niederlande. Man einigte sich auf die Freizügigkeit der Arbeitnehmer in den Mitgliedstaaten, auf eine einheitliche Agrarpolitik und Zusammenarbeit in der Außenpolitik.

**1967** Zusammenlegung von EWG, EGKS und EURATOM zur Europäischen Gemeinschaft = EG genannt: Es gelang, die Zölle zwischen den Mitgliedstaaten abzubauen und einen gemeinsamen Außenzoll zu schaffen.

**1979** Europäisches Parlament: Zum ersten Mal können die EG-Bürger die Abgeordneten für Europa direkt wählen.

**1985** Schengener Abkommen: Aufhebung der Binnengrenzen (siehe S. 92).

**1989/90** Ende des West-Ost-Konflikts. Die Union erweitert sich nach Osten.

**1992** Maastrichter Vertrag: 1993 tritt der Vertrag in Kraft und die EG heißt offiziell Europäische Union (EU). Der Vertrag wird aus drei Säulen gebildet: 1. der Wirtschafts- und Währungsunion, 2. der gemeinsamen Außen- und Sicherheitspolitik und 3. der innen- und justizpolitischen Zusammenarbeit der EU-Staaten. Außerdem stimmen sich die Staaten bei Verbraucherschutz, Umweltfragen, Gesundheitswesen und Entwicklungshilfe ab. 1998 wurden die Kriterien für den Eintritt in die Währungsunion überprüft: Das sind ein geringer Preisanstieg, ein geringes Haushaltsdefizit und ein niedriger Zinssatz.

**1993** Beginn des Europäischen Binnenmarkts (siehe S. 143 ff.): Er gewährleistet den freien Verkehr von Personen, Waren, Dienstleistungen und Kapital. Am 1. Januar 1994 traten die EFTA-Länder Finnland, Island, Norwegen, (Liechtenstein,) Österreich und Schweden ohne die Schweiz dem Europäischen Binnenmarkt bei und schufen – unter Berücksichtigung vieler Sonderwünsche – den Europäischen Wirtschaftsraum (EWR). Drei von ihnen gehören seit Anfang 1995 zur EU (siehe Tabelle unten).

**1999** „Euroland": Es begann mit dem bargeldlosen Zahlungsverkehr. Mitte des Jahres 2002 wurde dann die Deutsche Mark aus dem Verkehr gezogen und es galt nur noch der Euro.

**2004** Zehn neue Mitgliedstaaten treten der Union bei: Estland, Lettland, Litauen, Tschechien, Slowakei, Slowenien, Ungarn, Polen, Malta, Zypern. Europa ist vereint.

**2008** Finanzkrise: Die wirtschaftlich schwächeren Staaten geraten unter Druck. Milliardenschwere Finanzspritzen und Rettungspakete verhindern Pleiten und das Scheitern des Euro.

**ab 2015** Flüchtlingskrise: Aus dem Nahen Osten strömen Flüchtlinge nach Europa und Deutschland. Manche Staaten schließen die Grenzen und nehmen keine Flüchtlinge auf. Rechtsgerichtete politische Bewegungen bekommen Zulauf.

### Der Europäische Wirtschaftsraum (EWR)
*(In Klammern das Jahr des Beitritts in die EU)*

| EU (Europäische Union) | | EFTA |
|---|---|---|
| Belgien* (1958) | Luxemburg* (1958) | Island |
| Bulgarien (2007) | Malta* (2004) | Liechtenstein |
| Dänemark (1973) | Niederlande* (1958) | Norwegen |
| Deutschland* (1958) | Österreich* (1995) | Schweiz** |
| Estland* (2004) | Polen (2004) | |
| Finnland* (1995) | Portugal* (1986) | *EFTA = European Free* |
| Frankreich* (1958) | Rumänien (2007) | *Trade Association* |
| Griechenland* (1981) | Schweden (1995) | *(zahlreiche Abkommen* |
| Großbritannien (1973)*** | Slowakei* (2004) | *mit der EU; seit 1997* |
| Irland* (1973) | Slowenien* (2004) | *Freihandelszone mit* |
| Italien* (1958) | Spanien* (1986) | *Kanada)* |
| Kroatien (2013) | Tschechien (2004) | *\*Euro-Währung* |
| Lettland* (2004) | Ungarn (2004) | *\*\* Mitglied der EFTA,* |
| Litauen* (2004) | Zypern* (2004) | *nicht des EWR* |
| | | *\*\*\* Ausgetreten am* |
| | | *31.01.2020. Noch bis* |
| | | *Ende 2020 im Binnenmarkt und in der* |
| | | *Zollunion.* |

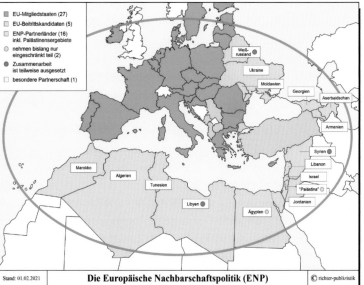

**2.** Die Bewerberländer müssen sich für die Union politisch und wirtschaftlich fit machen, das ist die Voraussetzung. Gefordert sind politische und wirtschaftliche Stabilität, Wettbewerbsfähigkeit, um dem Druck des Binnenmarkts standzuhalten, sowie eine rechtsstaatliche Ordnung. Vorbedingung ist die Übernahme des Gemeinschaftsrechts, von der Telekommunikation über die Landwirtschaft bis hin zu demokratischen Grundnormen: Rechtsstaatlichkeit, Korruptionsbekämpfung und Unabhängigkeit von Medien und Justiz.

Europamüdigkeit hat sich zuletzt ausgebreitet und die Solidarität der Länder untereinander bröckelt, denn nationale Interessen sind vielfach vorrangig geworden. Die Flüchtlingskrise schien diese Entwicklung zu beschleunigen.

Festzuhalten ist dennoch,  dass manche Länder weiterhin ihre Hoffnungen auf die EU richten. Kandidatenstatus haben Albanien, Montenegro, Nordmazedonien, Serbien und die Türkei (die Verhandlungen ruhen), die Schritt für Schritt Recht, Verwaltung, Politik und Wirtschaft auf die Vereinbarkeit mit Europa überprüfen. Partnerschaftsverträge mit der Hoffnung auf spätere Mitgliedschaft wurden 2014 mit der Ukraine, mit Georgien und Moldawien unterzeichnet. Im Rahmen der Westbalkan-Politik der EU-Kommission wurden besonders Serbien und Montenegro für einen Beitritt genannt: ein Anreiz für Reformen in den Ländern, aber auch eine große Aufgabe für Europa, das selbst Reformen voranbringen und die Europäer für weitere EU-Beitritte erst gewinnen muss.

**3.** Die Aufnahme wirtschaftlich schwacher Länder in die Euro-Zone neben wirtschaftlich starken Ländern führte 2009 zu einer Währungskrise. Sie wurde zu einer Schuldenkrise verschiedener Staaten und einer Bankenkrise; der Euro selbst blieb stabil. Es gab keine nationalen Währungen, die reagieren und abwerten konnten. Die Gemeinschaft schob Rettungspakete in Milliardenhöhe in die überschuldeten Staaten (siehe auch EZB, Seite 147).

### Das Stichwort ☛ EU

*EU = Europäische Union: Staatenbund von 27 Mitgliedstaaten mit 447 Mio. Einwohnern, verbunden durch Grundrechte und Verfassungswerte wie Freiheit, Demokratie, Rechtsstaatlichkeit, Solidarität und Menschenrechte (Grundrechtecharta). Dieses supranationale Staatengebilde funktioniert durch die Verzahnung nationaler und europäischer Organe. Europäisches und internationales Recht ist nationalem Recht übergeordnet. 2012 erhielt die EU den Friedensnobelpreis, den wichtigsten Preis der Welt – trotz Krise: für den erfolgreichen Kampf für Frieden und Demokratie, für die deutsch-französische Aussöhnung und für die Förderung der Entwicklungen in den südeuropäischen Ländern.*

**4.** 2016 geschah das vorher Undenkbare: Großbritannien entschied in einer Volksabstimmung, die EU zu verlassen (= Brexit). Ende März 2017 erklärte es offiziell den Austritt aus der EU (Austrittsdatum: 31.01.2020). Nach langen mühseligen Verhandlungen wurde Weihnachten 2020 ein Handels- und Partnerschaftsabkommen beschlossen und sofort unterzeichnet. Er ist ab 1. Januar 2021 in Kraft getreten. Benachteiligt sind u.a. Studenten, denn Großbritannien nimmt nicht mehr am Erasmus-Programm teil.

Mit dem Brexit verlassen die Briten fast 1000 Abkommen und mehr als 50 Freihandelsabkommen der EU, die neu verhandelt werden müssen. England wollte nicht mehr von Brüssel abhängig sein. Damit verliert die EU ein wichtiges Mitglied, das auch der zweitgrößte Nettozahler im EU-Haushalt ist (12 von 28 Staaten zahlen zurzeit mehr ein, als sie wieder empfangen).

## Das Stichwort ☞ Austritt aus der EU

*Ein Land, das die EU verlassen will, muss offiziell den Austritt erklären. Dann folgen Verhandlungen, die das zukünftige Verhältnis zur EU festlegen. Ein wesentlicher Streitpunkt ist die Freizügigkeit in jedem EU-Land, die eine der Grundfreiheiten der Gemeinschaft ist.*

**5.** 1985 trat das Schengener Abkommen in Kraft: Einige Länder hoben die Personenkontrollen an den Binnengrenzen auf. 2007 fielen auch die Kontrollen zu den neuen EU-Mitgliedstaaten im Osten. Damit war bequemes Reisen und grenzüberschreitendes Arbeiten garantiert, ein Wert, der allen Bürgern zugutekommt. Kontrollen sollten nur in Ausnahmefällen und für eine begrenzte Zeit eingeführt werden. Das hat sich seit der Flüchtlingskrise 2015 geändert. Die einzelnen Länder kontrollieren wieder ihre Grenzen.

Flankiert wurde Schengen 1997 von dem Dubliner Abkommen: Es wurde festgelegt, dass Asylsuchende nur in dem Land Asyl beantragen können, das sie zuerst betreten haben.

Mit einem zum Teil unkontrollierten Zustrom von Flüchtlingen 2015 vor allem nach Deutschland geriet Dublin außer Kontrolle. Das Flüchtlingsproblem wurde zu einer großen Belastungsprobe der EU. Es zeigte sich, dass die EU nicht für Krisen gemacht wurde. Sie ist größer geworden, aber nicht tiefer. In der Flüchtlingskrise spricht Europa nicht mehr mit einer Stimme und ringt um gemeinsame Lösungen. Die Union ist gespalten in Nord- und Südeuropa, aber auch in West und Ost. Mittel- und osteuropäische Länder gefährden die liberalen Strukturen durch illiberale Tendenzen.

Die Mitgliedsländer und das Parlament beschlossen 2020 schließlich, dass EU-Ländern, die den Rechtsstaat – unabhängige Presse und Justiz – zurückbauen, in Zukunft die finanziellen Mittel gekürzt werden.

**6.** Die Schweiz ist kein Mitglied der Europäischen Union, aber Teil des Schengener Raums. Sie schließt von Fall zu Fall bilaterale Verträge mit der Union ab. Zuletzt betraf das die Asylpolitik, den Abbau der Personenkontrollen, die Verbrechensbekämpfung und die Niederlassungsfreiheit für Bürger aus den Beitrittsländern. Heftige Kontroversen um die Personenfreizügigkeit und den Einfluss der EU, den viele Schweizer als bedrohlich oder als Diktat ansehen, sind politischer Alltag.

## Organe der EU

Das Europäische Parlament wird seit 1979 von der wahlberechtigten Bevölkerung aller Mitgliedstaaten direkt gewählt. Die Abgeordneten bleiben fünf Jahre im Amt. Ihre Zahl richtet sich nach der Größe des Mitgliedslandes. Es gibt keine europäische Partei; die Parteien der Länder schicken nach der Europa-Wahl ihre Abgeordneten ins Parlament. Diese schließen sich zu nationalitätsübergreifenden Fraktionen (S. 83) zusammen. Das Parlament hat seit der Wahl 2014 an Macht gewonnen: Parlament und Kommission sind zusammen der Gesetzgeber der EU.

Die **EU-Kommission** ist so etwas wie die „Regierung" der Europäischen Union. Sie bringt Gesetzentwürfe ein und überwacht die Einhaltung und Anwendung der gemeinsamen Verträge in der EU. Sie verhindert Kartelle und besteht auf Wettbewerb und Liberalisierung des Marktes. Die Kommission setzt sich aus EU-Kommissaren zusammen, die von den Regierungen der Mitgliedstaaten ernannt werden und vom Europäischen Parlament betätigt werden müssen. Diese Kommissare bekleiden als Europäer Ministerressorts wie in einer nationalen Regierung, sind aber nicht demokratisch gewählt. Aufgabe des Präsidenten ist vor allem, den Konsens zwischen den einzelnen Ländern herzustellen.

Der Hauptsitz der **Kommission** ist Brüssel.
Im Europäischen Rat treffen sich die Staats- und Regierungschefs der Mitgliedsländer. Er trifft grundlegende Entscheidungen und schlägt den Kommissionspräsidenten und den Hohen Vertreter für Außen- und Sicherheitspolitik vor.

Der **Rat der Europäischen Union**, kurz Rat genannt, besteht aus Ministern der einzelnen Mitgliedsländer, und zwar aus den Außenministern bzw. den Fachministern oder Staatssekretären. Er verabschiedet Rechtsvorschriften der EU, die in den Mitgliedstaaten übernommen werden.

Der **Europäische Gerichtshof (= EuGH)** in Luxemburg befasst sich in erster Linie mit der Auslegung und Anwendung des Gemeinschaftsrechts. Er soll Europa als Wertegemeinschaft voranbringen.

Im Vertrag von Nizza (1.2.2003) wurden Regeln für die Größe der EU-Organe und ihre Funktionsweise festgelegt. Im Juni 2007 wurde mit dem Vertrag von Lissabon nach vielen Hindernissen der zeitweilige Stillstand überwunden. Die Beschlüsse sind in einem EU-Vertrag festgelegt, das Wort „Verfassung" wird vermieden.

**Europäisches Parlament**
Abkürzung: EP, Sitz: Straßburg (Frankreich),
Sitzungsorte: Straßburg (Frankreich), Brüssel (Belgien),
Sekretariat: Luxemburg
Gründung: 1962 (erste direkte Wahl 1979)
Abgeordnete: 705 (27 Staaten)
Funktion: Volksvertretung der EU

**Das EP hat folgende Rechte:**
- **Haushaltsrecht:** Der von der Europäischen Kommission ausgearbeitete EU-Haushalt wird gleichberechtigt mitbestimmt. Aber: Das Recht, Steuern zu erheben, bleibt bei den Mitgliedstaaten.
- **Widerspruchsrecht:** in Angelegenheiten der Wirtschafts- und Währungsunion.
- **Das Recht, Gesetze vorzuschlagen:** Das Parlament kann eine Gesetzgebung in Gang setzen, die Kommission muss Stellung beziehen.
- **Zustimmungsrechte:** Der Präsident der Kommission wird mit Zustimmung des EP nominiert. Zusammen mit ihm werden die Mitglieder der Kommission bestätigt.
- Die Zustimmung des EP ist notwendig bei der Aufnahme neuer EU-Mitglieder und bei internationalen Verträgen.

Bei internationalen EU-Verhandlungen kann das Parlament Beobachter in die Delegationen entsenden. Einfluss hat das EP auch in Wirtschaftsfragen; es bremst den Turbohandel an der Börse und die Spekulation mit Lebensmitteln. Die Bürger verdanken ihm auch viel im Umwelt- und Verbraucherschutz. Das Parlament bestimmt in vielen Alltagsfragen mit: z.B. wer bei Geschäften im Internet oder beim Diebstahl von Kreditkarten haftet, welche Lebensmittel als „gesund" einzustufen sind usw. In den letzten Jahren ist der politische Einfluss des EP ständig gewachsen. Die immer wieder angemahnten Demokratiedefizite konnten etwas abgebaut werden.

*(nach: Lexikon der Gegenwart 1999, a.a.O., S. 545/546; aktualisiert 2020)*

- EU-Entscheidungen sollen in der Regel nicht mehr einstimmig, sondern mit qualifizierter Mehrheit fallen (Ausnahme: Polizei und Justiz). Einstimmigkeit ist zwingend in der Außen-, Steuer- und Sozialpolitik.
- Es gilt das Prinzip der „doppelten Mehrheit", d.h. EU-Beschlüsse erfordern eine Mehrheit von 55% der Staaten, die 65% der Bevölkerung vertreten.
- Nationale Parlamente können gegen Rechtsakte der EU Einspruch erheben.
- Der Präsident des Europäischen Rats vertritt die Union nach innen und außen.
- Neu ist der Posten eines „EU-Außenministers", der Hoher Vertreter für Außen- und Sicherheitspolitik heißt.
- Die Grundrechtecharta wird rechtsverbindlich.
- Die Europaflagge ist Symbol für die europäische Einigung und offizielle Flagge des Europarats. Sie ist blau und trägt einen Kreis aus 12 gelben Sternen. Die Sterne stehen für die Einheit und die Vollkommenheit. Die Flagge ist in den europäischen Ländern überall zu sehen. Die Europa-Hymne ist Beethovens Ode an die Freude (Instrumentalversion ohne Text). Auf die Nennung von Hymne und Flagge wurde im EU-Vertrag 2007 mit Rücksicht auf nationale Empfindlichkeiten verzichtet.

### Das Stichwort ☞ Charta der Grundrechte der Europäischen Union

*Der EU-Vertrag verweist auf die Grundrechtecharta, die in 54 Artikeln die Grundrechte festlegt. Die Charta verbietet Folter, Todesstrafe, Sklaverei und Zwangsarbeit und garantiert die Achtung des Privat- und Familienlebens, den Schutz persönlicher Daten, die freie Meinungsäußerung sowie Religions- und Gewissensfreiheit. Enthalten sind auch Rechte gegen die Gefahren moderner Technologien, gegen das Klonen von Menschen und das Recht auf Arbeit und ärztliche Versorgung. Die Grundrechtecharta orientiert sich an der Europäischen Menschenrechtskonvention des Europarats.*

# Die Medien – Presse, Rundfunk und Fernsehen

## Die Presselandschaft

**1.** Das Grundgesetz garantiert das Recht auf freie und öffentliche Meinungsäußerung und die Freiheit der Presse, des Hörfunks und des Fernsehens (s. S. 85). Die Deutsche Presseagentur dpa garantiert Glaubwürdigkeit gegen „Fake News". Die Glaubwürdigkeit von Presse und Rundfunk gewinnt wieder an Boden. In Deutschland ist die Gesamtauflage aller Tageszeitungen von 27,3 Mio. (1991) auf 13,5 Mio. (2019) zurückgegangen. Gedruckt plus online plus mobil (Zeitungs-Apps) erreichen mehr Menschen, aber die Gewinne gehen zurück. Zeitunglesen ist eine Generationenfrage geworden. Für Ältere ist die Zeitung ein Kulturgut; Jüngere bevorzugen den Kurznachrichtendienst im Internet und die mobile Nutzung. Der Journalismus der analysierenden Texte geht zurück und es wird gefragt, ob generell die Qualität des Journalismus in Gefahr ist.

Die meistgekaufte Tageszeitung ist die „Bild"-Zeitung (mit 8,63 Mio. Lesern), es folgen die „Süddeutsche Zeitung" (1,28 Mio. Leser) und die „Frankfurter Allgemeine Zeitung". Unter den Wochenmagazinen liegt der „Stern" an der Spitze mit 5,14 Mio. Lesern. Die bekannte Wochenzeitung „DIE ZEIT" spricht eher ein intellektuelles Publikum an. Die Auflage beträgt immerhin 547 000 Exemplare mit 1,72 Mio. Lesern. Konkurrenz zum „SPIEGEL", dem nach 1947 einzigen Nachrichtenmagazin, macht seit Anfang 1993 das Magazin „Focus".

**2.** Unüberschaubar ist der Zeitschriftenmarkt mit seinen über 20 000 Titeln. Zugenommen haben vor allem die sogenannten Special-Interest-Zeitschriften, die sich an bestimmte Käufergruppen wenden und begrenzte Themen behandeln, vom Tennis, Angeln, Segeln bis zur Elektronik und zum Computerwissen („auto, motor und sport", „Eltern", „essen & trinken", „Yacht", „PC Magazin" usw.), sowie Fachmagazine (z.B. „Bauwelt", „design report" usw.). Daneben gibt es Satirezeitschriften wie die bekannte „Titanic" oder der ostdeutsche „Eulenspiegel". Es fällt auf, dass sich die Beliebtheit von Magazinen in Ost und West stark unterscheidet. Hier spielen Gewohnheiten eine große Rolle und vor allem der Preis. Die „SUPERillu" (gegründet 1990) ist das mit 2,26 Millionen Lesern im Osten meistgelesene Magazin, das aber im Westen kaum einer kennt. Nach der Wende fungierte sie als Ratgeberin, denn alles war neu für die Bürger. Sie hebt die Lebensleistung der Menschen hervor, veröffentlicht Erfolgsgeschichten im Osten und ist Begleiter bei alltäglichen Problemen. Sie hat Erfolg, weil man sich verstanden und mitgenommen fühlt.

Am Markt behaupten sich Straßenzeitungen, z.B. das Münchner BISS (= Bürger in sozialen Schwierigkeiten) oder der Berliner „Straßenfeger", „Hinz und Kunzt" in Hamburg oder „TrottWar" in Stuttgart, die sich um arme Leute, Obdachlose, Langzeitarbeitslose oder Asylsuchende kümmern. Sie berichten aus der Sicht der Betroffenen und helfen bei der Jobsuche. Neu ist die Straßenzeitung „Charity München", die Leser erreichen will, die selbst helfen möchten.

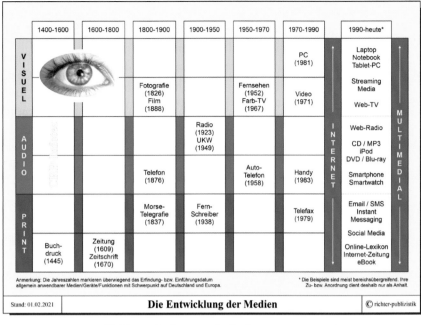

| | 1400-1600 | 1600-1800 | 1800-1900 | 1900-1950 | 1950-1970 | 1970-1990 | 1990-heute* |
|---|---|---|---|---|---|---|---|
| **VISUEL** | | | | | | PC (1981) | Laptop Notebook Tablet-PC |
| | | | Fotografie (1826) Film (1888) | | Fernsehen (1952) Farb-TV (1967) | Video (1971) | Streaming Media / Web-TV |
| **AUDIO** | | | | Radio (1923) UKW (1949) | | | Web-Radio / CD / MP3 iPod / DVD / Blu-ray |
| | | | Telefon (1876) | | Auto-Telefon (1958) | Handy (1983) | Smartphone Smartwatch |
| **PRINT** | | | Morse-Telegrafie (1837) | Fern-Schreiber (1938) | | Telefax (1979) | Email / SMS Instant Messaging / Social Media |
| | Buch-druck (1445) | Zeitung (1609) Zeitschrift (1670) | | | | | Online-Lexikon Internet-Zeitung eBook |

(Vertikale Spaltenbeschriftungen rechts: **INTERNET** / **MULTIMEDIAL**)

Anmerkung: Die Jahreszahlen markieren überwiegend das Erfindung- bzw. Einführungsdatum allgemein anwendbarer Medien/Geräte/Funktionen mit Schwerpunkt auf Deutschland und Europa.

\* Die Beispiele sind meist bereichsübergreifend. Ihre Zu- bzw. Anordnung dient deshalb nur als Anhalt.

Stand: 01.02.2021    **Die Entwicklung der Medien**    © richter-publizistik

**Das Erste**

## Öffentlich-Rechtliche gegen Private

**1.** Hörfunk und Fernsehen fallen in die Verantwortung der Bundesländer. Bis in die Achtzigerjahre gab es nur den öffentlich-rechtlichen Rundfunk, dann wurden auch private Sender zugelassen. Zu den Öffentlich-Rechtlichen gehören folgende Landesrundfunkanstalten: der Bayerische Rundfunk (München), der Hessische Rundfunk (Frankfurt am Main), der Norddeutsche Rundfunk (Hamburg), Radio Bremen, der Saarländische Rundfunk (Saarbrücken), der Südwestrundfunk (Stuttgart), der Westdeutsche Rundfunk (Köln), der Rundfunk Berlin-Brandenburg (Berlin und Potsdam) und der Mitteldeutsche Rundfunk (Leipzig). Sie bilden die ARD (= die Arbeitsgemeinschaft der öffentlich-rechtlichen Landesrundfunkanstalten Deutschlands) und strahlen ein gemeinsames Fernsehprogramm aus: Das Erste. Daneben produzieren diese Sender eigene regionale „Dritte Programme".

**2.** Ein weiteres nationales Fernsehprogramm, das „Zweite Programm", wird vom Zweiten Deutschen Fernsehen (ZDF) in Mainz ausgestrahlt. Das ZDF ist eine reine Fernsehanstalt, im Gegensatz zu den anderen Anstalten, die auch Hörfunkprogramme senden.

Die öffentlich-rechtlichen Sender sind unabhängig vom Staat und der Privatwirtschaft. Sie haben einen Bildungsauftrag und sollen die kommunikative Grundversorgung der Bevölkerung sichern. Bildung, Kultur und Unterhaltung sollen in einem ausgewogenen Verhältnis zueinander stehen. Sie finanzieren sich aus den Rundfunkbeitrag, den jeder Haushalt bezahlen muss, und der Werbung, die aber auf wenige Sendezeiten vor 20 Uhr beschränkt ist. Spielfilme werden nicht – wie bei den privaten Sendern – durch Werbung unterbrochen. Nicht erlaubt ist die gebührenfinanzierte Konkurrenz zu Presseerzeugnissen. Es ist deshalb heftig darüber gestritten worden, was ZDF und ARD im Internet veröffentlichen dürfen und was zu „presseähnlich" ist.

3. Private Sender finanzieren sich im Gegensatz zu den öffentlich-rechtlichen Anstalten ausschließlich aus der Werbung, die sie rund um die Uhr senden. Je mehr Zuschauer ein Sender der Werbekundschaft bietet, umso mehr kann er für eine Minute Werbung verlangen. Die Öffentlich-Rechtlichen wurden den Privaten aber immer ähnlicher. Wie bei den Privaten bestimmt die Quote, was gesendet wird und zu welchen Sendezeiten. Die Öffentlich-Rechtlichen (20 TV- und 67 Hörfunkprogramme sowie Internet) sind in ein schwieriges Fahrwasser geraten. Sie sind zu groß geworden und zu teuer. Angegriffen werden sie von Rechtspopulisten, wie auch in anderen europäischen Ländern, die Inhalte kritisieren, den Rundfunkbeitrag abschaffen und Privatisierung zulassen wollen.

Aber auch das Medienverhalten ändert sich. Vor allem jüngere Zuschauer nutzen Streaming-Dienste wie Netflix, Amazon Prime oder die Video-Plattform Youtube statt des linearen Fernsehens zu fest gelegten Sendezeiten, sind so unabhängig von Zeit und Ort. Die Sender versuchen deshalb, sich mit eigenen Plattformen gegen die großen Konkurrenten zu wehren. Als Lösung wird vorgeschlagen: Abkehr von der Quote, Konzentration auf Inhalte und Qualität. Weniger lineare Angebote und mehr Online. Die Öffentlich-Rechtlichen sind dabei, sich zu erneuern.

## Sender und Kanäle

1. Seit 1992 gibt es den Arte-Kanal, der feierlich mit einer Live-Übertragung aus der Straßburger Oper eröffnet wurde. Arte steht für „Association relative à la télévision européenne" (Vereinigung in Verbindung mit dem europäischen Fernsehen). Es ist ein deutsch-französischer Kulturkanal mit Sitz in Straßburg, der zu gleichen Teilen von Frankreich und Deutschland getragen wird.

2. Der Satelliten- und Kabelkanal 3sat wurde 1984 neu geschaffen. Er wird gemeinsam von ZDF, ORF (Österreichischer Rundfunk), SRG (Schweizerische Radio- und Fernsehgesellschaft) und ARD betrieben. Sein Programm besteht aus Informations- und Kultursendungen.

3. ARD und ZDF betreiben seit 1997 gemeinsam den Dokumentations- und Ereigniskanal Phönix in Bonn, der ein qualitativ hochwertiges Programm bietet.

4. Verschiedene Hörfunksender wurden nach der Wende neu strukturiert: Der Deutschlandfunk (gegründet 1960) hatte in der Vergangenheit vor allem Informationen für Ostdeutschland und das osteuropäische Ausland gesendet. Heute produziert das Deutschlandradio (gegründet 1994) die drei bundesweiten Hörfunkprogramme Deutschlandfunk und Deutschlandfunk Kultur sowie Deutschlandfunk Nova. Die Deutsche Welle (Köln) ist im Wesentlichen bestehen geblieben. Sie sendet in 30 Fremdsprachen – auch in Deutsch natürlich – in alle fünf Kontinente. Ihr Programm umfasst Information, Politik, Wirtschaft, Kultur, Gesellschaft und Sport.

5. Radio- und Fernsehanstalten haben Kinderkanäle gestartet, die ein buntes, kindgerechtes Programm bieten. Das neue wöchentliche Medienmagazin „Timster" für Grundschüler, das der Kinderkanal Kika von ARD und ZDF ausstrahlt, soll die Medienkompetenz von Schülern stärken. Themen sind Film, TV, Radio, Bücher, Video- und Computerspiele und digitale Medien.

Der Moderator Tim zeigt, wie Medien produziert werden. Über eine Austauschplattform bleibt er online im Dialog mit den Schülern. Der Mitmach-Charakter des Magazins ist das zentrale Anliegen.

**6.** Nach dem Ende des analogen Fernsehens ist die Entwicklung rasant: Die öffentlich-rechtlichen Sender strahlen die Digitalsender Tagesschau24 der ARD und ZDFinfo aus und bringen Nachrichten und Sendungen mit aktuellem Bezug. Auf dem digitalen Markt drängen sich außerdem ZDFneo, ONE usw.

**7.** Millionen Menschen hören heute Radio über das Internet und stellen ihr individuelles Programm zusammen. Die meisten Radiosender senden ihr Signal auch über das Netz, beispielsweise die deutschen öffentlich-rechtlichen Sendeanstalten, die Stammhörer außerhalb ihres Sendegebiets erreichen wollen. Das Digital Radio (im Logo in zwei Wörtern) wird analoge Sendeverfahren weitgehend ersetzen. Es kann mehr Programme senden und garantiert einen rauschfreien Empfang.

**8.** Das neue Online-Format von ARD und ZDF für 14- bis 29-Jährige heißt „funk". Es hat mit dem klassischen linearen Fernsehen wenig zu tun. Information, Orientierung und Unterhaltung sind die Schwerpunkte. Die Beiträge lassen sich unter www.funk.net abrufen.

## *Aufgaben*

1. Talkshows sind geeignet, Menschen, ihre Meinungen und Positionen kennenzulernen. Sollten Talkshows so etwas wie Ersatzparlamente sein oder sollten sie mehr der Unterhaltung dienen?
2. Diskutieren Sie die Qualität des deutschen Fernsehens. Wo informieren Sie sich?
3. Sendungen zur Geschichte, Tierfilme und Serien sind sehr beliebt. Was interessiert Sie am meisten?
4. Man glaubt, was man sieht. Welche Verantwortung hat das Fernsehen?

### Macht und Medien

In seinem Buch „Von der Parteiendemokratie zur Mediendemokratie" bringt der Autor Albrecht Müller die Sache auf den Punkt: Die Talkshow ersetzt die Parteiendiskussion. Die Medien haben die Themen bestimmt und die Entscheidungen stark beeinflusst. Wenn man verfassungspolitisch konsequent sein wolle, schreibt der Autor, müsse Artikel 21 des Grundgesetzes lauten: „Die Medien wirken an der Willensbildung mit."
Die Deutsche Akademie für Sprache und Dichtung fragt: „Talk oder Politik? Verschwindet die politische Rede?" Tatsache ist, dass Politiker viel Zeit darauf verwenden, in Talkshows zu erscheinen, denn schon am nächsten Tag berichten die Medien, wer was gesagt hat. Medienkompetenz wird zum Schlüssel des Erfolgs und das Publikum spielt mit bzw. der Wähler; das beweisen die Einschaltquoten.

Das Jahr 2017 hat die Machtverhältnisse noch weiter verschoben: Die Ursachen liegen bei den sozialen Medien wie Facebook, Google usw. Nicht allein die repräsentative, auf Institutionen beruhende Demokratie liefert die Informationen, sondern ein System ständiger Meinungsmache: Jeder kommuniziert, postet Botschaften, die sich im System verbreiten. Fake accounts können automatisierte politische Botschaften verbreiten, intelligente Bots manipulieren und desinformieren. Noch nie konnten einzelne Personen oder Personengruppen so wirkungsvoll Einfluss nehmen. Ist die Demokratie in Gefahr? Das muss nicht sein. Auch Wahlkämpfer haben 2017 aufs Digitale gesetzt, gepostet und getwittert. Die sozialen Medien sind für Politiker Mittel der Kommunikation, dienen aber auch nicht selten der Selbstdarstellung. Social Media-Referenten organisieren die Auftritte der Politiker im Digitalen und Social-Media-Manager suchen nach verdeckter Propaganda und verdeckten Attacken.

Inzwischen haben Talkshows und die öffentliche Rede eine neue Dimension erreicht. Die kontroverse Diskussion gerät in die Fangnetze von unverhüllten Hasskommentaren, Lügen und Shitstorms. Lagerdenken und eine verrohte Sprache lassen um die Demokratie fürchten. Da erinnert man sich an Willy Brandts Ausspruch „Mehr Demokratie wagen", die „eine außerordentliche Anstrengung, sich gegenseitig zu verstehen" einforderte.
*(nach: vorwärts NEWS 2/99; aktualisiert 2019)*

# Schule und Studium

**1.** In Deutschland sind die Länder (= Bundesländer) für die kulturellen Belange, also auch für allgemein- und berufsbildende Schulen, für die Erwachsenenbildung und Weiterbildung sowie für die Hochschulen zuständig. Jedes Land hat sein eigenes Kultusministerium oder ein Ministerium für Wissenschaft, Forschung und Kultur. Die KMK (= die Ständige Konferenz der Kultusminister der Länder) berät u.a. länderübergreifende Angelegenheiten im Schul- und Hochschulwesen, wie z.B. die gegenseitige Anerkennung von Schulabschlüssen oder die Reform der Studiengänge. Die Beschlüsse sind Empfehlungen und können in die Gesetzgebung der Bundesländer übernommen werden. Es gibt keine bundesweit einheitliche Schulstruktur. Ein Zentralabitur gibt es nicht, aber die Bundesländer können sich Abituraufgaben aus einem gemeinsamen Pool holen. Fast die Hälfte aller Studienplätze wird zentral aufgrund der Abiturnoten vergeben, wobei die Vergleichbarkeit wegen der unterschiedlichen Niveaus in den einzelnen Bundesländern nicht garantiert ist.

In der Corona-Krise haben die Schulen einen digitalen Crashkurs durchgemacht. Homeschooling oder Distanzunterricht und Wechselunterricht zwischen Distanz und Präsenz setzen bei Lehrer*innen, Eltern und Schüler*innen neues Wissen voraus und haben die Nerven aller Beteiligten manchmal stark strapaziert. Kinder entdecken die digitale Welt und stellen fest, dass sie gern in die Schule gehen. An den Hochschulen ist der Einsatz digitaler Medien über Wissensplattformen schon weit verbreitet gewesen. Tägliche Kontakte werden natürlich sehr vermisst.

**2.** Seit der ersten Pisa-Studie (Programme für International Student Assessment, im Auftrag der OECD) steht fest, dass deutsche Schüler nur mittlere, zuletzt verbesserte Plätze im internationalen Vergleich einnehmen. Die Pisa-Tests werden allerdings kritisiert, denn die bloßen Zahlen geben keine Auskunft darüber, wie ein Schulsystem verbessert werden kann.

Nach einem ständigen Rückgang steigen die Schülerzahlen wieder an. Der Grund sind die große Zahl der Flüchtlingskinder und vor allem eine steigende Geburtenrate. Schon jetzt mangelt es an Fach- und Förderlehrern an Grund- und Mittelschulen.

**3.** Das Schulsystem benachteiligt Kinder aus bildungsfernen und sozial schwachen Familien sowie Kinder mit Migrationshintergrund gegenüber ca. 10% gut ausgebildeten Schülern, deren Aufstieg gesichert ist. Der Aufstieg durch Bildung gelingt nur ca. einem Viertel der Grundschüler. Die Benachteiligung ist besonders in der Corona-Krise deutlich geworden, als das Lernen zu Hause bestimmte technische Voraussetzungen (WLAN; Laptop, Tablet) voraussetzte.

Wichtig wäre der schnellere Ausbau von Ganztagsschulen, aber die Unterschiede in den einzelnen Bundesländern sind groß. Gemeinsames Lernen über die 4. Klasse hinaus wäre außerdem ein Schritt zu mehr Chancengleichheit und zu sozialer Kompetenz.

In ihrem Bericht „Bildung auf einen Blick" lobt die OECD das deutsche Bildungssystem. Vor allem der Übergang von der Ausbildung in den Beruf würde reibungslos klappen. Kritisiert wird die mangelnde Chancengleichheit.

**4.** Die Hochschulen haben Selbstverwaltung und geben sich im gesetzlichen Rahmen eine eigene Verfassung. Sie sind in der Lage, neue Studiengänge einzurichten. Jedes Bundesland trifft seine Regelungen für die Zulassung zum Studium.

## Die Schule

Schulpflicht besteht vom 6. bis zum 18. Lebensjahr. Nach 4 oder 6 Jahren Grundschule haben die Schüler die Wahl zwischen verschiedenen Schularten des Sekundarbereichs I, zwischen der Hauptschule, der Realschule, dem Gymnasium oder der Gesamtschule. Die gesetzlich geforderte Inklusion ist das gemeinsame Lernen von Behinderten und Nichtbehinderten in allgemeinen Schulen. Sie kann aber nur gelingen, wenn

Bundesländer mit teilintegrativen Schulsystemen
(= gemeinsames Lernen auch nach der 4. Klasse

▶ Abb 1    **Das Bildungssystem in Deutschland**

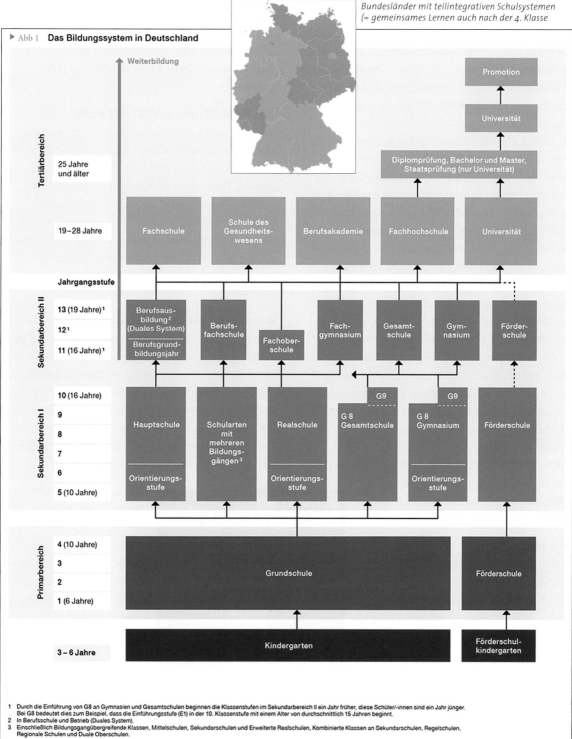

1  Durch die Einführung von G8 an Gymnasien und Gesamtschulen beginnen die Klassenstufen im Sekundarbereich II ein Jahr früher, diese Schüler/-innen sind ein Jahr jünger.
   Bei G8 bedeutet dies zum Beispiel, dass die Einführungsstufe (E1) in der 10. Klassenstufe mit einem Alter von durchschnittlich 15 Jahren beginnt.
2  In Berufsschule und Betrieb (Duales System).
3  Einschließlich Bildungsgangübergreifende Klassen, Mittelschulen, Sekundarschulen und Erweiterte Realschulen, Kombinierte Klassen an Sekundarschulen, Regelschulen,
   Regionale Schulen und Duale Oberschulen.

genügend Lehrer zu Verfügung stehen. Der Religionsunterricht ist ordentliches Lehrfach, wobei die Eltern über die Teilnahme entscheiden. Ersatzweise wird in fast allen Ländern Ethik-Unterricht angeboten. Neue Anforderungen sind besonders in letzter Zeit auf die Schulen zugekommen: Viele minderjährige, oft traumatisierte Flüchtlinge sind nach Deutschland gekommen (im Jahr 2015 ca. 300 000 Kinder). Sie sind schulpflichtig und gehen in Förderklassen oder Deutschklassen, um Deutsch zu lernen. So schnell wie möglich sollen sie in die ihrem Alter entsprechende Regelklasse kommen. Wichtig für Kinder aus Krisengebieten ist eine individuelle Betreuung. Wie zu erwarten war, sind große Probleme entstanden: Es werden mehr Lehrer sowie Sozialarbeiter, Schulpsychologen gebraucht. Viele Lehrer sind überfordert von der Zahl der Nationalitäten und den kulturellen Unterschieden.

Hinzu kommt ein weiteres Problem: Mit steigenden Schülerzahlen steigt die Gewalt an allen Schularten. Was sollen Mitschüler und Lehrer tun, wenn geprügelt und gemobbt wird? Organisationen für Gewaltprävention sind entstanden. Sie helfen u.a. mit Anti-Mobbing Coaches oder Anti-Gewalt-Trainings. Dauerthema an Schulen ist auch Diskriminierung und Rassismus. Schüler bilden Arbeitskreise, um sich mit Projekten gegen Rassismus einzusetzen; Beratungsstellen für Lehrkräfte werden angeboten (siehe auch „Schule ohne Rassismus – Schule mit Courage", S. 74).

## Die Hauptschule

ist eine Schulart des Sekundarbereichs I im Anschluss an die vierjährige Grundschule und vermittelt grundlegende allgemeine Bildung mit Praxisbezug. Sie wird nach dem 9. oder 10. Schuljahr mit dem „Hauptschulabschluss" beendet. Die meisten machen anschließend eine Lehre und besuchen gleichzeitig die Berufsschule. Viele Schüler hängen noch den „qualifizierten" zentralen Abschluss („Quali") an.

Die Hauptschule hat aber an Ansehen verloren. Die Schülerzahlen sinken, in vielen Bundesländern schließen sich deshalb Realschulen und Hauptschulen zusammen.

## Die Realschule / Mittelschule

ist eine Schulart des Sekundarbereichs I im Anschluss an die Grundschule und vermittelt eine erweiterte allgemeine Bildung. Sie wird nach dem 10. Schuljahr beendet. Dieser mittlere Schulabschluss berechtigt zum Besuch einer Berufsfachschule oder Fachoberschule. Zu beklagen ist, dass zu viele Jugendliche die Schule ohne Abschluss verlassen und damit ihre Chancen auf dem Arbeitsmarkt verringern. Gefordert wird, dass benachteiligte Schüler rechtzeitig gefördert werden.

## Das Gymnasium

ist eine Schulart des Sekundarbereichs I und II und vermittelt eine vertiefte allgemeine Bildung, die nach 12 (= G8) oder 13 (= G9) Jahren mit dem Abitur abgeschlossen wird und zur Hochschulreife führt. 50% eines Jahrgangs machen Abitur, vor 40 Jahren waren es nur 10%. Im Osten gab es die 12-jährige Schulform bereits (heute G8), im Westen können die Schüler in manchen Bundesländern zwischen G8 und G9 wählen.

## Die Ganztagsschule.

Ganztagsschulen sind in Westdeutschland eine relativ neue Schulform, aber in Ostdeutschland waren sie vor der Wende Normalität. Jeder zweite Schüler hat inzwischen auch Nachmittagsunterricht. Aber das Angebot ist in den einzelnen Bundesländern unterschiedlich: Hamburg und Sachsen liegen mit der Zahl der Schulen an der Spitze, Bayern ist Schlusslicht. Manche Schulen beschränken sich auf die

### Schüler an Ganztagsschulen

Anteil der Schüler im Ganztagsschulbetrieb* im Schuljahr 2015/2016 in Prozent

| | |
|---|---|
| Hamburg | 93,9 % |
| Sachsen | 76,6 |
| Berlin | 67,0 |
| Niedersachsen | 49,0 |
| Thüringen | 48,6 |
| Nordrhein-Westfalen | 47,6 |
| Hessen | 45,6 |
| Brandenburg | 44,2 |
| Bremen | 39,7 |
| Mecklenburg-Vorp. | 39,4 |
| *Deutschland* | *39,2* |
| Saarland | 32,4 |
| Schleswig-Holstein | 26,9 |
| Rheinland-Pfalz | 26,4 |
| Sachsen-Anhalt | 25,4 |
| Baden-Württemberg | 22,8 |
| Bayern | 14,1 |

*an allen Schülern in öffentlichen allgemeinbildenden Schulen

Quelle: Kultusministerkonferenz

© Globus 12080

Hausaufgabenbetreuung am Nachmittag, andere bieten verpflichtende Lerninhalte und individuelle Förderung sowie Zusammenarbeit mit Musikschulen und Sportvereinen an. Manche Eltern fordern flexible Betreuung nur an bestimmten Wochentagen. Neue Konzepte werden erprobt. Das Interesse und der Druck sind groß.

## Gesamt- und Gemeinschaftsschule

Hier sind alle drei Schularten parallel unter einem Dach. In Gemeinschaftsschulen, die sich steigender Beliebtheit erfreuen, werden die Schülerinnen und Schüler in einer Klasse gemeinsam unterrichtet, die sonst auf Gymnasium, Real- und Hauptschule aufgeteilt sind.

## Die Hochschulen

**1.** In der Bundesrepublik Deutschland gibt es über 400 staatliche bzw. staatlich anerkannte Hochschulen. Man unterscheidet Universitäten, Technische Universitäten (TU) und Hochschulen einer bestimmten Fachrichtung (z.B. Theologie, Medizin), Pädagogische Hochschulen, Kunst- und Musikhochschulen, Gesamthochschulen (Universität mit Fachhochschule; nur in Hessen und Nordrhein-Westfalen) und Fachhochschulen. Fachhochschulen bilden ca. 30% der Studierenden aus. An den Fachhochschulen geht es weniger um Grundlagenforschung als um eine praxisbezogene Ausbildung und industrienahe Projekte, die der regionalen Wirtschaft zugutekommen.Die Corona-Krise hat digitale Wissensvermittlung weiter gestärkt. Die virtuelle Lehre – Online-Kurse, Vorlesungen per Videochat oder mit Videostreaming – wird Präsensveranstaltungen nicht ersetzen, aber in Zukunft mehr Raum einnehmen. Die Studierenden vermissen während der Krise Praktika, Auslandssemester und den Austausch mit Kommilitonen und Kommilitoninnen.

**2.** Seit den 1960er Jahren erleben die westdeutschen Hochschulen einen ständig wachsenden Zustrom an Studenten. Zurzeit sind in Deutschland ca. 2,9 Millionen Studentinnen und Studenten an einer Fachhochschule oder Universität eingeschrieben. Die Hochschulen sind somit zu den wichtigsten Ausbildungsstätten

LMU München

für junge Leute geworden. Eigentlich eine gute Entwicklung, denn hoch qualifizierte Arbeitskräfte werden gebraucht. Doch dieser Trend zur Akademisierung vernachlässigt handwerkliche Berufe. Die Folge ist, dass Lehrstellen frei bleiben und dass der Nachwuchs in den Betrieben fehlt.

**3.** Mehr als die Hälfte eines Jahrgangs macht inzwischen das Abitur. Der Numerus clausus (= NC) an großen Unis in fast der Hälfte der Fächer ist die Folge, d.h. nur eine bestimmte Zahl von Studierenden wird zugelassen. Studenten mit schlechteren Abiturnoten müssen ein oder mehr Semester warten. Das widerspricht eigentlich dem Recht, Beruf und Ausbildung frei zu wählen.

In die Hochschulen ist seit längerem Bewegung gekommen. Sie haben mehr Freiheiten bekommen, ihren Haushalt zu führen und Professoren zu berufen. Sie schärfen ihr Profil, richten Graduiertenschulen ein, damit Doktoranden besser betreut werden können. Die Graduiertenschulen garantieren ein strukturiertes Promotionsprogramm. Ihr Angebot ist freiwillig. Studierende mit einer Stelle in der Wirtschaft sind an deutschen Universitäten ebenso denkbar wie einsame

Deutschlands
**beste Uni:** Ludwig-Maximilians-Universität (Platz 34) (Times Higher Education Ranking 1000 Unis)
**innovativste Uni:** Universität Nürnberg-Erlangen (Platz 5) (Reuters Top 100)
**Uni mit den meisten Nobelpreisträgern:** TU München
**größte Uni:** FernUniversität Hagen
**älteste Uni:** Ruprecht-Karls-Universität Heidelberg (1386)
**internationalste Uni:** Barenboim-Said-Akademie Berlin (Musikhochschule)

Denker in den häuslichen vier Wänden.

4. Hochschulen stellen sich dem Wettbewerb in nationalen und internationalen Forschungsrankings (= Leistungsvergleichen). Das Zentrum für Hochschulentwicklung (CHE) zählt die Höhe der Drittmittel, die Zahl der Bücher und Aufsätze und bewertet den Ruf der Professoren. Drittmittel sind Forschungsgelder der Wirtschaft, die der Staat zusätzlich aufstockt.

## Das Stichwort ☞
### Exzellenzinitiative / Exzellenzstrategie

*Die Exzellenzinitiative ist ein Wettbewerb des Bundes und der Länder zur Stärkung der universitären Spitzenforschung und damit des Wissenschaftsstandortes Deutschland. Sie wurde 2005 zum ersten Mal veranstaltet. Die Deutsche Forschungsgemeinschaft führt die Initiative gemeinsam mit dem Wissenschaftsrat durch. Gefördert werden Graduiertenschulen, Exzellenzcluster und Zukunftsprojekte. Seit 2017/18 heißt die Initiative Exzellenzstrategie.*

**11 Universitäten werden im Rahmen der Exzellenzinitiative gefördert:**
RWTH Aachen
Uni Bonn
TU Dresden
Uni Hamburg
Uni Heidelberg
Karlsruher Institut für Technologie
Uni Konstanz
LMU München
TU München
Uni Tübingen
Verbund der 3 Berliner Unis (Humboldt-Universität, Freie Universität, TU)

Im Juli 2019 sind 11 Exzellenzuniversitäten gekürt werden, die Fördersummen in Millionenhöhe erhalten. Die Förderung ist zum ersten Mal nicht befristet. Die Universitäten können den Titel dauerhaft tragen und müssen alle sieben Jahre beweisen, dass sie die Bedingungen erfüllen. Kritisch angemerkt wurde sofort, dass die anderen Universitäten nicht vernachlässigt werden dürfen und dass in Ostdeutschland nur Dresden gefördert wird.

Auf Anregung von Frankreichs Präsidenten Emmanuel Macron entstehen Europäische Hochschulen; das sind internationale europäische Netzwerke mit durchschnittlich 17 Partnern. Die EU-Kommission finanziert die Ausschreibungen und die Netzwerke aus schon über 100 Hochschulen. Das Projekt soll im Gegensatz zur Exzellenzstrategie kein Eliteklub werden.

5. Das Studium wird spezialisierter und stärker praktisch orientiert. Unzählige Sparten-Studiengänge und Hybrid-Studiengänge (die Kombination von 2 oder 3 Studiengängen) sind entstanden: „Automatisiertes Fahren und Fahrsicherheit", „Plant Sciences" oder „Geoinformatik und Landmanagement". Die Studenten haben fast 20 000 Studiengänge zur Auswahl.

## Das Stichwort ☞ Hochschulen

*In Deutschland gibt es 180 Universitäten und wissenschaftliche Hochschulen an 154 Orten. Die meisten Studenten sind an der FernUniversität in Hagen eingeschrieben (75 400). Es folgen die Universität zu Köln (48 800), die Ludwig-Maximilians-Universität München (50 900), die Johann Wolfgang Goethe-Universität in Frankfurt am Main (44 600) und die Ruhr Universität Bochum (43 000), Weitere Universitäten sind die größte Technische Hochschule in Aachen (Rheinisch-Westfälische Technische Hochschule, 45 600), die Universität Hamburg (43 300), die Technische Universität München (41 400), die Freie Universität Berlin (38 600), die Humboldt-Universität zu Berlin usw. Daneben gibt es 247 Fachhochschulen, die mit Fachpraktika den Bezug zur Praxis herstellen.*

6. Seit 1971 gibt es das Bafög (= Bundesausbildungsförderungsgesetz), das Kindern auch aus ärmeren Familien das Studium ermöglichen soll. Diese Hilfe richtet sich nach dem Einkommen der Eltern und eigenem Vermögen.

## Das Stichwort ☞ Bafög

*Der Staat fördert ca. ein Zehntel der Studierenden mit Bafög (= Bundesausbildungsförderungsgesetz). 50%*

*des Geldes sind Zuschuss und 50% zinsloses Darlehen, zu beantragen beim Studentenwerk. Das Bafög wurde 2016 reformiert; mehr Geld steht zur Verfügung.*
*Auch Schüler haben Anspruch auf Bafög-Gelder sowie zukünftige Handwerksmeister und Facharbeiter. Nicht berücksichtigt sind Teilzeitstudenten, die Ausbildung für beruflich Qualifizierte oder Studenten mit spätem Studienbeginn.*
Viele Studierende wohnen zu Hause („Hotel Mama"), um Geld zu sparen. (Eltern sind übrigens verpflichtet, ihre Kinder während des Studiums finanziell zu unterstützen.) Zwei Drittel jobben. Die Wohnungssuche ist besonders in den alten Bundesländern sehr mühsam. Die Zahl der Studenten steigt, nicht ausreichend aber die Zahl der Wohnheime. Immer mehr Studenten entscheiden sich für eine WG.

**7.** Über zweihundert Jahre war an deutschen Hochschulen das Bildungsideal bestimmend, das Wilhelm von Humboldt in der 1810 gegründeten Universität von Berlin anstrebte: die Einheit von Forschung und Lehre und die Zweckfreiheit des Lernens. Heute ist die Ökonomisierung des Studiums unübersehbar. Die Hochschulen haben Abschied genommen von der Tradition. 70% der Studenten streben derzeit eine berufliche Ausbildung außerhalb der Forschung an. Kooperationen mit Firmen und Praxisphasen sind zum Studienalltag geworden. Studienangebote stellen sich auf die Industrie 4.0 ein, damit Studenten die Arbeitsweise der Industrie kennenlernen. Firmen wünschen sich digitale Kompetenzen, Sprachkenntnisse und Praxisbezug; das Sagen behalten natürlich die Hochschulen.
Die Zahl der Seiteneinsteiger, die es ohne Abitur in die Hochschule schaffen, steigt seit der Öffnung für Meister, Facharbeiter und ähnliche Abschlüsse kontinuierlich.

### Wer oder was ist „Humboldt?

1. Zwei Forscher, die Brüder waren: Alexander und Wilhelm von Humboldt
2. das Humboldt Forum (siehe S. 37)

3. die Alexander-von-Humboldt-Stiftung (siehe S. 155)
4. die Humboldt-Universität zu Berlin
5. Humboldt-Schulen und -Gymnasien
6. das Segelschulschiff Alexander von Humboldt II
7. der Humboldtstrom

Die Technische Universität München (TUM) ist Ziel vieler Stifter, denn hier wird an Themen der Zukunft geforscht: Künstliche Intelligenz, maschinelles Lernen, Robotik, autonomes Fahren, emissionsarme Kraftstoffe. Große Unternehmen sind Geldgeber für private Hochschulen geworden, um Führungskräfte auszubilden.

## Das Stichwort ☞ Bachelor / Master

*Im Jahr 1999 – Bologna-Prozess – haben die europäischen Bildungsminister die internationalen Bachelor- und Master-Studiengänge beschlossen. Das Bachelor-Studium dauert sechs Semester und soll für den Beruf qualifizieren. Der Master-Studiengang baut darauf auf und ist forschungsorientiert. Die meisten Bachelor-Studenten planen ein weiterführendes Master-Studium, um ihre Chancen auf dem Arbeitsmarkt zu verbessern.*

## Das Stichwort ☞ Duales Studium

*Das duale Studium verbindet Theorie und Praxis. Während des Studiums erwerben die Studenten bereits wertvolle Erfahrungen in der Berufswelt. Der Übergang ins Berufsleben ist einfacher als nach einem Bachelor-Abschluss und die Chancen, nach der Ausbildung im Betrieb übernommen zu werden, ist groß. Die Studenten können sowohl einen Bachelor wie auch eine abgeschlossene Berufsausbildung erwerben.*

### Aufgaben

1. Wie beurteilen Sie das deutsche Unisystem?
2. Sollte der NC abgeschafft werden?

# Programme der Europäischen Union

Der DAAD (= Deutscher Akademischer Austausch-dienst) ist die nationale Agentur für die EU-Hochschul-zusammenarbeit in Deutschland. Er berät und informiert über alle hochschulbezogenen Teile des Programms. So werden jährlich über 145 000 deutsche und internationale Studierende und Wissenschaftler weltweit gefördert, davon 51% Frauen. Im Jahr 2014 sind die EU-Bildungsprogramme unter dem Namen Erasmus Plus/Erasmus+ zusammengefasst worden und umfassen seitdem neben der Hochschulbildung auch die Schulbildung und die berufliche Aus- und Weiterbildung sowie die Erwachsenenbildung.

Finanziert wird der DAAD aus Mitteln des Bundes, vor allem des Auswärtigen Amts, von der Europäischen Union sowie von verschiedenen Unternehmen und Organisationen.

Das Programm **ERASMUS** – Studieren in Europa und mehr – wurde nach Erasmus von Rotterdam benannt, einem in seiner Zeit europäisch gebildeten Humanisten. Erasmus, das EU-Programm für die Hochschulbildung, ermöglicht Studierenden und Graduierten, im Ausland zu lernen und zu arbeiten. Es fördert die Zusammenarbeit zwischen Hochschulen in ganz Europa. Das Programm unterstützt auch Hochschuldozenten und in der freien Wirtschaft tätige Personen, die im Ausland lehren möchten. Außerdem Hochschulmitarbeiter, die sich beruflich weiterqualifizieren möchten.

Der **DAAD** möchte auch Flüchtlingen den Weg in ein Studium ermöglichen. Gemeinsam mit Hochschulen und Partnerorganisationen realisiert er verschiedene Programme und Maßnahmen, um die Integration von Flüchtlingen an den deutschen Hochschulen zu unterstützen, darunter auch das Programm „Welcome – Studierende engagieren sich für Flüchtlinge". Er bietet auch kostenlose Online-Sprachkurse an. Viele Flüchtlinge haben in ihrer Heimat bereits eine Berechtigung zum Besuch einer Hochschule erworben, haben angefangen zu studieren oder haben sogar ein Studium abgeschlossen.

## Das Stichwort ☞ DAAD

*Einrichtung der deutschen Hochschulen mit der Aufgabe, die Hochschulbeziehungen mit dem Ausland vor allem durch den Austausch von Studenten und Wissenschaftlern zu fördern. Seine Programme kommen Ausländern wie Deutschen gleichermaßen zugute. Der DAAD ist die weltweit größte Förderorganisation seiner Art. Die Fülle der Aufgaben des DAAD sind folgenden Zielen zugeordnet: Stipendien für Ausländer, Stipendien für Deutsche, Internationalisierung der Hochschulen, Unterstützung der Entwicklungsländer beim Aufbau ihrer Bildungssysteme, Förderung der Germanistik und der deutschen Sprache im Ausland. Das Berliner Künstlerprogramm ist eines der international renommiertesten Stipendienprogramme für Künstlerinnen und Künstler.*

### Glossar

**Bologna-Staaten:** 48 Staaten haben das „European Credit Transfer and Accumulation System" (ECTS) eingeführt.

**Credit Points:** durch Klausuren oder andere Prüfungen erworbene Leistungspunkte, mit denen man die Zulassung zum Examen erwirbt.

**DSW:** Deutsches Studentenwerk

**Duales Studium:** Ausbildung in einem Betrieb plus Hochschulstudium (Ingenieurswesen, Wirtschaftswissenschaften, Informatik).

**Modul:** eine Lehreinheit bei Bachelor- und Masterstudiengang.

**Studiengebühren:** Wurden in allen Bundesländern abgeschafft.

**ZAB:** Zentralstelle für ausländische Bildungsabschlüsse

**Praktika:** Fachhochschulen fordern Pflichtpraktika. Universitäten erwarten freiwillige Praktika. Bewerbungen den Praktikumszeugnissen beizulegen, ist ein „Muss". Junge Leute sollen Erfahrung in der Arbeitswelt mitbringen.

# Berufliche Bildung

## Das Stichwort ☞ Das duale System

*1. Für die berufliche Bildung gilt das sogenannte duale System, das international großes Ansehen besitzt: Die Auszubildenden (auch „Azubis" genannt oder Lehrlinge) machen eine praktische Lehre in Betrieben der Industrie, des Handels oder Handwerks und besuchen gleichzeitig für zwei bis zu dreieinhalb Jahren eine staatliche Berufsschule. Mit dem 18. Lebensjahr endet die Berufsschulpflicht. Es gibt für viele Berufe eine berufliche Ausbildung, die in anderen Ländern nur über die Universität möglich ist.*

**2.** Die Lage auf dem Lehrstellenmarkt hat sich in den letzten Jahren total gewandelt. Nach einem Lehrstellenmangel bis 2008 können heute Tausende von Lehrstellen nicht besetzt werden. Etwas zurückgegangen ist das Angebot in der Corona-Krise. Der Zentralverband des deutschen Handwerks wirbt mit einer großen Imagekampagne für die duale Ausbildung, die laut OECD als „bildungspolitisches Vorbild" für andere Länder gilt. Es entstehen Slogans wie: „Ich bin nur ein Handwerker. Ich bin der, der Deutschland antreibt." Die Industrie-und Handelskammer (IHK) wirbt mit „Schock deine Eltern. Mach erst mal 'ne Lehre."
Handwerksberufe haben ein Imageproblem. Die Aufstiegschancen und die Möglichkeiten, sich selbstständig zu machen, werden aber unterschätzt. Innovationsberater in den Handwerkskammern helfen Start-ups mit Business-Plänen und Anträgen auf Fördermittel. In den Veranstaltungen „Start-up trifft Handwerk" bringen sie innovative Handwerksbetriebe mit Start-ups zusammen, die Dienstleistungen und Produkte für das Handwerk anbieten wollen. „Wenn man gute Leistung bringt und mit Kunden umgehen kann, sind die Chancen auf gute Entlohnung so gut wie nie. Studien zeigen auch, dass ein angestellter Meister einem Bachelor im Lebensarbeitsverdienst in nichts nachsteht."
*(Holger Schwannecke vom Zentralverband des Deutschen Handwerks)*

**3.** Bei der Berufswahl wird deutlich, dass es die meisten eher in Berufe im Dienstleistungssektor und im Büro zieht, weniger zur Ausbildung als Friseurin, Schreiner oder Bäcker. Es gibt 350 Ausbildungsberufe, aber viele der Jugendlichen interessieren sich seit Jahren für die gleichen Traumberufe: Kraftfahrzeugmechatroniker, Verkäuferin oder Bürokaufmann/frau. Die IHK hat neue Lehrberufe geschaffen, die Alternativen bieten und die Chancen am Arbeitsmarkt verbessern sollen. Diese Lehrberufe sind in den Medien und in der Informations- und Telekommunikationsbranche entstanden: z.B. der Mediengestalter, der inzwischen zu einem beliebten Berufsziel geworden ist. Neu ist die Ausbildung zum Geomatiker, der Gebäude, Grundstücke und ganze Landschaften vermisst. Für die Schüler, die eine für ihr Leben weitreichende Entscheidung treffen, wird es immer schwieriger zu begreifen, was sich hinter den einzelnen Bezeichnungen verbirgt. Arbeitsagenturen mit ihren Berufsberatern greifen schon während der Schulzeit helfend ein.

**Ein junger Flüchtling stellt Fragen**
**Welche Grundvoraussetzungen müssen für eine Lehrstelle erfüllt sein?** Die grundlegenden Voraussetzungen sind einmal die Sprachkenntnisse für den Betriebsalltag und für die Inhalte in der Berufsschule. Dann muss auch die Chemie stimmen zwischen dem Ausbilder und dem Auszubildenden. Deshalb sind Praktika vorab wichtig. Da lernt man sich kennen.
**Welche Resonanz gibt es bei den Unternehmen?** Die ist sehr positiv. Die bayerischen Betriebe haben spontan über 1000 Lehrstellen und Praktikumsplätze für junge Flüchtlinge zur Verfügung gestellt.
**Wie geht es weiter, wenn ein junger Mensch seine Lehre erfolgreich beendet hat?** Das Handwerk setzt sich dafür ein, dass die jungen Flüchtlinge nach erfolgreichem Abschluss der Gesellenprüfung noch mindestens zwei Jahre als Fachkraft in Deutschland arbeiten können.

**4.** Ausländische Jugendliche in Deutschland haben es schwerer als ihre deutschen Altersgenossen. Ihre Schulbildung wird oft mit der Hauptschule beendet oder abgebrochen. Sie entscheiden sich für eine noch engere Palette von Berufen als die deutschen Jugendlichen.

## Das Stichwort ☞ Handwerksordnung

*Die Handwerksordnung regelt, unter welchen Bedingungen sich ein Handwerker selbstständig machen kann. In Deutschland muss ein Handwerker, der einen Betrieb gründet, eigentlich die Meisterprüfung haben. Diese Tradition der mittelalterlichen Zünfte hat sich bis in die Gegenwart erhalten, um Qualität zu garantieren.*

Das Handwerksrecht wurde 2004 aber dahingehend geändert, dass einfache Handwerksarbeiten von jedermann angeboten werden können. Das sind Arbeiten wie zum Beispiel Malern, die in zwei bis drei Monaten erlernbar sind. Insgesamt sind es 51 Berufe, die keine Meisterprüfung mehr erfordern. Diese Hürde existierte noch für 41 Berufe, z.B. für Maurer oder Bäcker. Handwerkskammern forderten die Rückkehr zum Meisterzwang in einigen Berufen, um die Qualität der Arbeit anzuheben. Für 12 Berufe, z.B. für Fliesenleger, ist 2019 die Meisterprüfung wieder eingeführt worden. Es gibt allerdings die Möglichkeit, mit der finanziellen Hilfe des Meister-Bafögs (Bundesausbildungsförderungsgesetz) die Meisterprüfung nachzuholen.

**5.** Noch nicht alltäglich ist, dass Frauen einen Handwerksberuf wie Schreiner, Dachdecker oder Ofenbauer ergreifen. Nur etwa ein Drittel ist weiblich. „Keine Frau auf dem Bau" galt bis 1994, ein Beschäftigungsverbot. Die Folge ist, dass Vorbilder in der Baubranche fehlen und überholtes Rollenverständnis in den Köpfen sitzt. Der Kunde zieht noch immer einen Mann am Telefon vor, wenn ein Fachmann verlangt wird. Neu ist dennoch, dass Betriebe aktiv um Mitarbeiterinnen werben.

**6.** Thema „Berufswahl und Zukunftsträume": Hierzu drei Artikel und ein Porträt:

### Wandel in der Landwirtschaft

Bonn (AP) –Einige Bauern haben neue Erwerbsquellen entdeckt. Sie betreiben Biogasanlagen und speisen Solarstrom ein, sind Bauer und Energiewirt zugleich. Die Folge: Mais-Monokulturen sind entstanden und die Artenvielfalt geht zurück. Nach den Boom-Jahren wurden die Zuschüsse für Neubauten schließlich reduziert, denn das Betreiben dieser Anlagen ist teuer. Die Energieerzeugung mit Biogas wird wohl auslaufen. Andere betreiben Crowdfunding und finanzieren damit vor allem regionale und Bio-Produkte, die sie über Hofläden verkaufen. Aber vielfach fehlt der Nachwuchs. Dazu kommen sinkende Preise für Agrarprodukte, sodass Bauern aufgeben und die nächste Generation lieber ein Studium in der Stadt beginnt. Der Verbraucher müsste bereit sein, für gute Produkte einen höheren Preis zu zahlen. Dann würden sich mehr Bauern für die Bio-Landwirtschaft interessieren.

Die Bürger fordern einen Wandel in der Landwirtschaft: mehr Umwelt-, Tier- und Klimaschutz. Massentierhaltung und Antibiotika, Produktionssteigerung durch Pflanzengifte und Überdüngung werden nicht mehr kritiklos hingenommen, denn immer mehr Arten, z.B. Insekten, sterben aus. Der Weltbiodiversitätsrat stellte 2019 fest, dass etwa eine Million Tier- und Pflanzenarten vom Aussterben bedroht sind. Schuld ist der Mensch, der zulässt, dass sich Siedlungsgebiete ausweiten und intensive Landwirtschaft betrieben wird. Subventioniert wird die Fläche und der Bio-Landbau hat nur einen Anteil von 10%.

Auf der anderen Seite beschweren sich Bauern über zu niedrige Preise immer mehr Bürokratie. Auch die negativen Folgen des Klimawandels machen ihnen zu schaffen.

### Mädels mit Rekord!

*Rekordbeteiligung am deutschen Girls' Day*

Frauenberufe sind Tätigkeiten, in denen mehr als 80 Prozent der Beschäftigten weiblich sind. Besondere Krux: Genau diese Berufe sind schlechter bezahlt. Deshalb wurde 2001 die Aktion Girl's Day gestartet. Der Girls's Day, das größte Berufsorientierungsprojekt für Schülerinnen ab der 5. Klasse, soll einen Eindruck von technisch-naturwissenschaftlichen Berufen und Studiengängen vermitteln. Betriebe mit technischen Abteilungen, Hochschulen und Forschungszentren in ganz Deutschland öffnen jährlich ihre Tore und bieten Schnupperpraktika an.

### Boys' Day

Seit 2011 gibt es auch den Boys' Day, den Jungen-Zukunftstag, an dem Jungen ab der 5. Klasse vor allem soziale Berufe kennenlernen können. Es geht darum, das Rollenverhalten von Mädchen und Jungen zu hinterfragen.

### Martin Gauger (28)

*Bio-Landwirt in Sachsen*

Das Leben als Bauer – hat das Zukunft? Für mich ja. Und ich sehe das naturnahe Arbeiten auch als Aufgabe. Hier im Osten sind die großen Betriebe nach der Wende bestehen geblieben, die nur von wenigen Unternehmen bewirtschaftet werden. Das kann nicht ökologisch nachhaltig sein. Durch diese Monokulturen verschwindet die Artenvielfalt. Da muss man gegensteuern. Ich bin Jungbauer und betreibe ökologischen Landbau auf 120 Hektar. Auch möchte ich andere Bauern überzeugen, in den ökologischen Landbau umzusteigen. Ich bin zufrieden mit dem, was ich tue.

*(nach: SZ vom 13./14. 09.2014)*

## Aufgaben

1. Welche Ausbildung haben Mädchen in Ihrem Land?
2. Beschreiben Sie den Beruf des Bauern in Ihrem Land.

## Weiterbildung

**1.** Der dritte Bildungssektor ist der Bereich der Erwachsenenbildung und der beruflichen Weiterbildung, der in einer sich ständig verändernden Welt immer wichtiger wird. „Lebenslanges Lernen" ist das Stichwort, ohne das heute ein Beruf kaum noch auskommt. Die technische Ausstattung der Arbeitsplätze und vor allem die Digitalisierung fordern Einarbeitung und neues Lernen. Die Anforderungen im digitalen Zeitalter wachsen, und die Zahl der „einfachen Tätigkeiten" nimmt ständig ab.

**2.** Die Volkshochschulen – das sind öffentlich unterstützte Institutionen – bieten Kurse auf breiter Palette an, von Sprach- und Mathematik- bis zu Hobby-Kursen. Zur Weiterbildung tragen auch die Gewerkschaften, die Stiftungen der Parteien und viele private Institute bei. Auch existieren berufs- und weiterbildungsbegleitende Studiengänge an den Hochschulen. Die Unternehmen stecken inzwischen ebenso viel Geld in die Fortbildung ihrer Mitarbeiter wie in die berufliche Erstausbildung. Dennoch liegt Deutschland im Vergleich zu anderen Industrieländern in der betrieblichen Weiterbildung zurück. Förderprogramme für geringer Qualifizierte wurden von der IG Metall und den Arbeitgebern vereinbart.

**3.** Der Markt der Weiterbildung ist riesig groß. Vor allem die Bundesagentur für Arbeit, also die Solidargemeinschaft der Beitragszahler, fördert die Weiterbildung: Arbeitslose mit beruflichen Weiterbildungsprogrammen, Geringqualifizierte, ältere Arbeitnehmer, um Entlassungen zu vermeiden, oder Arbeitnehmer in Kurzarbeit. Vor Jahren hat die Agentur Berufsagenturen eingeführt, die junge Leute fachkundig beraten und damit den Übergang von der Schule in den Beruf unterstützen. Grundsätzlich begleitet die Berufsberatung alle Phasen des Arbeitslebens. In den kommenden Jahren will die Agentur auch Arbeitgeber unterstützen, Fachkräfte zu gewinnen und auszubilden. So soll auf den demografischen Wandel reagiert werden.

*AUFGABE*

Was sind das für Anzeigen?
Kommentieren Sie.

## Aktivpaten gesucht

Ehrenamtliche Aktivpatinnen
und Aktivpaten werden für über
1.700 lokale Projekte in ganz
Deutschland gesucht.
Familienpaten, Kinderpaten,
Lernpaten und Jobpaten helfen
in der Familie, beim Lernen
oder bei der Suche nach einem
Job. Schreiben Sie uns über

...

**Die Zukunft liegt vor dir, mach was draus!**
Wir suchen zum 1. September
engagierte, motivierte und freundliche
Auszubildende zum/zur Kaufmann/Kauffrau im
Groß- und Außenhandel
Jetzt bewerben am besten schnell und einfach
online unter:

*www.metro.de/jobboerse*
*oder schriftlich an METRO ...*
*oder per Mail: ...@metro-cc.de*

## „Startklar für den Wiedereinstieg?"

Informationsveranstaltung für Frauen,
die eine Rückkehr in den Beruf planen
Donnerstag, 29. November,
von 9 bis 12 Uhr
im Berufsinformationszentrum (BiZ)
der Agentur für Arbeit München, Raum 230.
Das komplette Veranstaltungsprogramm
unter www.arbeitsagentur.de/muenchen

## Private Einzelnachhilfe zu Hause

**alle Fächer, keine Vertragsbindung
Studentenring, 0921 – 77**

**Rüstiger Rentner**
*m. Führerschein 3, sucht Beschäftigung auf
450 €-Basis. Zuschr. a. d. Verl. unter xx*

**Gelernte Hotelfachfrau** *su. 450 €-Job am
Empfang o. im Büro (Erfahrung im
Büro vorh.) Zuschr. a. d. Verl. unter xxx*

**Nachtaktiv in München**
Zustellen lohnt sich!
Als Minijob oder in Teilzeit. Bezahlung nach
Leistung plus Nachtzuschlag steuerfrei.
Bewerben Sie sich unter ....

**Unsere Berufsfachschule sucht:**
Pflegepädagogen (m/w/d) / Lehrer für
Pflegeberufe (m/w/d)
In Voll-/Teilzeit oder auf 450- €-Basis
Mehr Informationen auf www. ...
Sprechen Sie uns an!
Tel. ...

# 5 Kulturelles

Johann Wolfgang von Goethe

Friedrich Schiller

Bert Brecht

Martin Luther

Ludwig van Beethoven
und die 5. Sinfonie

Wolfgang Amadeus Mozart

Günter Grass

Christa Wolf

Peter Handke

Reiner Kunze

Ingeborg Bachmann

Elfriede Jelinek

Ingo Schulze

Herta Müller

Adolf Muschg

FRANKFURTER
BUCHMESSE

Leipziger
Buchmesse

Hans Otto Theater in Potsdam

*Goethe diktiert in seinem Arbeitszimmer*

# Orte und ihre Dichter

## Weimar und die Klassiker

**1.** Die Klassik Ende des 18. und zu Beginn des 19. Jahrhunderts gilt als einer der Höhepunkte der deutschen Literatur. Es war die Zeit nach der Französischen Revolution. Trotzdem ist sie weniger vom Politischen als von der Philosophie, weniger von nationalen Ideen als vom Weltbürgertum beeinflusst. Die Ideale des Guten, Wahren und Schönen, der Menschlichkeit und Harmonie sind ihr Gehalt. Immanuel Kant, der das Gesetz des sittlichen Handelns formulierte, war ihr einflussreichster Philosoph. Bildungsideal der Zeit war die Ganzheit der Persönlichkeit.

**2.** Das geografische Zentrum war Weimar, ein „Mittelding zwischen Dorf und Stadt" (Herder), mit kaum mehr als 6000 Einwohnern. Durch Goethe, Schiller und Herder, der Humanität als Ziel aller Entwicklung sah, wurde diese kleine thüringische Stadt zum geistigen Mittelpunkt Deutschlands. Zwischen Weimar und der Universitätsstadt Jena mit ihren Gelehrten und den Vertretern des Verlagswesens bestanden enge Kontakte.
Heute setzt sich Weimar mit seiner vielfältigen Vergangenheit, mit seinem Kulturerbe und der aktuellen Pflege und Neugestaltung auseinander. Die Stadt liegt in einem neuen Bundesland und war deshalb über Jahrzehnte für die Bürger Westdeutschlands nicht erreichbar (siehe Seite 46).

1995 wurden die Bauhaus-Bauten von Weimar und Dessau in die Welterbeliste der UNESCO aufgenommen. In der Begründung heißt es: „Das Bauhaus mit seinen Stätten... steht für die sogenannte Bauhaus-Architektur, die zwischen 1919 und 1933 revolutionäre Ideen der Baugestaltung und Stadtplanung durchsetzte." 1999 wurde Weimar mit dem Titel „Kulturstadt Europas" geehrt. 1998 wurde das „klassische Weimar" in die UNESCO-Liste aufgenommen, eine Referenz an die Kulturepoche, die von Weimar ausging.

### *Aufgaben*

1. In Weimar steht das berühmte Schiller-Goethe-Denkmal. – Wem baut man eigentlich Denkmäler?
2. Wann werden Denkmäler gestürzt?
3. Wem würden Sie ein Denkmal setzen? Oder halten Sie nichts von Denkmälern?

**3.** Auch nach 200 Jahren sind Goethe und die klassische Dichtung ein lebendiger Bestandteil des kulturellen Lebens. Verehrer aus aller Welt besuchen sein Geburtshaus in Frankfurt am Main, das im 18. Jahrhundert zu den schönsten der Stadt zählte, und das Haus am Frauenplan in Weimar, wo er in seinen späteren Jahren vielfältig tätig war.

**4.** Johann Wolfgang von Goethe (1749–1832) wurde in Frankfurt am Main als Sohn einer wohlhabenden Bürgerfamilie geboren. Seine Mutter, die „Frau Rat", war liberal erzogen worden und gab dem Haus die entsprechende Atmosphäre. Aus ihrem Briefwechsel mit vielen Menschen aus dem Umkreis ihres Sohnes spricht Gelassenheit, Klugheit und Witz. Nach Studien- und Wanderjahren und dem Zusammentreffen mit Dichtern des Sturm und Drang schrieb Goethe Gedichte und Dramenfragmente. Sein Briefroman „Die Leiden des jungen Werther" machte ihn schon mit 24 Jahren berühmt. Er ging auf Einladung des Herzogs Karl August, der ihn in Frankfurt kennengelernt hatte, als Hofrat nach Weimar. Später wurde er Minister und musste sich mit Steuern, Straßen, Bergwerken und Erziehung befassen. In Zusammenarbeit mit Friedrich Schiller leitete er das Weimarer Hoftheater.

Während seiner Italienreise 1786 bis 1788 studierte er die Klarheit und Harmonie der antiken Kunst. Höhepunkte seiner klassisch genannten Dichtung sind die Dramen „Iphigenie auf Tauris" (Iphigenie bringt Erlösung durch reine Menschlichkeit), „Egmont", „Torquato Tasso".

## Das Stichwort ☞
### Sturm-und-Drang-Dichtung

*Sturm und Drang hieß die Literaturepoche vor der Klassik. Das Erlebnis der Natur und der moralisch geführte Kampf gegen Despotismus waren ihr Programm. Das Drama war die angemessene Form dieser Dichtung. Programm war auch der Kampf für persönliche Freiheit, auch für die Freiheit der Liebe gegen den Standesunterschied. In dem Briefroman „Die Leiden des jungen Werther" von Goethe ist die tragische Liebe Werthers zu einer verheirateten Frau niedergeschrieben, die mit dem Selbstmord des jungen Mannes endet. Werther trägt autobiografische Züge.*

Die Tragödie „Faust" gilt als das eigentliche Hauptwerk Goethes, an dem er bis zu seinem Tod gearbeitet hat. Es ist das Drama eines nach Erkenntnis und Erfüllung strebenden Menschen, der dafür sogar den Pakt mit dem Teufel wagt. Im Gegensatz zu Schiller ist Goethe kein leidenschaftlicher Stückeschreiber gewesen, der die Zuschauer dramatisch ergriffen hätte.

5. Friedrich Schiller (1759–1805) wurde in Marbach am Neckar geboren. Das Sturm-und-Drang-Drama „Die Räuber" machte ihn bekannt. Die Forderung nach Freiheit begeisterte die Menschen in einer Welt der fürstlichen Willkür und der Kleinstaaterei. 1789 holte ihn Goethe als Professor für Geschichte nach Jena. Seit 1794 bis zu Schillers frühem Tod waren beide trotz mancher Gegensätze einander freundschaftlich verbunden.

Schillers Dramen thematisieren die Spannung zwischen Ideal und Leben und das Bemühen um Freiheit und Menschenwürde. In „Don Carlos" tritt Marquis Posa für Freiheit und Menschlichkeit ein, ist jedoch in der Realität zum Scheitern verurteilt. Schillers tragische Weltsicht wird Gestalt in „Wallenstein", „Maria Stuart", „Wilhelm Tell" oder „Die Jungfrau von Orleans". Diese Dramen übten im 19. Jahrhundert einen nachhaltigen Einfluss aus, nicht nur auf das geistige Leben in Deutschland, auch auf die Literatur in den romanischen und angelsächsischen Ländern. Am 5. Mai 2005 wurde Schillers 200. Todestag gefeiert. Die vielen Ausstellungen, Reden, Theateraufführungen und Feiern haben neugierig gemacht und so manch einer entdeckte den Menschen Schiller und

Schillers Wohnhaus in Weimar

*Schiller liest „Die Räuber" vor.*

bewunderte seine Sprachgewalt. In Weimar interpretierten Schüler auf den Straßen der Stadt ihren Schiller. Der Regisseur Peter Stein las den „Wallenstein" an vier Abenden. – Das Fernsehen rollte Schillers Biografie auf, seine Kämpfe gegen die Obrigkeit, das Verhältnis zu Goethe und sein früher Tod (siehe auch Seite 133).

Seine Ideale, wie sie in der „Ode an die Freude" 1785 überschwänglich zum Ausdruck kommen, berühren uns. Beschworen wird eine Gesellschaft von gleichberechtigten Menschen, die durch das Band der Freude und der Freundschaft verbunden sind. Beethoven verwendete Teile der Ode im Schlusschor der 9. Sinfonie. Die Melodie ist seit 1972 offizielle Hymne des Europarats und seit 1985 der Europäischen Union.

## Aufgaben

Schiller lebt auch fort in vielen Zitaten: „Früh übt sich, wer ein Meister werden will." „Was tun, spricht Zeus?" „Der Starke ist am mächtigsten allein." „Mit der Dummheit kämpfen Götter selbst vergebens." „Dem Glücklichen schlägt keine Stunde." „Drum prüfe, wer sich ewig bindet." Kennen Sie weitere Zitate?

## Zürich, die Schweiz und ihre Schriftsteller

**1.** Max Frisch (1911–1991) wurde in Zürich geboren und blieb der Schweiz sein Leben lang treu. Er wird oft in einem Atemzug mit seinem Landsmann Friedrich Dürrenmatt (1921–1990) genannt, obwohl beide dies nicht gerne hörten. Sie studierten in Zürich, begannen als Dramatiker und wurden dann auch als Prosaschriftsteller und Essayisten bekannt. Frisch gilt als der Intellektuelle, der Persönlichkeits- und Identitätsprobleme zu seinen Themen machte, während Dürrenmatt dem Kriminalroman literarischen Rang verschaffte. Neben allen Unterschieden ist beiden das Nachdenken über die Schweiz und die Schweizer gemeinsam.

*„Was man damals wie heute einen rechten\* Schweizer nannte", heißt es bei Frisch, „– es gibt einfach Dinge, die ein rechter Schweizer nicht tut, sein Haar kann dabei blond oder schwarz sein, das sind nicht seine Merkmale, Spitzkopf, Rundkopf usw., der rechte Schweizer kann ganz verschieden aussehen. Er muss nicht Turner sein, Schützenkönig, Schwinger usw., doch etwas Gesundes gehört zu ihm, etwas Männerhaftes. Er kann auch ein dicker Wirt sein; das Gesunde in der Denkart. ... Maßgeblich ist der Sinn fürs Alltägliche. Der rechte Schweizer lässt sich nicht auf Utopien ein, weswegen er sich für realistisch hält. Die Schweizergeschichte, so wie sie gelehrt wird, hat ihm noch immer Recht gegeben. Daher hat er etwas Überzeugtes, ohne fanatisch zu werden. Er gefällt sich als Schweizer, wenn er mit andern rechten Schweizern zusammen ist, ... Ausländer mögen ihn als grobschlächtig empfinden, das stört einen rechten Schweizer überhaupt nicht, im Gegenteil; er ist kein Höfling, macht keine Verbeugungen usw. Daher mag er's nicht, wenn er schriftdeutsch antworten soll; das macht ihn unterwürfig und grämlich. Dabei hat der rechte Schweizer kein Minderwertigkeitsgefühl, er wüsste nicht wieso. Das Gesunde in der Denkart: eine gewisse Bedächtigkeit, alles schnelle Denken wirkt sofort unglaubwürdig. Er steht auf dem Boden der Tatsachen, hemdärmlig und ohne Leichtigkeit. Da der rechte Schweizer eben sagt, was er denkt, schimpft er viel und meistens im Einverständnis mit andern; daher fühlt er sich frei."*
*(a.a.O., S. 298/299)*
*\*recht = richtig, echt*

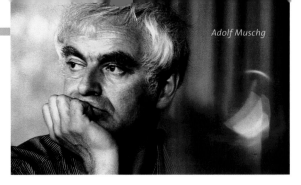
*Adolf Muschg*

2. Auch der bedeutendste Schweizer Schriftsteller nach Frisch und Dürrenmatt, der 1934 geborene Adolf Muschg, lebt in Zürich. Seine Romane und Erzählungen faszinieren durch ihre subtile Psychologie. Muschg engagierte sich kurzzeitig in der Politik, kehrte aber in die nuancenreiche Diktion der Literatur zurück.

**Im Folgenden zwei Auszüge aus einem Interview:**

**Frage:** Was könnte die Schweiz für Europa sein?
… Das Schöne an der Schweiz ist, dass sie keine Nation, kein homogener Staat ist. Und deshalb könnte sie etwas für Europa zu bieten haben, unter der Voraussetzung, dass sie ein gepflegtes, ein kultiviertes Konfliktverständnis aus sich heraus entwickelt hätte. Das ist aber nicht der Fall. Die unterschiedlichen Landesteile reagieren nicht aufeinander, sie versuchen nicht, einander zu verstehen, sondern sie existieren eher Rücken an Rücken. Die Schweiz ist ein defektes supranationales Modell und das beginnen wir erst langsam zu begreifen. Es gibt eine gemeinsame politische Kaste, eine gemeinsame Währung und vor allem den gemeinsamen Wohlstand, aber keine gemeinsame Idee. …

**Frage:** Sehen Sie beim Stichwort „Europa der Kulturen" die Gefahr einer Einheitskultur?
Ich sehe diese Gefahr auf der Ebene der Mentalitäten noch lange nicht. Noch gibt es ja z.B. die beiden Appenzeller Kantone mit ihrer skurrilen Eigenständigkeit, und das ist auch gut so. Diese Art von Eigensinn muss koexistieren können mit dem großen Horizont. Natürlich gibt es Probleme, die nur global gelöst werden können, darunter fallen alle ökonomischen Probleme, aber das gilt eben nicht ohne weiteres für den Bereich der Kultur. … Die entscheidende Frage lautet: Wie viel kulturellen Föderalismus, wie viel Gegen-den-Strom-Schwimmen verträgt die Einheit des Wirtschaftsraumes*? Das müssen wir ausprobieren gegen alle Widerstände und Bequemlichkeiten. Darin besteht für mich die Staatskunst. *(aus: Konturen 1/1994, a.a.O., S. 16/17)*
*\* Anm.: Die Schweiz ist dem EWR nicht beigetreten, siehe S. 92*

3. Hier eine andere Stimme zur Schweiz und eine interessante Sicht für die Zukunft:

*Europa ist keine Nation, sondern eine Ansammlung stolzer, selbstständiger Staaten mit eigenständigen Historien. So wie die Schweiz mit ihren 26 Kantonen. Die Schweiz wird nur zur Nation, weil ihre Bürgerinnen und Bürger dies wollen. Eine Verpflichtung besteht nicht, es beruht auf Freiwilligkeit und auf der Überzeugung, dass dieses Arrangement die derzeit beste Lösung für alle ist. Gestärkt wird diese Willensgemeinschaft durch gemeinsame Symbole: Tell und der Rütlischwur, das Schweizer und das Rote Kreuz, Rivella-Limonade und Migros-Märkte, die Fußball-Nationalmannschaft und Roger Federer.*
*Europäer hingegen haben das Gefühl, als ob sie in eine Nation gepresst werden sollten wie in eine Zwangsjacke. Freiwillig ist nichts daran, und überzeugend ist es schon lange nicht mehr. Kleinigkeiten des Alltags werden standardisiert und homogenisiert. Nur dass der Bürger sie nicht als Kleinigkeiten empfindet, sondern als Angriff auf die eigene Identität. Der ideologisch-ideelle Überbau dagegen, das Gefühl einer gemeinsamen europäischen Identität, verschwindet im Gezänk der Nationalstaaten …*
*Die Vielfalt zeichnet Europa aus und ebenso die Schweiz. Doch die Eidgenossen haben diese Vielfältigkeit in eine einigende Hülle gegossen, ohne die Unterschiede zu verwässern oder zu zerstören. Gelungen ist es ihnen, weil der Prozess der Einigung nicht von oben angeordnet wurde, sondern von den Wurzeln aus heranwuchs. Hier liegt der Schlüssel zu Europas Zukunft.*
*(aus: Wolfgang Koydl: Die Besserkönner. Was die Schweiz so besonders macht, S. 212, 213/14)*

*Peter Handke*

## Graz – Düsseldorf – Paris – wer ist Peter Handke?

**1.** Ob man von einer „österreichischen" Literatur sprechen kann, darüber ist viel diskutiert worden. Es gibt auch viele Autoren, deren österreichische Herkunft leicht vergessen wird: Peter Hanke (geb. 1942) gehört dazu. In Kärnten geboren, ist er heute in einem kleinen Pariser Vorort zu Hause. 1966 machte ihn sein Bühnenstück „Publikumsbeschimpfung" über Nacht bekannt. Eine wirkliche Beschimpfung findet statt, die sich gegen das „alte", „kulinarische" Publikum richtet.

**2.** Handke gehört zu den meistgelesenen Autoren des deutschen Sprachraums. In einem Interview sagte er von sich, dass er derselbe geblieben sei, der er zu Beginn seines Schreibens war, dass er nach Wahrhaftigkeit strebe und dass er vielleicht etwas klarsichtiger, aber auch illusionsloser geworden sei. Immer stärker halte er Distanz.
In diesem Sinne ist auch „Die Stunde da wir nichts voneinander wußten" geschrieben (deutsche Erstaufführung März 1993 in Bochum). Hauptakteur ist ein Platz. Das Stück bringt Hunderte von Figuren in Hunderten von Kostümen auf diesen Platz. Das Ganze ist eine Bildergeschichte, die Widersprüche und ewiges Kommen und Gehen ernst und auch komisch in Szene setzt. 2011 wurde bei den Salzburger Festspielen „Immer noch Sturm" erfolgreich uraufgeführt: eine Familien- und Zeitgeschichte, die sich in die eigene Vergangenheit zu den slowenischen Kleinbauern in Kärnten und der dramatischen Geschichte der Partisanenkämpfe im Zweiten Weltkrieg begibt. Zum Einzelgänger wurde er, als er Ende der Neunzigerjahre für Serbien eintrat, was

als Sympathie für einen serbischen Nationalismus verstanden werden konnte. 2004 beschäftigte er sich mit dem Gelehrten und Skeptiker Blaise Pascal in dem Buch „Don Juan. Von ihm selbst erzählt". Handke ist bekannt für seine Vermittlung von Weltliteratur durch seine Übersetzungen. Er schrieb Romane, Gedichte und Theaterstücke und setzte sich mit der Literatur und mit sich selbst auseinander.
2019 hat Handke den Literaturnobelpreis erhalten für „ein einflussreiches Werk, das mit linguistischem Einfallsreichtum die Peripherie und die Spezifität der menschlichen Erfahrung erforscht hat". Die Verleihung stieß wegen der politischen Verirrung Handkes auf ein sehr geteiltes Echo.

### Aufgaben

1. Suchen Sie Peter Handkes Werkverzeichnis im Internet. Was fällt Ihnen auf?
2. Elfriede Jelinek wird als österreichische Schriftstellerin wahrgenommen. Die Wienerin, die sich in die Reihe sprachkritischer Autoren von Nestroy bis Thomas Bernhard einreiht, erhielt 2004 den Literaturnobelpreis. In der Laudatio hieß es: „Sie haben mit Ihren Schriften einer ketzerischen femininen Tradition neue Geltung verschafft und die literarische Kunst ausgeweitet ..." Ihr Stück „Rechnitz (Der Würgeengel)" wurde Stück des Jahres 2009. Finden Sie in dem Fotoalbum von Elfriede Jelinek unter www.elfriedejelinek.com einen Text, der Sie besonders anspricht.

## Das vereinte Deutschland und seine Autoren

**1.** Der Vereinigungsjubel war kaum verflogen, als schon der „Literaturstreit" im vereinten Deutschland begann. Vorher war alles klar: Die ausgebürgerten, aus der DDR geflohenen Schriftsteller lebten und publizierten in

*Christa Wolf*

der Bundesrepublik. Die Daheimgebliebenen richteten sich ein oder versuchten, auf ihre eigene Weise mit der Realität fertig zu werden: angepasst, schizophren oder resigniert. Dafür wurden sie nach 1989 angegriffen, und zwar von früheren Kollegen (oder „Genossen"), aber auch von westdeutschen Literaturkritikern, die die Verhältnisse aus gegenwärtiger Sicht ins Visier nahmen. Die DDR hatte vielen ihrer Dichter großzügig Sonderrechte und Vergünstigungen gewährt, ihnen dafür aber Staatstreue, d.h. die Verpflichtung, das Volk zum Sozialismus zu erziehen, abverlangt. Nicht wenige haben sich durch Kritik und Zweifel die Gunst der Machthaber verscherzt. Der Liedermacher Wolf Biermann wurde ausgebürgert, als er 1976 auf einer Konzertreise im Westen auftrat. Die Lyrikerin Sarah Kirsch und die Schriftsteller Günter Kunert und Reiner Kunze folgten.

Für andere Künstler kam 1979 der Ausschluss aus dem Schriftstellerverband; betroffen war vor allem Stefan Heym. Er hatte seinen Roman „Collin", der von der Staatssicherheit handelt, im Westen veröffentlicht.

**2.** Ausdruck der Ratlosigkeit derer, die sich mit den Mächtigen arrangiert hatten, war zu dieser Zeit die Autobiografie des weltweit bekannten Dramatikers Heiner Müller; ihm war es um dramatisches „Material" gegangen, um Strukturen, nicht um Recht oder Unrecht, Moral oder Lüge. Er gilt als Zyniker („Zynismus ist doch der schräge Blick auf die geltenden Werte"); er war gleichzeitig Stalinist und Dissident.

**3.** Ziel der Angriffe vonseiten der Westdeutschen war vor allem Christa Wolf, die ehemalige DDR-Bürgerin (1929 – 2011). In ihrem Roman „Der geteilte Himmel" (1963) hat sie private Konflikte und Gewissensentscheidungen vor dem Hintergrund ideologischer Auseinandersetzungen nachgezeichnet: die Trennung zweier Liebenden durch die Spaltung des Landes. Ihr nächstes Werk – „Nachdenken über Christa T." – durfte bereits nur in kleiner Auflage erscheinen. Die Erzählung „Was

bleibt" wurde der Auslöser für den Literaturstreit. Das kleine Werk war 1979 geschrieben worden und wurde 1990 veröffentlicht. Zu spät, sagten ihre Kritiker. Es erzählt autobiografisch von der Dichterin als Opfer der Stasi (das gefürchtete Ministerium für Staatssicherheit der DDR). Mit der Veröffentlichung der Stasi-Akten war Christa Wolf aber selbst in den Verdacht geraten, inoffizielle Informantin der Stasi (= IM) gewesen zu sein. Richtig ist, dass Christa Wolf für eine sehr kurze Zeit als Informantin gedient hatte, bevor sie selbst über viele Jahre von der Stasi überwacht wurde. Ihre Widersprüche und Zerrissenheit hat Symbolwert für die Rolle eines Schriftstellers in einem totalitären Staat. Ihre Gegner wandten ein, dass sie konfliktscheuer war als andere, Kompromisse schloss und dass sie es allen recht machen wollte. Christa Wolf war eine gesamtdeutsche Schriftstellerin, eine moralische Instanz für die Leser im Osten und eine authentische Figur der Zeitgeschichte für die im Westen.

## Das Stichwort ☞
### Die Stasi und die Stasi-Akten

*(= Abkürzung für Staatssicherheit) Der Staatssicherheitsdienst war die politische Geheimpolizei der DDR. Er war der Partei untergeordnet und nur ihr verantwortlich. Stasi-Agenten bespitzelten alle DDR-Bürger, die sich nicht systemkonform verhielten. Die Stasi hatte wahrscheinlich 200 000 hauptberufliche und mindestens 1,6 bis 2 Millionen informelle Mitarbeiter (IM). Über jeden verdächtigen Bürger wurde eine „Stasi-Akte" angelegt, die Betroffene seit der Einheit einsehen können (siehe S. 165). Eine wütende Menge hatte am 15. Januar 1990 die verhasste Stasi-Zentrale in Berlin gestürmt und die Akten an sich genommen.*
*Im Jahr 2019 wurde die Stasiunterlagenbehörde in Berlin geschlossen. Die Akten werden Teil des Bundesarchivs als „Gedächtnis der Nation" und sind so weiterhin einsehbar.*

**4.** Ein streitbarer Mahner, der sich immer wieder in die Tagespolitik einmischte und die Nähe zur Macht suchte, war Günter Grass (geboren 1927 in Danzig, gestorben 2015). Er ist der engagierte Schriftsteller, der 1965 und 1969 Willy Brandts Wahlkampf (Brandt wird 1969 Bundeskanzler) und die SPD unterstützte. In seinen 1991 veröffentlichten „Reden, Aufsätze und Gespräche" äußerte er sich dann skeptisch und zweifelte am Gelingen der Einheit.

Grass wurde mit seinem Roman „Die Blechtrommel" 1959 schlagartig bekannt. Es ist die groteske Entwicklungsgeschichte seines Helden Oskar Matzerath, der die Protesthaltung unseres Jahrhunderts verkörpert (siehe auch die Verfilmung, Seite 131). Der Roman erreichte bis heute eine Auflage von 3 Millionen in über zwei Dutzend Sprachen. Grass erhielt 1999 den Literaturnobelpreis. Er gilt als deutsche Stimme der Weltliteratur.

**5.** Eine Biografie von heute: Reiner Kunze wurde 1933 im Erzgebirge (später DDR) als Sohn eines Bergarbeiters geboren. Er studierte Philosophie und Journalistik an der Universität Leipzig. Von 1955 bis 1959 war er dort wissenschaftlicher Assistent mit Lehrauftrag, konnte jedoch seine Laufbahn aus politischen Gründen nicht fortsetzen. Er war gezwungen, in der Landwirtschaft und im Schwermaschinenbau zu arbeiten. Seit 1962 war er als freier Schriftsteller tätig und geriet in eine schwere persönliche Krise, die er durch seine Heirat und Freunde in der Tschechoslowakei überwinden konnte. Er publizierte im Westen und erhielt zahlreiche Literaturpreise. Schließlich wurde er so stark unter Druck gesetzt, dass er 1977 in die Bundesrepublik übersiedelte. Heute lebt er in Passau in Bayern.

„Die wunderbaren Jahre" sind Prosastücke, die Erlebnisse aus dem DDR-Alltag erzählen. Sie berichten von Jugendjahren in einer normierten Gesellschaft, die kein Einzelgängertum duldete. DDR-Bürger stellten heimlich Kopien der „Jugendjahre" her oder schrieben sie ab und gaben sie weiter. Reiner Kunze und seine Frau Elisabeth haben ihr Haus heute in ein Museum umgebaut. Es soll künftigen Generationen helfen, die jüngere Geschichte zu verstehen, und zeigen, wie sich politischer Widerstand in der Kunst äußert.

### Elfjähriger

*„Ich bin in den Gruppenrat gewählt worden", sagt der Junge und spießt Schinkenwürfel auf die Gabel. Der Mann, der das Essen für ihn bestellt hat, schweigt. „Ich bin verantwortlich für sozialistische Wehrerziehung", sagt der Junge. „Wofür?" „Für sozialistische Wehrerziehung." Er saugt Makkaroni von der Unterlippe. „Und was mußt du da tun?" „Ich bereite Manöver vor und so weiter."*

### Mitschüler

*Sie fand, die Massen, also ihre Freunde, müßten unbedingt die farbige Ansichtskarte sehen, die sie aus Japan bekommen hatte: Tokioter Geschäftsstraße am Abend. Sie nahm die Karte mit in die Schule, und die Massen ließen beim Anblick des Exoten kleine Kaugummiblasen zwischen den Zähnen zerplatzen. In der Pause erteilte ihr der Klassenlehrer einen Verweis. Einer ihrer Mitschüler hatte ihm hinterbracht, sie betreibe innerhalb des Schulgeländes Propaganda für das kapitalistische System.*

*(aus: Reiner Kunze, Die wunderbaren Jahre, a.a.O., S. 13 und 31)*

## Aufgaben

Wehrerziehung war Pflichtfach in den Schulen der DDR. Was empfindet wohl der Mann, der im ersten Text mit dem Kind spricht? Hat die Schülerin in dem zweiten Text etwas falsch gemacht?

# Rückblende: das geteilte Deutschland und die „Gruppe 47"

**1.** Die Literatur nach 1945 ist eng mit der „Gruppe 47" verknüpft. Einige junge Schriftsteller kamen 1947 erstmalig zusammen, um sich ihre Manuskripte vorzulesen. Daraus wurde die Gruppe 47, für die kommenden zwanzig Jahre der Treffpunkt der bedeutendsten Autoren der deutschsprachigen Literatur. Die lockere Vereinigung unter der Leitung von Hans Werner Richter (gestorben im März 1993) hatte kein literarisches Programm. Sie entwickelte sich dennoch zu einer literarischen und politischen Instanz. Richter lud zwanglos zu den jährlichen Treffen ein und alles, was Rang und Namen hatte, kam. Die Teilnehmer lasen aus ihren Werken, kritisierten sich und vergaben den begehrten Literaturpreis – und nahmen sich genügend Zeit, auch ausgiebig zu feiern.

**2.** Die zwei Jahrzehnte, in denen die Gruppe 47 unangefochten die westdeutsche Literatur repräsentierte, fielen zusammen mit der Zeit des „Kalten Krieges", der Konfrontation von Ost und West. Die Schriftsteller reflektierten die Teilung des Landes zunächst nicht. Die westliche Literatur wurde im Osten nicht hereingelassen, die östliche ideologische Literatur war im Westen nicht auf dem Markt. Man nahm sich einfach nicht zur Kenntnis. Die einzige Ausnahme war der unbequeme Bert Brecht, der ein Dauerthema in beiden Staaten war. (Erst später – siehe Seite 114 – veröffentlichten DDR-Schriftsteller auch im Westen und ernteten dafür heftige Kritik in ihrem Land.) Einige aus der Gruppe 47 versuchten trotz der Gegensätze, eine deutsche Literatur in zwei deutschen Staaten zu bewahren. Man suchte nach einem dritten Weg. Gemeinsam war aber nur eines, nämlich das Gefühl, gleichermaßen in beiden Staaten unbeliebt

zu sein: die Schriftsteller im Westen ohne konkreten Einfluss auf die gesellschaftlichen Zustände, die im Osten unter der Zensur.

**3.** Die jährlichen Herbsttreffen der Gruppe 47 hatten in wechselnder Zusammensetzung stattgefunden. Neben anderen nahmen teil: die österreichische Schriftstellerin Ingeborg Bachmann (1926–1973), Heinrich Böll (1917–1985), der wohl bekannteste deutsche Schriftsteller nach dem Krieg, Nobelpreis 1972, ein Moralist und Kritiker seiner Zeit, der 1953 mit „Und sagte kein einziges Wort" an die Öffentlichkeit trat. 1959 kam „Billard um halb zehn" heraus. Dieses Jahr sollte zu einem der wichtigsten der deutschen Literatur werden, denn es erschienen außerdem „Die Blechtrommel" von Günter Grass und „Mutmaßungen über Jakob" von Uwe Johnson, der die Mentalität der Menschen in der DDR zu seinem Thema machte. 1967 löste sich die Gruppe nach 20-jähriger Tätigkeit auf: Grund war die Politisierung mancher Mitglieder. Auch war der private avantgardistische Charakter ihrer Lesungen verloren gegangen.

Sehr viel später erzählte Böll in der viel beachteten Erzählung „Die verlorene Ehre der Katharina Blum oder: Wie Gewalt entstehen und wohin sie führen kann" (1974) die Geschichte einer jungen Frau, die durch Zufall Mittelpunkt der Sensationsmache und Polithetze einer Boulevardzeitung wird. In einem Akt unerwarteter Selbstverteidigung erschießt sie den korrupten Journalisten (siehe S. 130).

Hans Magnus Enzensberger (geb. 1929; Gedichte und Essays) verkörpert den Typus des intellektuellen Schriftstellers mit ästhetischem und politischem Anspruch.

## Literatur heute

**1.** 1995 gab der Dresdner Autor Ingo Schulze (geboren 1962) sein Debüt mit „33 Augenblicke des Glücks", drei Jahre später schrieb er dann „Simple Storys, Ein Roman aus der ostdeutschen Provinz", der aus scheinbar einfachen Geschichten besteht, die aber die großen

*Heinrich Böll, Ingeborg Bachmann (Mitte) und Ilse Aichinger während einer Tagung der „Gruppe 47"*

Zusammenhänge festhalten. In dem unpathetischen Stil in der Tradition der amerikanischen Short Story erzählt Ingo Schulze von den Bewohnern der ostthüringischen Kleinstadt Altenburg, einer in der DDR runtergekommenen Stadt im Uran- und Kohleabbaugebiet. In Alltagsbegebenheiten schildert er das Zusammenstürzen einer ganzen Welt nach 1990 und wie sich der Umbruch in den Biografien der Menschen niederschlägt.

*Es war einfach nicht die Zeit dafür. Fünf Tage mit dem Bus: Venedig, Florenz, Assisi. Für mich klang das alles wie Honolulu ... In den dunkelgrünen Koffer packten wir unsere Sachen, in die schwarzrot karierte Tasche Besteck, Geschirr und Proviant: Wurst- und Fischkonserven, Brot, Eier, Butter, Käse, Salz, Pfeffer, Zwieback, Äpfel, Apfelsinen und je eine Thermoskanne Tee und Kaffee ... Sie müssen mal versuchen, sich das vorzustellen. Plötzlich ist man in Italien und hat einen westdeutschen Paß. ... Man befindet sich auf der anderen Seite der Welt und wundert sich, daß man wie zu Hause trinkt und ißt und einen Fuß vor den anderen setzt, als wäre das alles selbstverständlich. ...*

*Es ist Februar 91, Ich arbeite bei einer Wochenzeitung. Überall wartet man auf den großen Aufschwung. Supermärkte und Tankstellen werden gebaut, Restaurants eröffnet und die ersten Häuser saniert. Sonst gibt es aber nur Entlassungen und Schlägereien zwischen Faschos und Punks, Skins und Redskins, Punks und Skins. An den Wochenenden rückt Verstärkung an, aus Gera oder Leipzig-Connewitz, und wer in der Überzahl ist, jagt den anderen. Es geht immer um Vergeltung. Die Stadtverordneten und der Kreistag fordern Polizei und Justiz zu energischen Schritten auf. Anfang Januar schrieb ich eine ganze Seite über das, was sich regelmäßig freitags auf dem Bahnhof abspielt. Von Patrick stammten die Fotos. Eine Woche später sorgte ein anderer Artikel von mir für Wirbel. Nach Zeugenaussagen berichtete ich, daß Unbekannte nachts in Altenburg-Nord eine Wohnungstür aufgebrochen und den fünfzehnjährigen Punk Mike P . fast erschlagen hatten. ... Beyer, unser Chef, untersagte mir, die Beiträge zu unterzeichnen. Auch Patricks Name durfte nicht erscheinen ... „Gegen Vandalismus", sagte er, versichert niemand."*
(aus: Ingo Schulze, Simple Storys, a.a.O., S. 15/16, 17 und 30)

Sein Roman „Adam und Evelyn" (2008) spielt in der Wendezeit 1989, als Ungarn die Grenze öffnete und jeden Einzelnen vor große Entscheidungen stellte: gehen oder bleiben. Wie bei Adam und Eva geht es um Verlockungen in einer Ausnahmesituation. 2009 entstand in Dresden aus dem Buch ein Theaterstück.

**2.** Der Roman „Der Turm" des Dresdners Uwe Tellkamp (geboren 1968) erhielt 2008 den Deutschen Buchpreis. Damit wurde ein DDR-Epos ausgezeichnet, das die letzten Jahre der zerfallenden Republik nachzeichnet.

*„Kann Verena weiterstudieren?"*
*„Sie ist exmatrikuliert. Vorher: eine von den Besten, man hat sie hofiert – dann der Antrag (Anm: auf Ausreise in den Westen) und man hat sie fallenlassen wie eine heiße Kartoffel."*
*„This tender butterfly with dark brown eyes."*
*„Du warst in sie verliebt."*
*„Glaub' nicht."*
*„Sie war's nicht wert!" verlangte Reina in einem Ausbruch von plötzlichem Haß.*
*„Glaub' doch. – Wie geht's ihrer Schwester?"*
*„Sie und die Mutter haben noch Arbeit. Der Vater ist gleich nach dem Antrag entlassen worden. Bis auf mich haben sich alle Freunde abgewandt. Siegbert hatte ja schon Probleme, und einer von denen hat ihm gesagt, wenn er die Beziehung zum Fräulein Winkler nicht abbricht, könnten sie für nichts mehr garantieren." ...*
*„Alle ihre Freunde haben sich abgewandt. Als wäre sie aussätzig! Und ich? Was soll ich machen? Sie sagen mir offen, daß ich die Beziehung abbrechen soll."*
*„Dann tu's doch. Sie ist doch eh irgendwann draußen.*

*Residenztheater München (das „Resi")*

Und was hat's dir dann genutzt, wenn Verena weg ist
und du ohne Studienplatz dastehst."
„So denkst du wirklich? Du?"
„Ich weiß nicht, was ich denke. Ich weiß nicht, was
wird."
„Du kannst nicht wirklich so denken. Siegbert, ja. Aber
du nicht. Und du weißt das. Nur aus Widerspruchsgeist
gibst du dich so zynisch. Aber du bist nicht so."
„Wieso nicht? Hat doch einiges für sich, was ich sage.
Übrigens weiß ich selbst nicht, wie ich bin. Aber du
willst es wissen."
*(aus: Der Turm, Seite 789/790)*

**3.** Die rumänischdeutsche Schriftstellerin Herta Müller
(geb. 1953) erhielt 2009 den Nobelpreis für Literatur für
ihr Gesamtwerk. Ihr Roman „Atemschaukel" schildert
das Leben in der Diktatur und die Verfolgung Rumä-
niendeutscher unter Stalin.

### Aufgabe

1. Uwe Tellkamp ist heute politisch umstritten. Recher-
   chieren Sie.
2. In Deutschland ist eine Vorlese- und Erzählkultur
   entstanden. Geschichtenerzähler/innen bieten span-
   nende Erzählabende mit alten und neuen Geschichten. Welchen Stellenwert haben Lesen und Erzählen
   in Ihrem Land?

# Die Welt und die Bühnenwelt

## Die Theaterlandschaft

Die Theatertradition reicht in das höfische 18. Jahrhundert zurück, als Deutschland aus vielen Kleinstaa-
ten bestand. Stadt- und Residenztheater existierten in
großer Zahl. Nach dem Ersten Weltkrieg übernahm die
öffentliche Hand die Trägerschaft und schuf damit das
heute noch geltende System deutscher Bühnen. Die
Theater werden von den Ländern und Kommunen subventioniert, wobei ihre künstlerische Unabhängigkeit
garantiert bleibt. Diese einzigartige Theaterlandschaft
hat viele Freunde, auch über die Grenzen Deutschlands
hinaus. Die deutsche Unesco-Kommission hat 2014
die deutsche Theaterlandschaft in das Verzeichnis des
immateriellen Kulturerbes aufgenommen.
Der Zweite Weltkrieg hat über 70 Theaterbauten zerstört. Über hundert wurden seitdem restauriert und
neu gebaut. Gespielt wird heute an fast 300 Bühnen. Der Verkauf der Eintrittskarten deckt nur rund
zehn Prozent der Theater- und Konzertkosten, der Rest
kommt aus Steuermitteln. Die zahlreichen kleinen Pri-
vattheater arbeiten im Gegensatz zu den Staatsthea-
tern auf eigenes Risiko und erhalten meist nur geringe
Zuschüsse von ihrer Stadt.

## Der Neubeginn

**1.** Nach der Stunde null, dem Ende des Zweiten Weltkriegs, regte sich trotz Zerstörung und Mangel zuerst
das Theaterleben. Kleinere und größere Theater entstanden aus dem Nichts, man spielte in Turnhallen
und Kellern. Ein wahrer Theaterrausch erfasste die
Menschen nach den Jahren der Entbehrung. Die größten Erfolge in den Vierzigerjahren hatten Dramen, die
das Vergangene zu bewältigen versuchten. Das Stück
„Des Teufels General" von Carl Zuckmayer, das der
Autor aus seinem Exil in den USA mitbrachte, wurde
in Zürich uraufgeführt, ein Jahr später in Frankfurt. Es
kam auf über 2000 Aufführungen in den Westzonen

(zur Verfilmung siehe S. 129). „Draußen vor der Tür" von Wolfgang Borchert, das Drama von der Heimkehr des Soldaten, wurde 1947 in Hamburg uraufgeführt. Sein Thema und das Schicksal des Autors machten es zu einem nachhaltigen Ereignis. Der Kriegsheimkehrer Borchert starb einen Tag vor der Uraufführung.

In diesen Jahren wurden auch zahlreiche Dramen ausländischer Autoren vorgestellt, vor allem aus Frankreich und England: Jean Paul Sartre, Albert Camus, Jean Giraudoux, George Bernard Shaw usw. Unter den deutschsprachigen Dramatikern setzten sich Max Frisch und Friedrich Dürrenmatt durch (siehe S. 112). Das absurde Theater feierte mit Eugène Ionesco und Samuel Beckett Triumphe.

**2.** Bertolt Brecht (1898–1956) war 1949 aus dem amerikanischen Exil über Zürich nach Ost-Berlin zurückgekehrt. Kurz danach wurde sein Stück „Mutter Courage und ihre Kinder" aufgeführt; im gleichen Jahr gründete er das Berliner Ensemble in Ost-Berlin. Seine Haltung gegenüber den politisch Mächtigen war zwiespältig. Seine Stücke wurden zu einem festen Bestandteil des Bühnenrepertoires in Ost und West. Im Westen berief man sich auf Stücke, die gewissermaßen gegen Brechts politische Überzeugungen gespielt wurden, wie zum Beispiel „Galileo Galilei". Im Osten wurde der erzieherische politische Charakter seiner Stücke hervorgehoben und modellhaft im Berliner Ensemble (BE) aufgeführt. Der Dramatiker Heiner Müller belebte Brecht wieder neu: 1995 inszenierte er das Gangsterstück „Der unaufhaltsame Aufstieg des Arturo Ui", ein Lehrstück über den Nationalsozialismus, mit überraschendem Erfolg.

### Das Stichwort ☞ Exilliteratur

*Während der Hitler-Diktatur ist ein großer Teil der bedeutendsten Autoren verboten, verfolgt und vertrieben worden. Nach dem Krieg kehrten sie teilweise zurück: aus den USA, aus Palästina, Mexiko und der UdSSR. Sie gingen meist in die sowjetisch besetzte Zone. Was sie miteinander verband, war die gemeinsame Erfahrung des Exils, die Berufung auf die humanistische Tradition und die Hoffnung, ein neues Deutschland bauen zu können. Der Stalinismus hat später viele bitter enttäuscht. Im Westen war die Emigration nicht in die Literatur einbezogen. Thomas Mann, der bekannte deutsche Schriftsteller, hatte im Exil die deutsche Literatur als Ganzes vertreten. Während des Krieges hielt er von Kalifornien aus mehr als 50 Reden zum Thema Geist und Macht. Er ließ sich in der Schweiz nieder und kam erst 1949 anlässlich des 200. Geburtstags von Goethe wieder nach Frankfurt und Weimar. Sein Verhältnis zu den Daheimgebliebenen, den Vertretern der inneren Emigration, war gespannt. Man machte ihm zum Vorwurf, dass er Deutschland in schlimmen Zeiten verlassen hatte.*

*(nach: Deutsche Literatur seit 1945, a.a.O., S. 79-92)*

## Theatererlebnisse in den Jahren der Teilung

**1.** Während die DDR-Literatur den Beschlüssen der Partei folgte und die Zensur die Schriftsteller aus dem Land jagte, ging der Westen völlig andere Wege. Rolf Hochhuths Dokumentarstück „Der Stellvertreter" (1963) schockierte die Öffentlichkeit. Der Autor beschuldigte Papst Pius XII., zur Vernichtung der Juden unter Hitler aus Staatsräson geschwiegen zu haben. Heinar Kipphardts „In der Sache J. Robert Oppenheimer" (1964) handelt vom Atombomben-Programm der USA im Zweiten Weltkrieg. „Die Ermittlung" (1965) von Peter Weiss ist eine szenisch gestaltete Berichterstattung über den Frankfurter Auschwitz-Prozess in den Jahren 1963 bis 1965, die Suche danach, wie es möglich war, „seinen menschlichen Maßstab zu verlieren". Um 1968, als das Theater mit den revoltierenden Studenten auf die Straße ging, geriet die Bühne ins Abseits. Die Kunst sollte sich politischen Zielsetzungen unterwerfen, was allerdings in Zweifeln an der gesellschaftsverändernden Wirkung von Kunst überhaupt enden musste.

**2.** Die Dramatik der Widersprüche und Brechungen kam erst wieder mit dem literarischen Außenseiter Peter Handke (siehe S. 114) auf die Bühne. Zu einem Gegenpol entwickelte sich auch der Österreicher Thomas Bernhard (1931–1989). Er war mit seinen Psychogrammen der Inhumanität und seiner permanenten Österreichkritik vielfach Anlass zu heftigen Kontroversen. In „Heldenplatz" (1988) polemisiert er gegen Staat, Kirche und gegen faschistische Tendenzen im heutigen Österreich.

**3.** Unter prominenten Regisseuren entstanden seit den Achtzigerjahren neue, ungewöhnliche Klassiker-Aufführungen; man sprach von „Regie-Theater". Peter Zadek (1926-2009), Claus Peymann, Rudolf Noelte und Peter Stein hatten die Klassiker entstaubt, psychologisiert und politisiert. Die Berliner Schaubühne – geleitet bis 1984 von Peter Stein – war das glänzende Zentrum dieser Neuerer. Später wurden ihren Klassiker-Aufführungen Stagnation vorgeworfen, Ästhetisierung und die perfekte Entrückung von der Wirklichkeit.

## Theater nach der Wende bis heute

**1.** Theaterregisseure wie der provokante Frank Castorf (geb. 1951 in Ost-Berlin) oder der Theatermacher Peter Zadek (1926 - 2009) haben mit ihren epochalen Inszenierungen die Theaterlandschaft geprägt.
Dieter Dorn hat durch seine Texttreue zusammen mit seinem festen Ensemble den Münchner Kammerspielen internationale Anerkennung verschafft. Die Kammerspiele, die intime Bühne der berühmten Schauspieler und Regisseure, ist 2012 hundert Jahre alt geworden. Heute ist sie eine Plattform für Performance und Gastspiele geworden und hat das Ensemble umgebaut. Die Kammerspiele sind das modernere, innovative Theater im Gegensatz zum Residenz-Theater, dem ehemaligen Hoftheater und späteren Bayerischen Staatsschauspiel. Ein Bühnenfest in den Kammerspielen ist das zehnstündige Stück „Dionysos Stadt": Der aus antiken Dramen zusammengesetzte Vierteiler rollt die Konflikte der Antike aus heutiger Zeit auf, absurd und komisch, und fragt nach Gründen von Gier und Gewalt, thematisiert Gerechtigkeit und das Überleben der Menschheit. Die Kammerspiele waren Theater des Jahres 2019. Im Jahr 2020 werden die Kammerspiele erstmalig weiblich geleitet: Barbara Mundel hat die Intendanz übernommen und das Publikum beobachtet gespannt die weitere Entwicklung ihres Theaters.

Eine Stadt will sich mit seinem Theater identifizieren und die Gesellschaft will sich über sich selbst verständigen. Um den führenden Rang in der Theaterkunst wetteifern heute nicht nur Berlin (Berliner Ensemble, Deutsches Theater), München (Münchner Kammerspiele, Residenztheater), Hamburg (Thalia Theater) und Köln. Nicht zurückstehen möchten Theaterstädte wie Frankfurt am Main, Stuttgart, Bochum, Ulm, Wuppertal, Düsseldorf, Hannover und Bremen. Hinzugekommen sind Dresden, Leipzig, Chemnitz, Cottbus … Das Theater ringt heute um die Konzeptionen der Zukunft. Neue Generationen und vor allem die sich wandelnde Zusammensetzung der Bevölkerung fordert Antworten. Diversität und Geschlechtergerechtigkeit sind die großen Themen der Zeit. Mehr Frauen in leitende Funktionen und in die Regie ist eine der Forderungen.

*Die Berliner Volksbühne war in den Jahren 2016 und 2017 Theater des Jahres. Seit 1992 bis 2017 sorgte ihr Intendant Frank Castorf immer wieder für Schlagzeilen..*

**2.** In den neuen Bundesländern gab es nach einem schwierigen Start in den Neunzigerjahren bald bemerkenswerte Neuinszenierungen und kreativen Neubeginn, vor allem auch in der Theaterprovinz. In Cottbus oder Dessau zum Beispiel, wo sich das Theater heute bewusst den Fragen der Zeit stellt. Die Neue Bühne Senftenberg geht auf die Menschen zu und möchte Mut und Hoffnung machen, damit vor allem die Jugendlichen im Land bleiben. Auch im thüringischen Rudolstadt stellt man sich der Realität. Der Intendant des Stadttheaters Steffen Mensching glaubt an die Kraft des Theaters und möchte „die Breite der Gesellschaft ins Theater bringen". So versucht er, rechte Kreise im Dialog einzubinden. Nicht agitieren und missionieren ist seine Devise.

**3.** Das Thalia-Theater in Hamburg, eines der renommiertesten deutschen Bühnen, formuliert die Aufgaben für das Theater heute so: Das Theater soll die „Internationalisierung unserer Gesellschaft und unserer Städte mit Themen, Stücken und Personen abbilden". Es geht darum, „die Stadt, in der man lebt, wahrzunehmen und mitzugestalten" (Joachim Lux, Intendant). Theatermacher diskutieren deshalb, wie sich Migration auch im Theater niederschlägt: Das Maxim Gorki Theater in Berlin unter der Leitung von Shermin Langhoff und Jens Hilje ist eines der wenigen Theater, die von einer Frau geleitet werden. Es ist eine Vorzeigebühne mit seinen Schauspielern verschiedenster Herkunft und mit seinen aktuellen Stücken. Die Begriffe „Fremde", „Heimat" und „Identität" werden zu Schlüsselbegriffen der Theaterarbeit. Das Gorki wurde beim Theatertreffen in Berlin, wo jährlich die 10 bemerkenswertesten Aufführungen gefeiert werden, zum Theater des Jahres 2014 und 2016 gewählt. In Tschechows „Kirschgarten" zum Beispiel geht es um ein Grundstück im heutigen Berlin, wo sich Einheimische und Migranten gegenüberstehen. Das Stück „Common Ground" der Regisseurin Yael Ronen & Ensemble wird kollektiv erarbeitet. Es basiert auf einer gemeinsamen Reise nach Bosnien. Diskutiert werden Schuld und Sühne; Klischees, Vorurteile und gegensätzliche Erzählungen prallen aufeinander.

In „The Situation" treffen in einem Deutschkurs in Berlin Menschen aus Syrien, Palästina und Israel zusammen. Sie setzen sich mit den paradoxen Wiederbegegnungen ihrer „Nachbarn" und den Geistern der Vergangenheit auseinander. Das Stück spielt auf Englisch, Deutsch, Hebräisch und Arabisch mit deutschen und englischen Übertiteln. 2016 gründete Shermin Langhoff das „Exil Ensemble" mit geflüchteten Schauspielern aus Krisenregionen. Sie will den Künstlern helfen, den Weg in den deutschen Theateralltag zu finden. 2019 bringt Yael Ronen das Stück „Third Generation – Next Generation" mit Komik, bei der das Lachen im Halse stecken bleibt, auf die Bühne. Das Stück spielt mit deutschen, israelischen, jüdischen, palästinensischen, schwulen und veganen Identitäten und Biographien und reizt sie bis zum Anschlag aus. 2019 entstand zusammen mit den Kammerspielen München das Stück „Jedem das Seine", das Nationalismus und die sexuelle Versklavung von Frauen thematisiert.

**4.** Neben dem klassischen Theater bestimmt die freie Szene mit Tanz- und Theaterproduktionen die gegenwärtige Theaterlandschaft. Projektförderung bringt den regionalen und überregionalen Nachwuchs aus Akademien und Regieschulen auf die Bretter, die die Welt bedeuten. Doch die öffentlichen Fördergelder fließen meist spärlich, sodass den freien Produktionen das

*„Der Kirschgarten" im Gorki*

Leben schwer gemacht wird. Zukunftweisend sind (Ko)
Produktionshäuser wie z.B. die Kammerspiele in München, das HAU in Berlin oder Kampnagel in Hamburg.
Hilfreich ist auch die zwei- und vierjährige Basisförderung für freie Gruppen in Berlin.

**5.** Die Einbeziehung von Laien auf der Bühne gehört
schon länger zum Theateralltag. Der Performance-Charakter bestimmt das Geschehen. Der Zuschauer erlebt
nicht mehr ein fertiges Ergebnis, vielmehr wird seine
Anwesenheit zum Teil der Aktion. Das Theaterkollektiv Rimini Protokoll im Berliner HAU (= Hebbel am Ufer,
einem linken Avantgarde-Theater) hat mit einem neuen
Reality Trend die Theaterszene geprägt. Das Theater
bringt keine Laien, aber sogenannte Experten des Alltags auf die Bühne, z.B. ein Tanzprojekt mit Migrantenkindern, und ermöglicht so ungewöhnliche Sichtweisen
auf unsere Wirklichkeit.
Das Format „100%" bringt 100 Bewohner einer Stadt
auf die Bühne,  die die Bevölkerungsstruktur abbilden
in Alter, Geschlecht, Bildung, Religionszugehörigkeit.
Das Stück wurde in vielen Städten von Athen bis Melbourne adoptiert und  mit „100% Berlin" nach vielen
Jahren mit zum Teil den gleichen Personen wieder realisiert. Die Personen erzählen ihre Lebensgeschichte,
werden aber nicht bloßgestellt, sondern kontrastieren
raffiniert mit anderen Erfahrungen und Perspektiven.

**6.** Viel diskutiert werden Fragen nach den Grenzen der
Kunst: Was kann Kunst bewirken? Theater soll relevant und politisch korrekt sein. Das testet zum Beispiel
Elfriede Jelinek mit dem Stück „Die Schutzbefohlenen"

aus, das mit der Flüchtlingspolitik abrechnet.
Die Flüchtlingskrise beherrschte Ende 2015 die Theater: „Mannheim Arrival" trägt authentische Geschichten von Flüchtlingen vor, in Gegenwart der Geschilderten. Am Thalia-Theater Hamburg in dem Stück „Ankommen" erzählen Jugendliche aus Afrika, wie sie als Minderjährige Deutschland erreicht haben.
Das Staatsschauspiel Dresden unter dem Intendanten
Joachim Klement wagt die Auseinandersetzung mit der
neuen Rechten. Sie ist für ihn „Bestandteil der künstlerischen Arbeit des Theaters und unseres Bildungsauftrags. Wir kommen aus der Tradition der Aufklärung,
das ist eine Verpflichtung". Auch der politische Theaterregisseur Volker Lösch mischt sich ein. Am Dresdener
Staatsschauspiel inszenierte er 2015 mit „Graf Öder-

*Bürgerchor in „Graf Öderland"*

land/Wir sind das Volk" nach Max Frisch eine Aufführung über Pegida. Charakteristisch für ihn ist der „Bürgerchor", den er in bekannte Stücke einbaut und die er
damit aktualisiert. Im Chor treten normale Bürger auf.
In Dresden sind es Dresdener Bürger, die Stimmungen
vermitteln und durch ihre Parolen zeigen, was Angst
macht. Der Regisseur will zum Nachdenken anregen.
Sein Theater will sich dem Hass widersetzen und in einer
Stadt, die sich in gegensätzliche Lager aufspaltet, die
eigene Haltung zur Welt zeigen. Mit der Groteske „Das
Blaue Wunder" (2019, Theaterstück von Thomas Freyer

und Ulf Schmidt) fragt Volker Lösch, wohin die Reise gehen würde, wenn man das Parteiprogramm der AfD ernst nehmen würde. Die Schauspieler zitieren aus dem Wahlprogramm und mahnen vor einer rechten Diktatur. Ob dieser Ansatz hilfreich ist, ist eine Diskussion wert. Im Jahr 2018 inszeniert er in Bonn Beethovens Oper „Fidelio" hochpolitisch mit Bildern politisch Gefangener, die Türkei im Visier, mit Laiendarstellern als Zeitzeugen und Live-Videos: als politischer Weckruf und Aufruf zum politischen Engagement.

**7.** Aufregend politisches Theater lebt und spielt die Berliner Compagnie, gegründet 1981, mit ihren meist selbst entwickelten Stücken zu den Themen Frieden, Gerechtigkeit, Menschenrechte, die Klimakatastrophe usw. Das Theater macht Kunst, die verstört und sich einmischen will.

„DIE WEISSEN KOMMEN" ist ein Theaterstück über Afrika, in "Die Sehnsucht nach dem Frühling" steht eine syrische Familie im Mittelpunkt, „Das Bild vom Feind" zeigt, wie Kriege entstehen.

**8.** Das Jugend- und Kindertheater ist eine der wichtigsten Entdeckungen unserer Zeit. Die Stücke stellen die Komplexität des kindlichen Alltags dar. Soziale Missstände, Intoleranz und Gewalt, Probleme in der Familie und in der Schule sind wichtige Themen, die ernst oder amüsant verpackt dargestellt werden. Vom Grips-Theater in Berlin wird beispielhaft gezeigt, dass abenteuerliche Stoffe nicht nur im Märchen, sondern vor allem auch in der Wirklichkeit zu finden sind. Die Zuschauer sollen sich in den Stücken wiedererkennen und die Stücke sollen helfen, die soziale Fantasie zu entwickeln und die Umwelt besser zu verstehen und zu

verändern. Die Stücke sind weltweit übersetzt und nachinszeniert worden. „Grips haben" heißt übrigens „Köpfchen haben", „etwas schnell kapieren/ verstehen". Eine

*Grips Theater: 4 sind hier*

der ältesten und profiliertesten Kinder- und Jugendtheater ist die Schauburg in München. Wie das Junge Theater Augsburg will es Kinder und Jugendliche dazu bringen, die immer komplexer werdende Welt zu verstehen.

**9.** Zahlreich sind die vielen privaten Theater, Fest- und Freilichtspiele, freie Gruppen und Tanztheater, die mit öffentlichen Mitteln unterstützt werden. Sie tragen besonders dazu bei, Kunst und Kultur zu den Menschen zu bringen.

**10.** Weit über hundert Theater, Bibliotheken, Galerien, Opern, Museen, Orchester, Akademien haben sich in der „Berliner Erklärung der Vielen" zusammengeschlossen, um für die Freiheit der Kunst zu demonstrieren, für eine offene Gesellschaft und um gegen Versuche von rechts, Kunst und Kultur zu instrumentalisieren und zu renationalisieren, ein Zeichen zu setzen.
Einen großen Einschnitt fürs Theater brachte die Corona-Krise: 1,5 Meter Abstand auf der Bühne, weniger Zuschauer, keine Festivals, keine internationalen Produktionen und viele Existenzsorgen für freie Künstler. Dann der Lockdown, der das gesamte Kunstschaffen komplett gelähmt hat. Es blieb nur die Flucht ins Internet. Die Künstler sahen sich gezwungen, auf den unverzichtbaren Stellenwert der Kunst im sozialen Gefüge nachdrücklich aufmerksam zu machen.

# Zentren der Musikgeschichte

**1.** Viele große Namen der Musikgeschichte sind besonders eng mit zwei Städten verbunden: mit Leipzig (Sachsen) und Wien (Hauptstadt von Österreich). Leipzigs Tradition als Musikstadt gründet sich auf drei Einrichtungen: auf das Gewandhausorchester (gegründet 1781), den Thomanerchor, die älteste musikalische Einrichtung der Stadt, und auf die Hochschule für Musik und Theater (gegründet 1843).

**2.** In Leipzig war **Johann Sebastian Bach** (1685– 1750) ab 1723 Kantor an der Thomaskirche und Musikdirektor an beiden Hauptkirchen. Er lehrte, leitete den Thomanerchor und war zu seiner Zeit auch ein berühmter Organist.
Bachs Musik ist eine Zusammenfassung verschiedener abendländischer Traditionen, des protestantisch geprägten Barock wie der Mehrstimmigkeit des Mittelalters („Kunst der Fuge"). Er war der große Lehrmeister für die Musiker nach ihm. Während der 27 Jahre an der Thomaskirche schuf er den größten Teil seiner Orgelkonzerte, Kantaten, Motette und Choräle sowie die Johannes- und die Matthäus-Passion. Ordnungswille und Disziplin in Leben und Kunst verbanden sich bei ihm mit barocker Lebensfreude. Von seinen 13 Kindern aus zwei Ehen wurden fünf als Komponisten bekannt.

Drei Jahre vor seinem Tode brachte eine Reise nach Potsdam Abwechslung in sein Leben. Friedrich der Große empfing ihn und spielte dem Meister ein eigenes Thema vor, das dieser in einer Fuge ausführte. Bach fand höchste Bewunderung. Er geriet nach seinem Tod in Vergessenheit und sein Vermächtnis wurde zunächst wenig beachtet. Erst 1827 setzte mit der Aufführung der Matthäus-Passion in Berlin unter Mendelssohn Bartholdy eine Bach-Bewegung ein. 1850, genau hundert Jahre nach seinem Tod, gründeten Robert Schumann und Franz Liszt die Bach-Gesellschaft.

**3.** Auch im 19. Jahrhundert war Leipzig das musikalische Zentrum. **Felix Mendelssohn Bartholdy** wurde als Sohn eines wohlhabenden Bankiers 1809 in Hamburg geboren (1847 in Leipzig gestorben) und hatte das Glück, von jung auf gefördert zu werden. Er genoss eine umfassende Ausbildung und wurde ein Mann von Welt. Schon früh entwickelte er seinen musikalischen Stil, der klassisches Maß mit romantischer Empfindung verband. Goethe erlebte ihn als zwölfjähriges Wunderkind und äußerte sich über sein Können mit Wohlwollen. Nach der Düsseldorfer Zeit als Musikdirektor, Dirigent und Kapellmeister wurde er 1835 Direktor der Leipziger Gewandhauskonzerte (siehe S. 128). Er gründete in Leipzig das Konservatorium, an dem auch Robert Schumann als Lehrer tätig war. Erst 2009, zu seinem 200. Geburtstag erschien das vollständige Verzeichnis seiner 750 zum Teil lange unbekannten Kompositionen, das seine enorme Kreativität offenlegt und viele Vorurteile widerlegt.

**4.** Robert Schumann (1810–1856), Sohn eines Buchhändlers und Verlegers in Zwickau, war Romantiker durch und durch: eine unruhige, zwiespältige Natur, die sich zwischen rauschhaftem Schaffensdrang und abgrundtiefer Depression bewegte. Sein großes Vorbild war Franz Schubert. Er heiratete Clara Wieck, die Tochter seines Klavier- und Kompositionslehrers. Sie erlangte als die Pianistin Clara Schumann (1819-1896) Weltruhm, war europaweit unterwegs und trug viel zu Schumanns Ruhm bei. Sie war auch selbst eine begabte Komponistin, die erst in letzter Zeit wiederentdeckt wurde. Eine herzliche Freundschaft verband beide mit Felix Mendelssohn Bartholdy. Robert Schumann unterstützte den jungen Brahms, dessen Genie er früh erkannte. Nach langen Leidensjahren starb er in geistiger Umnachtung.

Die Familie Mozart

**5.** Wien war gegen Ende des 18. Jahrhunderts Sammelpunkt der großen Komponisten der Epoche („Wiener Klassik"). Hier lebten **Joseph Haydn, Wolfgang Amadeus Mozart** und **Ludwig van Beethoven** und schrieben ihre großen Sinfonien. Mozarts Vater stammte aus Augsburg, Wolfgang Amadeus Mozart wurde 1756 in Salzburg geboren. Bereits mit fünf Jahren begann er zu komponieren, als Sechsjähriger machte er Konzertreisen nach München und an den kaiserlichen Hof in Wien, ein Jahr später nach Paris und London, und mit zwölf war er Konzertmeister des Salzburger Erzbischofs. Ab 1781 lebte er in Wien, wo sich nach den Jahren der musikalischen Triumphe seine Lebenskurve zu neigen begann. Eine unvorstellbare Kreativität ging einher mit banalen Geldsorgen. Mozart war abhängig von den Aufträgen des Hofes und des Adels, war Intrigen ausgesetzt, stieß auf Jubel und Ablehnung und konnte trotz verzweifelter Bemühungen auf keine gesicherte Existenz hoffen. Er starb mit 36 Jahren in Wien in großer Armut.

Beethoven bei einer Soirée im Haus des Fürsten Lichnowsky

Ludwig van Beethoven (1770 Bonn– 1827 Wien) wurde als Klaviervirtuose berühmt und gelangte in Wien bald in die höchsten gesellschaftlichen Kreise der habsburgischen Metropole. Adlige Musikliebhaber bewunderten seine Fähigkeit frei zu fantasieren und unterstützten ihn auch finanziell. 1802 verfasste er sein „Heiligenstädter Testament", aus dem Verzweiflung und Trotz gegen die beginnende Taubheit sprechen. Goethe lernte ihn 1812 kennen und bewunderte seine Musik. Als Mann des Hofes war der Dichter aber abgestoßen von dem ungestümen – heute würde man sagen unangepassten – Wesen des Meisters. Das Jahr 2020 feierte seinen 250. Geburtstag. Geehrt wurde in der ganzen Welt seine Individualität und damit seine Modernität, vor allem auch seine politischen Äußerungen und sein Eintreten für Freiheit und Gleichheit.

Mozart und Haydn, zusammen mit Beethoven, waren bestimmend für die Instrumentalmusik über eine Dauer von mehr als hundert Jahren. Der in Wien geborene **Franz Schubert** (1797–1828) war nicht nur Sinfoniker und Vertreter der Klaviermusik, sondern auch Schöpfer eines neuen Liedstils, der das 19. Jahrhundert wesentlich beeinflusste. Die Tradition der Wiener Klassik führten **Anton Bruckner** (1824–1896), **Johannes Brahms** (1833–1897) und **Hugo Wolf** (1860–1903) fort. **Gustav Mahler** (1860–1911) war der große Sinfoniker der beginnenden Moderne.

**6.** Die Reihe großer Namen, die in Wien wirkten, ließe sich fortführen: **Richard Strauss** (1864 München – 1949 Garmisch) schrieb zusammen mit dem Dichter Hugo von Hofmannsthal (1874 Wien – 1929 bei Wien) mehrere Opern, darunter den „Rosenkavalier". **Arnold Schönberg** (1874 Wien – 1951 Los Angeles) entwickelte die Zwölftonmusik. **Alban Berg** (1885 Wien – 1935 Wien) komponierte die Opern „Wozzeck" und „Lulu".

**7.** Der Name **Richard Strauss** führt zu einem Zentrum der neueren Musik: München. **Karl Amadeus Hartmann** (1905 München – 1963 München) organisierte die Konzerte der „musica viva" und förderte damit die Musik seiner Zeit. **Carl Orff** (1895 München – 1982 München) schuf mit seinem international bekannten „Schulwerk" eine Einführung in die neue Musik.

8. Das Musikgeschehen der Nachkriegszeit begann 1946 mit den „Ferienkursen für Neue Musik" in Darmstadt. **Hans Werner Henze** (1926-2012) und **Karlheinz Stockhausen** (1928-2007) wurden ihre international bekannten Vertreter.

9. Musikveranstaltungen im Allgemeinen und die großen Festivals neigen eher zu einer traditionelleren Programmgestaltung, d.h. zur Musik des Barock, der Klassik und der Romantik, während die Gegenwartsmusik oft in Nischen abgedrängt wird. Besonders die Oper bedient meistens einen eher traditionellen Publikumsgeschmack, der Werktreue fordert und Alltagssorgen zu Hause lässt. Aber es gibt auch Aufführungen, die Fiktion und Realität vermischen. Zum Beispiel Kirill Serebrennikov, der Verdis „Nabucco" von Moskau aus in Hamburg inszenierte und das dramatische Heute in die Oper holte: mit Nachrichten auf TV-Schirmen, Schlagzeilen und Agenturberichten. Denn sonst, so seine Auffassung, könne „man den ganzen Aufwand auch sein lassen". Und die in Frankfurt grandios gesungene und inszenierte Oper „Manon Lescaut" wird 2019 zu einem Flüchtlingsdrama mit eingeblendetem Film und Handy-Nachrichten. Für Opernintendanten sind Inszenierungen zu einem Hindernislauf geworden zwischen dem Geschmack eines meist älteren Publikums und notwendiger Modernisierung. Das Menschen- und Gesellschaftsbild der Oper soll im Heute ankommen.

Musik- und Theaterfestivals haben ihre große Zeit in den warmen Sommermonaten. Sie finden in Sälen oder Open-Air statt, ziehen Touristen an und sind für Städte und Gemeinden längst zu einem Wirtschaftsfaktor geworden. Zu den großen Events gehören auch das Afrika-Festival in Würzburg und der Karneval der Kulturen in Berlin und anderen Städten, die mit Musik und bunten, freizügigen Tanzgruppen für Integration und Toleranz werben.
Wichtige Musikereignisse außerhalb der Spielzeit sind in Österreich die Bregenzer, die Salzburger und die

*oben:*
*Poetenfest in Erlangen (Lese-marathon im Schlossgarten)*

*Mitte:*
*Rigoletto*
*(Semperoper Dresden)*

*unten:*
*Bardentreffen in Nürnberg*
*(= ein Open-Air-Festival)*
*(Barde = hier Liedermacher)*

*in Würzburg*

Wiener Festspiele und das Avantgarde-Festival „steirischer herbst" in Graz. Die Salzburger Festspiele, die 1920 von dem berühmten österreichischen Theaterregisseur Max Reinhardt (1873 bei Wien –1943 in New York) gegründet wurden, brillieren mit Konzert- und Opernaufführungen und dem Sprechtheater. Der „Jedermann, Das Spiel vom Sterben des reichen Mannes" von Hugo von Hofmannsthal wird jährlich auf den Stufen des Domplatzes zur Eröffnung gespielt. In Deutschland finden statt: die Bayreuther Festspiele, die ausschließlich den Musikdramen Richard Wagners gewidmet sind, die Münchner Opernfestspiele, das Schleswig-Holstein Musik-Festival, das seine Spielorte in Schlösser, Kirchen, Scheunen und auch ins Freie verlegt – und unzählige Musikfeste mehr, die über den Sommer verteilt landauf landab zu finden sind.

**10.** Seit 2002 findet die Ruhr-Triennale, ein internationales Fest der Künste im Ruhrgebiet, statt. Spielstätten sind ehemalige Maschinenhallen, Zechen und Kokereien. Wo früher Strom und Wind für den Hochofenbetrieb erzeugt wurde, gibt es heute experimentelle Kunst, in der sich Tanz, Konzert, Theater, Performance und Installation mischen.

Die klassische Musik hat sich in den letzten Jahren dem breiten Publikum geöffnet: durch Live-Übertragungen auf öffentlichen Plätzen, im Kino und im Internet. Große Sänger agieren wie Popstars und machen besonders die klassische Oper zu einem eindrucksvollen Erlebnis. Die Dichte der Orchester und Spielorte in Deutschland ist in der Welt einzigartig.

**11.** Berühmte Orchester und ihre Dirigenten sind überall zu Hause: die Berliner und die Wiener Philharmoniker, die Staatskapelle Dresden, das Leipziger Gewandhausorchester, die Bamberger Symphoniker oder die Orchester der Rundfunkanstalten. Bestes Beispiel für eine weltweite Verbundenheit war Kurt Masur, der bis Ende 1996 Gewandhaus-Kapellmeister war. Masur war zur international bekannten Figur geworden, als er in Leipzig mit dem Appell „Keine Gewalt" zur friedlichen Revolution 1989 betrug.

*Das erste Gewandhaus (Gemälde von Mendelssohn)*

## Ein berühmtes Orchester

*Stolz ist man in Leipzig darauf, dass es nicht Könige oder Fürsten waren, die es gründeten, sondern Bürger der Stadt. Am 11. März 1743 riefen Leipziger Kaufleute, Bürger und Adlige das „Große concert" ins Leben, das aus Stadtpfeifern, Geigern und diversen Studentengruppen hervorgegangen war. Die Finanzierung des*

*„Großen concerts" war unbürokratisch und zugleich effektiv: Reiche Kaufleute bezahlten je einen der 16 Musiker für ein Jahr und ließen dafür im Gasthaus „Drey Schwanen" (= Drei Schwäne) spielen. Als es dort zu eng wurde, zog man um in das Haus der Tuchmacher und Wollhändler – im Volksmund „Gewandhaus" genannt. Seitdem gab es kaum einen Komponisten oder Dirigenten, der nicht mit dem Orchester gearbeitet hätte. Den Weltruhm begründete Felix Mendelssohn Bartholdy, der als Erster Aufführungen und Proben leitete. Er arbeitete intensiv auf ein hohes künstlerisches Niveau hin. Eine Tradition begann, als Mendelssohn das Leipziger Konservatorium gründete. Mitglieder des Orchesters unterrichteten dort und bildeten den Nachwuchs aus.*

*Das Haus wurde nach der friedlichen Revolution 1989 umstrukturiert und erweitert. Heute heißt es „Hochschule für Musik und Theater Felix Mendelssohn Bartholdy".*

## Aufgaben

1. Sollte der Musikbetrieb auch auf Bahnhöfen oder in Fußgängerzonen stattfinden?
2. Die Corona-Krise war ein krasser Einschnitt im Musikleben. Orchester spielten und übertrugen ohne Publikum und Künstler versuchten, digital ihr Publikum zu erreichen. Was haben Sie erlebt?

# Filmereignisse

Literatur, Bildende Kunst und der Film sind nach europäischem Kunstverständnis nicht nur ein Wirtschaftsfaktor. Deshalb wird Kulturschaffen regional, auf Landes- und Bundesebene gefördert, auch von der EU. Das betrifft öffentliche Kulturbetriebe, z.B. Theater, Museen, Bibliotheken, sowie private Kulturschaffende, z.B. Filmregisseure und Kunstvereine. Das Filmförderungsgesetz (FFG) zielt speziell auf die Filmproduktion, die in Lichtspielen gezeigt wird. Serien und hochwertige Filme, die von Streamingdiensten angeboten werden, bekommen bisher keine Förderung. Existenzbedrohend wurde 2020/21 für viele Filmtheater die Corona-Krise, denn die Zuschauer blieben aus und wichtige Filme wurden nicht fertiggestellt.

## Highlights der Filmgeschichte

### Nosferatu (1921)
Stummfilm von F.W. Murnau nach Motiven des Romans „Dracula" von Bram Stoker. Klassiker des Horrorfilm.

### Metropolis (1926)
Film von Fritz Lang, Stummfilm. Science-Fiction-Film, der von der möglichen Überbrückung der Kluft zwischen Arbeitern und Herrschenden handelt. Dieser Film wird als Filmklassiker immer wieder gezeigt.
Der technisch aufwendige Film brachte die mächtige UFA (Universum Film AG) in finanzielle Schwierigkeiten. Sie kam 1927 unter rechtsnationale Leitung. 1946 wurde sie als DEFA in Babelsberg bei Berlin (Ost) wieder gegründet. Heute ist die UFA GmbH eine Medien-Stadt mit Film- und TV-Studios, die vor allem fürs Fernsehen produziert.

### Der blaue Engel (1930)
Film von Josef von Sternberg nach dem Roman „Professor Unrat" von Heinrich Mann mit Marlene Dietrich als Lola. Professor Rath, ein Sonderling, verfällt der in einem übel beleumdeten Lokal gastierenden Sängerin Lola und heiratet sie. Der bürgerliche Abstieg beginnt. Er tritt schließlich als Zauberkünstler in der Truppe auf, die nach Jahren wieder in seine Heimatstadt kommt. Der Film endet tragisch mit seinem Tod im alten Klassenzimmer. Heinrich Mann ging es um die Entlarvung der bürgerlichen Scheinmoral. Der Film ist die Tragödie eines Menschen, der vom bürgerlichen Weg abweicht.

Der Untergang der deutschen Filmkultur durch den Nationalsozialismus und Fehlentwicklungen nach dem Zweiten Weltkrieg haben einen Neubeginn lange verzögert. Filme wie „Des Teufels General" oder später der Antikriegsfilm „Die Brücke" waren die Ausnahme. Erst Ende der 70er-Jahre konnte der deutsche Film international wieder Aufmerksamkeit erringen. Volker Schlöndorffs Grass-Verfilmung „Die Blechtrommel" (1979) bekam die Goldene Palme von Cannes und den Oscar.

### Des Teufels General (1955)
Verfilmung des Schauspiels von Carl Zuckmayer durch Helmut Käutner. Der Film ist eine Charakterstudie des begeisterten Fliegers Harras, der Hitlers General wird. Harras unterstützt mit seiner Fliegerei den Krieg, den er moralisch ablehnt. Zum Schluss wird er Opfer dieses Teufelsbundes. Der veränderte Schluss des Dramas arbeitet deutlicher den Entschluss des Offizierskorps zum Widerstand gegen Hitler heraus.

### Die Brücke (1959)
In den letzten Kriegstagen werden sieben Jungen zur militärisch sinnlosen Bewachung einer Brücke in ihrer Heimatstadt abgestellt. Ihr psychologisches Porträt zwischen Engagement, romantisch-jungenhafter Abenteurer-Mentalität und grausamer Ernüchterung ist der Inhalt des Films.

In den sechziger Jahren entstanden realitätsnahe Spielfilme in der DDR, die Furore machten und der offiziellen Politik missfielen.

### Der geteilte Himmel (1964)

Regie von Konrad Wolf nach dem gleichnamigen Roman von Christa Wolf

Der DEFA-Klassiker erzählt von der Liebe der Studentin Rita zu dem Wissenschaftler Manfred und spiegelt die politische Situation der DDR vor dem Mauerbau 1953. Rita erlebt Auseinandersetzungen um Arbeitsnormen und Fehlentwicklungen des SED-Staates, bekennt sich aber letztlich zu den Idealen der sozialistischen Arbeitswelt und zur „Treue zur Partei". Manfred hält den Druck des härteren Lebens nicht stand und geht in den Westen, hofft, dass sie nachkommt. Aber dann wird die Mauer gebaut und trennt die Liebenden endgültig. Der Film erlebte eine wechselvolle Geschichte, durfte mal gezeigt werden, wurde dann wieder kritisiert. Erst 1982 lief er im DDR-Fernsehen.

### Spur der Steine (1966)

Regie von Frank Beyer nach dem gleichnamigen Roman von Erik Neutsch

Der von der DEFA produzierte Film erzählt von dem Zimmermann und Brigadeleiter Hannes Balla auf der Großbaustelle Schkona (Name angelehnt an die Chemiestandorte Schkopau und Leuna) und dem SED-Parteisekretär Werner Horrath. Als Balla und die Brigade die Regeln der Planwirtschaft missachten und fehlendes Material illegal beschaffen, werden sie aufgrund ihrer Leistungen geduldet, geraten aber in die Schusslinie ideologischer Auseinandersetzungen. Balla und Horrath verbindet Respekt, aber auch Rivalität. Beide verlieben sich in die Ingenieurin Kati Klee. Als Kati von Horrath schwanger ist, verheimlicht Horrath die Vaterschaft, um seine Parteikarriere und seine Ehe nicht zu gefährden. Zum Schluss sagt er schließlich die Wahrheit und verliert trotzdem seinen Parteiposten und seine Frau. Kati verlässt ihn und die Stadt. Sie ist nach den vielfältigen Wirren auch nicht fähig, eine Beziehung zu Balla aufzubauen.

In der Rolle des Hannes Balla brilliert der Schauspieler Manfred Krug, der von der Staatssicherheit beschattet wurde und 1977 die DDR verließ.

Der Film wurde 1966 uraufgeführt, lief in einigen Kinos und wurde dann wegen „antisozialistischer Tendenzen" abgesetzt. Erst im Oktober 1989 durfte er in der DDR aufgeführt werden.

Das Oberhausener Manifest (1962), eine Erklärung mit dem Titel „Opas Kino ist tot", ist die Geburtsstunde des „Jungen deutschen Films". Die Regisseure übten Kritik an den Jahren des Wiederaufbaus und der Wirtschaftswunderzeit, da sie einen wirklichen Neubeginn vermissten. Eingehend befasste sich vor allem Rainer Werner Fassbinder (1945-1982), der sich als Chronist deutscher Geschichte verstand, mit den Versäumnissen der Republik: „Die Ehe der Maria Braun", „Lola", „Die Sehnsucht der Veronika Voss". Er provozierte und war der produktivste und anregendste Filmemacher seiner Zeit.

Inhaltlich engagierte Filme wollen Zeitdokumente sein. Sie reflektieren in den Jahren der terroristischen Anschläge die Entstehung von Gewalt. Internationale Beachtung fand der Film „Die bleierne Zeit" (1981) von Margarete von Trotta, der die Biografie einer Terroristin nachzeichnet. Bemerkenswert auch der Film „Rosa Luxemburg" von 1985, in dem eindrucksvoll das Leben dieser sozialistischen Politikerin nachgezeichnet wird. Einer der größten Publikumserfolge wird der in seinem Selbstverständnis „linke" Film „Die verlorene Ehre der Katharina Blum".

### Die verlorene Ehre der Katharina Blum (1975)

Film von Volker Schlöndorff und Margarete von Trotta nach der gleichnamigen Erzählung von Heinrich Böll. Untertitel der Erzählung: Wie Gewalt entsteht und wohin sie führen kann.

Katharina Blum lernt im Karneval einen jungen Mann kennen, nimmt ihn mit nach Hause und wird am nächsten Morgen von einer polizeilichen Fahndung überrascht. Ihr Gast, ein vermeintlicher Terrorist, ist verschwunden. Die Geschichte eskaliert, als sich die Presse in der Person eines skrupellosen Reporters einmischt. Katharina Blum gerät in die Mühlen der Justiz, die sich in ihr Privatleben einmischt und sie zu einem „Fall" macht. Während eines „Exklusivinterviews" erschießt sie den

Reporter der „Zeitung". Mit der „Zeitung" war indirekt die auflagenstärkste Tageszeitung, die „Bild"-Zeitung, gemeint.

Nur wenige Filme nehmen sich der Gastarbeiterproblematik an. Zu den eindrucksvollsten gehört „Angst essen Seele auf" von Rainer Werner Fassbinder.

## Angst essen Seele auf (1973)

Die 60-jährige Putzfrau Emmi lernt in einer Gastwirtschaft den 20 Jahre jüngeren marokkanischen Gastarbeiter Ali kennen. Eine zarte Liebesgeschichte zwischen den ungleichen Partnern beginnt. Beide heiraten – zum Spott von Nachbarn, Verwandten und Kollegen. Ablehnung schlägt in Freundlichkeit um, als man entdeckt, dass die beiden nützlich sein können als Kunden oder bei sonstigen Hilfeleistungen. „Profitsucht wirkt sicherer als Fremdenhass" ist die Botschaft des Films. Die Ehe ist nicht von langer Dauer.

Auffallend viele Filme gehen auf literarische Vorlagen zurück. Fassbinder beschäftigte sich 1971/72 mit Fontanes Roman „Effi Briest" (1894/95), den er sensibel nacherzählt. Es ist die psychologisch fein beobachtete Geschichte einer jungen Frau, die die Ehe bricht und verstoßen wird, dem bürgerlichen Ehrenkodex zuliebe. Auf der Linie seiner Zeitbilder liegt die zehnteilige Fernsehproduktion „Berlin Alexanderplatz" (1979/80) nach dem Roman von Alfred Döblin (1929). Der Roman erzählt die Geschichte des entlassenen Sträflings Franz Biberkopf, der die Realität als menschliches Chaos erlebt. Zu diesen „literarischen" Filmen gehört nicht zuletzt die schon erwähnte Grass-Verfilmung „Die Blechtrommel" von Volker Schlöndorff.

## Die Blechtrommel (1978/79)

Es ist die Geschichte des in Danzig geborenen Oskar Matzerath, der aus Protest gegen die Zeit bis zum Ende des Kriegs sein Wachstum einstellt. Er trommelt seinen Protest mit seiner Kindertrommel hinaus. Buch und Film entlarven das kleinbürgerliche Milieu als Nährboden der NS-Diktatur.

## Das Boot (1981)

Verfilmung des gleichnamigen Romans von Lothar-Günther Buchheim unter der Regie von Wolfgang Petersen. Der in München hergestellte Film gilt als einer der eindrücklichsten Antikriegsfilme seiner Zeit. Er schildert die Feindfahrt des U-Bootes U-96 mit allen Extremen menschlicher Emotionen, Ängsten und Unmenschlichkeiten. Die Crew meistert lebensgefährliche Situationen und einen Fastverlust ihres Bootes.
2020 wurde dieser Meilenstein der Filmgeschichte durch eine Serie fortgesetzt, die die ursprüngliche Handlung mit Szenen der Résistance im Widerstand gegen den Nationalsozialismus und mit einer Liebesgeschichte erweitert.

Volker Schlöndorff ist neben Werner Herzog, dem Filmer der Außenseiter in einer bizarren und gewalttätigen Welt (z.B. „Fitzcarraldo", 1981), einer der international erfolgreichsten Filmregisseure. Nicht unerwähnt bleiben sollen der Experimentator Wim Wenders („Buena Vista Social Club", 1999 , und der Tanzfilm „Pina", 2011, der dem Tanztheater Wuppertal und dessen Choreografin Pina Bausch gewidmet ist) und Werner Schroeter, dem wir eine der gelungensten Romanverfilmungen verdanken: „Malina" nach dem gleichnamigen Roman von Ingeborg Bachmann.

Eine Überraschung für alle Filmbegeisterten waren die Filmkomödien, die ab der Achtzigerjahre gedreht wurden. Dazu gehören die Filme von Doris Dörrie („Männer", 1985; „Keiner liebt mich", 1994) und von Helmut Dietl, der die feine Münchner Gesellschaft entlarvt („Kir Royal"). SCHTONK (1992) von Helmut Dietl handelt von der gesellschaftlichen Doppelmoral und der Wiederholbarkeit der Geschichte. Ein pfiffiger Kunsthändler schreibt die angeblich verschollenen Hitler-Tagebücher selbst, ein Sensationsreporter verkauft sie teuer und eine bekannte Illustrierte veröffentlicht sie – und ruiniert ihren Namen.
Als ein etwas anderer deutscher Film stellt sich „Lola rennt" (1998) vor. Der Regisseur Tom Tykwer verbindet

verschiedene Stilelemente, bezieht Zeichentrick- und Videopassagen mit ein, unterlegt den Film mit atemloser Musik und spielt verschiedene Variationen der Geschichte durch. In mitreißenden Bildern entlädt sich ein Feuerwerk, das den Triumph der Liebe und das Lebensgefühl der späten Neunziger darstellt.

### Good Bye, Lenin (2003)

Das Kino landete mit der Tragikomödie „Good Bye, Lenin!" von Wolfgang Becker einen Sensationserfolg. Eine brave DDR-Mutter, einst Aktivistin, hat nach einem Herzinfarkt im Koma die Wende verschlafen. Um ihr acht Monate später nach dem Aufwachen einen Schock zu ersparen, gaukelt ihr Sohn Alex vor, das sozialistische Musterland würde weiter bestehen. Er scheut keine Mühe, um auf den 79 Quadratmetern Plattenbau die DDR wiederherzustellen, schafft Spreewaldgurken heran. (Anm: Das ist eine Delikatesse aus dem Spreewald bei Berlin), organisiert sozialistische Gesänge und vieles mehr. Ein Heimatfilm der ganz besonderen Art, der mit zahlreichen Filmpreisen bedacht wurde.

Das Kinojahr 2004 wurde nach Angaben der Berliner Filmförderungsanstalt (FFA) zum besten seit der Wiedervereinigung. Über 5% mehr Zuschauer gingen in die Kinos und das Image des deutschen Films verbesserte sich auch auf dem internationalen Markt, vor allem dank der Filmförderung.

### Der Untergang (2004)

Der Film hat die letzten Tage Hitlers zum Inhalt. Er basiert auf dem gleichnamigen Buch des Historikers Joachim Fest (2002). Während in der Hauptstadt der Häuserkampf tobt, verschanzt sich Hitler mit einigen seiner Generäle und Vertrauten im Führerbunker der Reichskanzlei.

Dieser Film von Bernd Eichinger hat als erschütterndes Zeitdokument große Anerkennung gefunden, hat aber auch kontroverse Diskussionen ausgelöst. Es wurde kritisch hinterfragt, ob halbfiktionale Unterhaltung dem Thema angemessen ist und vor allem ob Hitler als

Mensch mit Gefühlen gezeigt werden darf. Andererseits fällt die großartige Leistung der Schauspieler, vor allem die Darstellung von Bruno Ganz als Hitler, ins Gewicht. Der Film hat zur Auseinandersetzung mit der Geschichte auch bei der jungen Generation beigetragen.

2005 kam ein weiterer aufwühlender historischer Film in die Kinos:

### Sophie Scholl – Die letzten Tage (2005)

Der Film erinnert an die Münchner Studentin Sophie Scholl, Mitglied der Widerstandsbewegung „Weiße Rose", die am 22. Februar 1943 von den Nazis hingerichtet wurde. Der Film wurde neben vielen weiteren Preisen auf der Berlinale 2005 mit dem Silbernen Bären für die beste Regie (Marc Rothmund) und ebenfalls mit dem Silbernen Bären für die beste Darstellerin (Julia Jentsch) ausgezeichnet. Der Film erzählt die letzten fünf Tage zwischen der Verhaftung am 18. Februar in der Münchner Ludwig-Maximilians-Universität, den Verhören und dem Prozess vor dem „Volksgerichtshof" bis zum Tod durch das Fallbeil in einem Münchner Gefängnis.

Fotos aus ihrem Leben zum Schluss des Films zeigen eine lebenslustige junge Frau, die gern anders gelebt hätte, aber in eine schlimme Zeit hineingeboren wurde. Sie ist zur Symbolfigur für den Widerstand gegen den Nationalsozialismus geworden. Aus den Flugblättern der „Weißen Rose": „Mit mathematischer Sicherheit führt Hitler das deutsche Volk in den Abgrund. Hitler kann den Krieg nicht gewinnen, nur noch verlängern. Seine und seiner Helfer Schuld hat jedes Maß unendlich überschritten. Die gerechte Strafe rückt näher und näher!"

### Das Leben der anderen (2006)

Der Film macht das Netzwerk der Stasi (Staatssicherheit) transparent, das die gesamte Gesellschaft der DDR in ein System von Überwachung und Bespitzelung verwandelte. Ein Stasi-Hauptmann kommt während der

Beobachtung mit der Welt der Liebe, der Kunst und der freien Meinungsäußerung in Berührung und wird unfähig, belastende Beobachtungen weiterzugeben.
Der Film von Florian Henckel von Donnersmarck (Drehbuch und Regie) erhielt zahlreiche Auszeichnungen, auch den Oscar als bester fremdsprachiger Film.

Den Deutschen Filmpreis erhielt 2007 ein Film ganz anderer Art, die Komödie von Marcus H. Rosenmüller:

### Wer früher stirbt, ist länger tot (2007)

Sebastian, ein 11-jähriger Bauernjunge, glaubt, am Tod seiner Mutter schuld zu sein, möchte sich von dieser Sünde befreien und sucht nun eine neue Frau für seinen Vater. Deftig bayerischer Humor mit Hintersinn und der bayerische Dialekt machen diesen verqueren „Heimatfilm" zum Publikumsrenner des Jahres.

### Das weiße Band (2009)

Der Schwarzweißfilm des österreichischen Regisseurs Michael Haneke handelt von mysteriösen Vorfällen in einem protestantischen Dorf in Norddeutschland vor Ausbruch des Ersten Weltkriegs. Der Lehrer wird in seiner Existenz bedroht, als er die Kinder des Pastors als Urheber der Taten vermutet. Sie mussten auch wegen kleiner Vergehen wochenlang ein weißes Band tagen, das sie an die Tugenden erinnern sollte. Dazu Haneke: „Überall, wo es Unterdrückung, Demütigung, Unglück und Leid gibt, ist der Boden bereitet für jede Art von Ideologie. Deshalb ist ‚Das weiße Band' auch nicht als Film über den deutschen Faschismus zu verstehen. Es geht um ein gesellschaftliches Klima, das den Radikalismus ermöglicht. Das ist die Grundidee." Ausgezeichnet mit der Goldenen Palme von Cannes.

Großen Publikumserfolg hatten die Komödien „Keinohrhasen" (2007) und „Zweiohrküken (2009) von Til Schweiger sowie „Fack ju Göhte" von Bora Dagtekin (2015).

Eine Überraschung für die Kinowelt war 2014 ein Historienfilm, dessen Lebendigkeit verzauberte:

### Die geliebten Schwestern (2014)

von Dominik Graf (Buch und Regie). Der Film zeichnet biographisch das Leben des jungen Dichters Friedrich Schiller in Weimar von 1788 bis 1801 nach. In dieser Zeit, war er leidenschaftlich mit den beiden Schwestern Charlotte, die er später heiratet, und Caroline verbunden. Ein erhaltener Brief lässt das Dreiecksverhältnis erahnen, das im Sommer 1788 in Rudolstadt an der Saale intensiv gelebt wurde. Ereignisse wie die Französische Revolution bilden den historischen Hintergrund.

### Elser – Er hätte die Welt verändert (2015)

Regie: Oliver Hirschbiegel. Der Welt wäre viel erspart geblieben, wäre das Attentat auf Adolf Hitler gelungen. Der Film erzählt die Planung und Durchführung des Anschlags. Der Widerstandskämpfer Georg Elser deponierte am 8. November 1939 eine Bombe im Bürgerbräukeller, wo Hitler im Beisein vieler Nazi-Größen eine Rede halten sollte. Hitler verließ das Lokal aber zu früh und überlebte. Elser, von Beruf Tischler, war ein entschiedener Gegner des Nationalsozialismus. Er wollte den Krieg verhindern und hatte ganz allein die Initiative ergriffen. Im April 1945 wurde er im KZ Dachau ermordet.

### Toni Erdmann (2016)

Der Film von Maren Ade wurde sehr gelobt als herrlich erfrischend; er zeigt sich kritisch gegenüber Leistungsstreben, Konkurrenz und Kalkül in der Arbeitswelt. Ein

Vater versucht mit Humor und unkonventionellen Ideen seine Tochter zurückzugewinnen, die sich ihm als erfolgreiche Managerin entfremdet hat.

Wenn gute Filme erscheinen, ist das Kino immer noch ein Magnet. Aber seine Exklusivität schwindet, Konkurrenten wie z.B. Netflix führen dazu, dass Kinos schließen müssen. Kinobetreiber erfinden deshalb neue Konzepte: mehr Komfort für den Zuschauer, der auf bequemen Sesseln sich einen Drink bestellen kann. Damit das Kino als kultureller Begegnungsort überlebt.
Filmfestivals – wie die in Berlin und München – gelten immer noch als kulturelle Höhepunkte. Sie öffnen sich auch für neue Erzählformen: Virtual Reality (VR) weist in eine noch ungewohnte Richtung.

### Aus dem Nichts (2017)
Der Film ist eine deutsch-französische Koproduktion von Fatih Akin. Er wurde von dem Kölner Attentat der Terrorzelle Nationalsozialistischer Untergrund (NSU) inspiriert. Der kurdische Ehemann von Katja und der gemeinsame Sohn werden bei einem Attentat getötet. Als den Tätern die Tat nicht nachgewiesen werden konnte, übt Katja Selbstjustiz. Der Film wurde mehrfach ausgezeichnet.

### Als Hitler das rosa Kaninchen stahl (2019)
Film von Caroline Link nach dem biographischen Roman von Judith Kerr. Er handelt von einer jüdischen Familie, die 1933 vor den Nazis aus Berlin fliehen muss. Der Vater ist ein bekannter Journalist, dessen scharfe Artikel sich gegen das Nazi-Regime richten. Anna, die 10-jährige Tochter, muss ihr geliebtes Stoffkaninchen zurücklassen, das sie nie wiedersieht. Die Familie flieht in die Schweiz, dann nach Paris und schließlich nach London, wo sie in Sicherheit ist. Die Schriftstellerin und Illustratorin Judith Kerr ist 2019 mit 95 Jahren in London gestorben.

# Vielfalt der Museen

**1.** Die großen Museen erleben zurzeit eine Neuorientierung. Es geht um ein neues Selbstverständnis. Die Digitalisierung macht die Objekte weltweit verfügbar. Viele Fragen stehen im Raum: Wie kann man die Menschen erreichen? Woher kommen die Objekte? Wie ist der Umgang mit Nazi-Raubkunst, mit Kunstwerken, die jüdischen Eigentümern geraubt wurden, wie mit Objekten der wenig ruhmreichen kolonialen Vergangenheit? Es geht darum, die Institutionen zu hinterfragen: Wer bestimmt eigentlich die Auswahl der Programme? Aus der Vielzahl der 6000 Museen seien im Folgenden nur einige der bedeutendsten herausgegriffen.

**2.** Im Zentrum Berlins, auf der Museumsinsel, ist in den vergangenen 150 Jahren ein Ensemble von Museen entstanden, die eine perfekte Einheit bilden: Das Alte Museum, im klassizistischen Stil erbaut, die Nationalgalerie und das Pergamonmuseum zeigen die Entwicklung vorderasiatischer, ägyptischer, antiker und christlicher Hochkulturen. Besondere Anziehungskraft hat der Pergamon-Altar, ein im zweiten Jahrhundert vor Christus errichteter griechischer Altar, der nach 1879 von Kleinasien nach Berlin gelangt war. Das Bode-Museum (Berliner Museumsdirektor um 1900), an der Spitze der Museumsinsel gelegen, zeigt Skulpturen und Gemälde vom Anfang bis zum Ende des 18. Jahrhunderts. Die Büste der Nofretete ist im 2009 neu eröffneten Neuen Museum zu bewundern.
Das Pergamon-Museum wird zurzeit aufwendig neu gestaltet; die gesamte Museumsinsel soll in den nächsten Jahren ins 21. Jahrhundert geführt werden.
In Berlin verwaltet die

*Nofretete (14. Jh. v. Chr.)*

Stiftung Preußischer Kulturbesitz die Sammlungen des aufgelösten preußischen Staates, die den größten Kunstbesitz in Deutschland darstellen. Das Zeughaus, ein Barockbau von 1730, ist das älteste Gebäude am Prachtboulevard Unter den Linden. Nach dem Fall der Mauer gründete die Bundesregierung hier das Deutsche Historische Museum, in dem Zeugnisse der Geschichte vom Mittelalter bis heute gezeigt werden.

*Denkmal für die ermordeten Juden Europas oder Holocaust Mahnmal*

**3.** Berlin hat eine beeindruckende Zahl von Gedenkstätten. In der Gedenkstätte Deutscher Widerstand wird das gesamte Spektrum des deutschen Widerstands gegen den Nationalsozialismus dokumentiert: Widerstand aus christlichem Glauben, Widerstand aus der Arbeiterbewegung, in Kunst und Wissenschaft, im Exil, im Kriegsalltag, die militärische Verschwörung des 20. Juli 1944, die Weiße Rose, Jugendopposition. In der Gedenkstätte Plötzensee wird der hier ermordeten Opfer der Hitler-Diktatur gedacht. Drei sowjetische Ehrenmale erinnern an die im Kampf um Berlin gefallenen Soldaten der Roten Armee. Die Villa am Wannsee, in der 1942 die Deportation und Ermordung der Juden Europas beschlossen wurde, ist seit 1992 eine Gedenk- und Bildungsstätte. In Berlin wurde auch das Jüdische Museum errichtet und das zentrale Mahnmal für die Opfer des Holocaust. Das von Daniel Libeskind entworfene Museum mit seiner auffälligen Zickzack-Architektur wurde 2001 eröffnet und zählt heute zu den meistbesuchten Ausstellungshäusern Deutschlands.
Am 9. Mai 2005 ist das Denkmal für die ermordeten sechs Millionen Juden Europas in Berlin unweit des Brandenburger Tors und des Reichstags feierlich eingeweiht worden. Entworfen wurde es von dem amerikanischen Architekten Peter Eisenman. Das Denkmal ist das Bekenntnis zu dem größten Verbrechen in Europa und Mahnmal gegen das Vergessen. 2711 Betonstelen (= Quader) unterschiedlicher Höhe auf einem riesigen Feld werden zu einem Ort der Besinnung und des Nachdenkens.

**4.** Das Germanische Nationalmuseum in Nürnberg ist die größte Sammlung deutscher Kultur von der Vorzeit bis ins 20. Jahrhundert. Das Museum entstand, als noch kein einheitlicher deutscher Staat existierte; es sollte demzufolge wie ein Auftrag zur nationalen Einheit wirken.

**5.** München ist berühmt für seine Gemäldesammlungen der Alten und der Neuen Pinakothek mit altdeutschen und niederländischen Meistern, Gemälden der italienischen Malerei und des 19. Jahrhunderts. 2003 wurde die Pinakothek der Moderne eröffnet, eines der weltweit größten Museen für die Kunst des 20. und 21. Jahrhunderts. Das offene und großzügige Gebäude zeigt Kunst, Grafik, Architektur und Design unter einem Dach.

*August Macke: Mädchen unter Bäumen, 1914*

Einzigartig ist in München das Deutsche Museum, das größte technisch-naturwissenschaftliche Museum der Welt. Im Planetarium simulieren Projektionsgeräte die Bewegung der Gestirne. In der Nachbildung eines Bergwerks oder in einem U-Boot erlebt der Besucher die Ausstellung hautnah. Weitere Abteilungen betreffen die

*Deutsches Museum*

**6.** Eines der jüngsten Museen mit internationalem Profil ist das Museum Ludwig in Köln, hervorgegangen aus einer Stiftung des Kunstsammlers und Fabrikanten Peter Ludwig, das Teil des Museumskomplexes zwischen Dom und Altstadt ist.Hier befindet sich auch das Wallraf-Richartz-Museum (mittelalterliche und neuzeitliche Gemäldesammlungen), und die Kölner Philharmonie, eine Cinemathek, die Kunst- und Museumsbibliothek und in unmittelbarer Nachbarschaft auch das Römisch-Germanische Museum, errichtet auf den Mauern einer römischen Stadtvilla.

Luftfahrt, die Schifffahrt, die Raumfahrt, die Geschichte der Fotografie, die Nano- und Biotechnologie und vieles mehr. Das Museum besitzt wertvolle historische Unikate, so das erste Automobil, den ersten Computer und den ersten Dieselmotor.

Bis 2025 werden alle Ausstellungen erneuert: Die Besucher sollen zu Akteuren werden; auch gesellschaftliche Kontroversen sollen berücksichtigt werden.

Selbst aktiv sein, sehen und begreifen, spielen und staunen ist das Konzept dieses Museum schon seit seiner Gründung 1925.

## Aufgaben

1. Wem gehört die Nofretete-Büste? Forschen Sie nach.
2. Museen früher und heute – Was hat sich gewandelt?
3. Was ist Provenienzforschung?
4. Wer kennt die Washingtoner Erklärung? (Deutschland hat sich verpflichtet, seine koloniale Vergangenheit aufzuarbeiten.)
5. Restitution (= Rückgabe) geraubter Objekte, z.B. aus Namibia, oder Zirkulation zwischen den Museen soll die Lösung ein. Was meinen Sie?

# 5 Aus der Wirtschaft

*Servicearbeiten an einer Windturbine*

*Offshore Windanlagen*

## Beschäftigte im Kohlebergbau

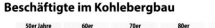

| | 50er Jahre | 60er | 70er | 80er | 90er | 00er | 2010 - 201 |
|---|---|---|---|---|---|---|---|

600 Tsd.

1957
607 349

Steinkohle

400

1985
160 348

2017
20 891
5711

200

Braunkohle*

0

*ab 2002 inklusive Beschäftigten in angeschlossenen Kraftwerk

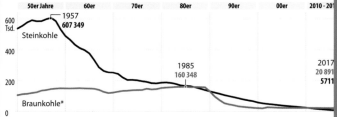

## Windenergie in Deutschland

Ende 2018 standen in Deutschland
**29 213 Windenergie-Anlagen**
mit einer Leistung von **52 931 Megawatt.**

| 2018 | 52 931 |

2014
38 116

2010
27 190

2006
20 622

2003
14 609

2000
6095
MW

**Installierte Leistung
in Megawatt**

### Jährlicher Zubau von Anlagen

1495 · 2328 · 1703 · 1208 · 754 · 1766 · 1792 · 743

2000 · 03 · 06 · 10 · 14 · 17 2018

Quelle: Bundesverband WindEnergie

© Globus 13382

*Braunkohlekraftwerk Schkopau (Sachsen-Anhalt)*

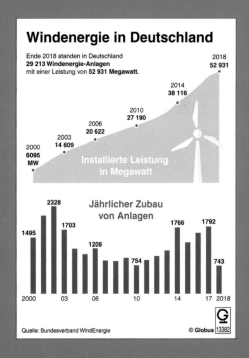

# Die Welt der Arbeit
## Was tun Staat und Wirtschaft?

**1.** 1970 gab es in Westdeutschland Vollbeschäftigung, dann aber stieg die Zahl der Arbeitslosen. Heute ist sie kontinuierlich auf einen historischen Tiefstand gesunken. Arbeitslos sind oft Menschen ohne Berufsausbildung und ältere Arbeitnehmer. Wer keinen Schulabschluss und keine Berufsausbildung hat, hat kaum Chancen, weil Beschäftigung für Ungelernte in einer technisch hochkomplizierten Arbeitswelt immer weniger wird. Andererseits fehlen Sozialarbeiter in den Sozialberufen, bei der Pflege von Kranken und Alten, in den Flüchtlingsunterkünften und Fachkräfte vor allem in der Elektrotechnik, im Maschinenbau und im Bauwesen. Wer an einer Fachhochschule ein Ingenieurstudium abschließt und sich früh spezialisiert, ist auf dem Arbeitsmarkt heiß begehrt. Gute Aussichten hat ebenso, wer Sozialpädagogik studiert.

**2.** In Deutschland gibt es seit 1927 die gesetzliche Arbeitslosenversicherung. Die Geldmittel für die Versicherung werden je zur Hälfte von den Arbeitnehmern und den Arbeitgebern aufgebracht. Die Bundesagentur für Arbeit in Nürnberg zahlt aufgrund dieser Beiträge das Arbeitslosengeld I (für alle, die arbeitslos werden) und das Arbeitslosengeld II (= die frühere Sozialhilfe für Langzeitarbeitslose).

### Das Stichwort ☞ Arbeitslosengeld II = Hartz IV (Sozialhilfe)

*Finanzielle Hilfe der Städte und Kommunen für Menschen, die nicht genügend Geld für ihren Lebensunterhalt zur Verfügung haben. Zu den Empfängern gehören Langzeitarbeitslose, ältere Menschen mit niedriger Rente, Familien mit geringem Einkommen, alleinerziehende Mütter und Kinder. Sie sind nach wie vor armutsgefährdet, denn ihr Einkommen liegt unter der Schwelle, die die EU festgelegt hat.*

Die Arbeitsmarktreformen von 2002 bis 2005 haben die Arbeitslosigkeit zwar halbiert, aber auch zu Niedriglöhnen geführt, Arbeitslose können nach kurzer Zeit auf Hartz IV-Niveau fallen.

**3.** Die gesetzliche Rentenversicherung zahlt Rente ab 65 Jahre (wird langsam angehoben auf 67 Jahre). Wer 45 Jahre gearbeitet hat, darf mit 63 in Rente gehen. Seit 2017 gibt es die Flexirente, d.h. Rentner können den Übergang in den Ruhestand flexibel gestalten, früher oder später als zum offiziellen Rentenalter aufhören zu arbeiten. Auch können sie etwas dazuverdienen. Der Generationenvertrag bedeutet, dass die heute Berufstätigen für die Rentner von heute sorgen (S. 75). Ob die Rentenkasse gut gefüllt ist oder nicht, hängt von der Konjunktur ab, d.h. von den Beiträgen der Berufstätigen und der Firmen zur Rentenversicherung.
In die solidarische Krankenversicherung zahlen alle Arbeitnehmer ein. Diejenigen, die gesund sind, zahlen für die, die krank sind.

**4.** Arbeitslosigkeit ist heute in allen Industrieländern ein zentrales Thema. In Deutschland steuert die Regierung mit aktiven Maßnahmen zur Beschäftigungsförderung dagegen. Firmen, die Langzeitarbeitslose einstellen, werden unterstützt.

### Das Stichwort ☞ Familienunternehmen

*Zu den Familienunternehmen zählen kleine und mittlere regionale Unternehmen ab 50 Mio. Euro Umsatz. Besonders kleinere Unternehmen binden Beschäftigte über Jahre und sind regional als Sponsoren begehrt. Laut Statistik haben sie überdurchschnittlich viele neue Arbeitsplätze geschaffen. Familienunternehmen haben einen langen Atem und sind nicht Investoren verpflichtet, sondern der Familie und den Angestellten. Große internationale Unternehmen wie BMW und VW sind börsennotierte Familienunternehmen.*

# Arbeitsmodelle

**1.** 1918/19 führten Gewerkschaften und Arbeitgeber den 8-Stunden-Tag ein. Seit den Siebzigerjahren gibt es die 5-Tage-Woche. Neueste Tarifverträge ermöglichen die Reduzierung auf 28 Stunden (z.B. zur Pflege von Angehörigen) und zum Ausgleich die Ausdehnung auf 40 Stunden. Im 21. Jahrhundert nimmt die standardisierte Arbeit mit festen Arbeitszeiten ab und selbstbestimmtes Arbeiten nimmt zu.

## Das Stichwort ☞ Homeoffice

*Die Corona-Krise hat gezeigt, dass Arbeiten unabhängig von Ort und Zeit für viele Berufe möglich ist. Flexibilität ist angesagt und der Schwerpunkt liegt auf der erbrachten Leistung. So mancher Arbeitnehmer möchte auf die neue Freiheit nicht mehr verzichten. Die Generation Z, die unter 30-Jährigen, hatten mehr Unabhängigkeit eingefordert. Die neue Entwicklung dürfte ihnen entgegenkommen. Nicht geklärt ist, ob Homeoffice Frauen in traditionelle Rollen zurückdrängt.*

Co-Working-Spaces, also Job-WGs entstehen, die zeitweise oder über eine längere Zeit Räume oder nur Schreibtische für Selbstständige, Start-ups oder Unternehmen bereitstellen. Dem Beschäftigten als digitaler Nomade scheint die Zukunft zu gehören. In trendigen Gemeinschaftsbüros fühlt man sich wohl, hat aber wenig miteinander zu tun: viel Freiheit, aber wenig kollegiale Anerkennung.

Um hier das Rennen zu machen, braucht das Land ein schnelles Internet auch auf dem Land, Forschungsförderung und weniger Bürokratie. Die Digitalisierung bringt keine einfachen Jobs zurück, sondern schafft höher qualifizierte Stellen in der deutschen Wirtschaft, z.B. als Informationstechniker oder Service-Experten. Neue Berufe entstehen, Weiterbildung ist dringend notwendig. Die Entwicklung verläuft aber nur langsam, einfache Helfer sind noch nach wie vor gefragt.

**3.** Aber es gibt auch negative Entwicklungen: kleine Auftragsarbeiten werden in kleinen Portionen über Online-Plattformen verteilt, GigÖkonomie genannt (Gig für jeden Auftritt) für Crowd- und Clickworker. Plattformen zahlen keine Steuern und keinen Mindestlohn. Es fehlen die soziale Absicherung bei Krankheit und im Alter sowie soziale Bindungen. Seit einigen Jahren gibt es nun die Plattform „Faircrowdwork", die von der IG-Metall und anderen europäischen Gewerkschaften geschaffen wurde. Solo-Selbstständige können ihr beitreten. Influencer, Kuriere, Solo-Selbstständige bestimmen Arbeit und Privates für sich neu.

**4.** Weit verbreitet ist Zeitarbeit, die Arbeitslose wieder in feste Arbeit bringen soll.

## Das Stichwort ☞ Zeitarbeit/Leiharbeit

*Es gibt ca. 1 Million Leiharbeiter. Die Zeitarbeitsfirma verleiht den Arbeitnehmer an eine Firma. Betriebe sollen Auftragsspitzen und Personalengpässe ausgleichen. Berufsanfänger können sich einen Überblick über Branchen und Firmen verschaffen. Nach 9 Monaten im gleichen Betrieb müssen Leiharbeiter im Allgemeinen den gleichen Lohn wie Festangestellte bekommen. Nach 18 Monaten müssen sie fest angestellt werden oder den Betrieb verlassen.*

**5.** Mit den Arbeitsmarktreformen im Jahr 2005 sind auch Niedriglöhne entstanden. Minijobs bedeuten meist weniger soziale Absicherung und einen niedrigeren Verdienst. Atypisch beschäftigt sind vor allem Frauen, junge Menschen zwischen 15 und 25 Jahren, Geringqualifizierte und Ausländer, unter anderem in der Gastronomie und im Handel (s. auch Mindestlohn unten). Als „arm" gilt in Deutschland, wer inklusive staatlicher Leistungen weniger als 60% des Durchschnittseinkommens des Landes verdient. Geringverdiener stocken ihr Einkommen auf durch den Bezug von Arbeitslosengeld II (= Hartz IV) oder mit einem zweiten Job. Ihnen droht Altersarmut, weil ihre Rente gering sein wird und das Geld für eine private Versicherung fehlt. Armut in Deutschland ist eine „relative Armut" gegenüber der „absoluten Armut" in Ländern der Dritten Welt.

Mit der Veränderung der Arbeitswelt ist ein neues Thema in den Fokus gerückt: die Einführung eines bedingungslosen Grundeinkommens für alle Bürger, das engagierte Befürworter wie Gegner findet. Es soll Wunder bewirken gegen Automatisierung, Digitalisierung, Arbeitslosigkeit, Ungleichheit und Armut. Unklar ist, wie es zu finanzieren und zu organisieren ist. Ehrliches Teilen und Tauschen geschieht auf unterer Ebene zwischen Nachbarn und durch kreative Betriebsgründungen. Die Internet-Ökonomie bildet keine echten Gemeinschaften. Bisher ist nicht gewährleistet, dass die großen globalen Unternehmen mit ihren Plattformen ihre Gewinne teilen und Steuern zahlen wollen. Die EU-Staaten wollen sich gegen Monopolentwicklungen durchsetzen. Datenschutzgesetze sind bereits unterwegs.

**Atypische Beschäftigung:** So bezeichnet das Statistische Bundesamt Teilzeitstellen bis zu 20 Stunden pro Woche, befristete Arbeitsverträge, geringfügige Beschäftigung (auch Minijobs oder 450-Euro-Jobs) oder Jobs als Zeitarbeit. Ca. 7.7 (2017) Millionen Menschen sind derzeit atypisch beschäftigt (22 % in den alten und 16 % in den neuen Bundesländern).

**Geringverdiener:** Ca. ein Fünftel aller Vollzeitarbeiter sind Geringverdiener. Einfache Arbeit nimmt immer

mehr ab und konzentriert sich auf den Niedriglohnsektor. Geringverdiener arbeiten oft 45 Stunden und mehr die Woche und verdienen durchschnittlich nicht mehr als 2/3 des durchschnittlichen Stundenlohns.

**Minijobs und Teilzeitjobs:** Ein Teil der Geringverdiener arbeitet in Mini- oder Teilzeitjobs. Das betrifft vor allem Frauen, die etwas dazu verdienen wollen, und schlecht Ausgebildete. Wenn niemand sonst in der Familie Geld verdient, können Minijobber staatliche Unterstützung (= Hartz IV) beantragen. Durch die Corona-Pandemie sind jedoch viele Minijobs verloren gegangen.

Seit Anfang 2019 können Frauen in großen Betrieben aus der Teilzeit in einen Vollzeitjob zurückkehren, was bisher schwierig war. Das ist mehr Gleichberechtigung, die besonders gut ausgebildeten Frauen nach der Familienpause weiterhilft.

## Arbeitgeber und Arbeitnehmer

**1.** Es gab 2019 in Deutschland 45,2 Millionen Erwerbstätige, davon über 80% in Vollzeitjobs: Freiberufler, Arbeiter, Angestellte, Beamte und Auszubildende.

### Das Stichwort ☛ Mindestlohn
*Der gesetzliche flächendeckende Mindestlohn ist ein niedrigstes Arbeitsendgeld, dessen Höhe ein Gesetz oder ein Tarifvertrag regelt. Er soll Lohndumping verhindern und bewirken, dass Erwerbstätige ihre Existenz durch ihr Einkommen sichern können und nicht auf staatliche Hilfe angewiesen sind. 21 EU-Länder haben bereits einen gesetzlichen Mindestlohn. In Deutschland gibt es seit dem 1. Januar 2015 einen Mindestlohn, mit wenigen zeitlich befristeten Ausnahmen. Eine ständige Mindestlohnkommission wurde eingerichtet, die alle fünf Jahre zusammentritt und die Erhöhung des Mindestlohns festsetzt. Die Tätigkeit der neun Mitglieder ist ehrenamtlich.*

**2.** Arbeitnehmer werden durch die Gewerkschaften vertreten, Arbeitgeber u.a. durch die Arbeitgeberverbände. Beide sind Tarifpartner, die die Tarifverträge ohne Einmischung des Staates (= Tarifautonomie) aushandeln. Diese Verträge legen die Löhne und Gehälter, die Arbeitszeit, Urlaubsdauer usw. für eine Branche fest. Die jährlichen Tarifauseinandersetzungen sind zum Teil sehr heftig: Wenn sie scheitern und auch eine Schlichtung die Auseinandersetzung nicht beilegt, bleibt der Streik. Die Gewerkschaft kann den Streik ausrufen, wenn die Mehrheit ihrer Mitglieder in einer Urabstimmung dafür gestimmt hat. Die Arbeitgeber können ihrerseits mit der Aussperrung von der Arbeit antworten.

Dem Deutschen Gewerkschaftsbund (DGB) gehören 8 Einzelgewerkschaften an; die größte Einzelgewerkschaft in Deutschland und weltweit ist die IG Metall mit 2,3 (2017) Millionen Mitgliedern. Die zweitgrößte ist die Vereinte Dienstleistungsgewerkschaft Ver.di (gegründet 2001).

Man muss aber festhalten, dass heute nur noch jeder siebente der Beschäftigten in tarifgebundenen Betrieben arbeitet; in Ostdeutschland sind es noch weniger. Branchen mit kleinen, weniger organisierten Betrieben haben oft keine Tarifverträge. Start-ups wollen meist keine Tariflöhne und Betriebsräte, weil die Auflagen das Gründen erschweren könnten. In der Anfangsphase verdienen die Mitarbeiterinnen und Mitarbeiter in Start-ups im Allgemeinen weniger als in vergleichbaren Stellen und arbeiten auch länger. Wenn die Firmen wachsen, sind geregelte Arbeitszeiten und Arbeitsbedingungen allerdings unvermeidbar.

Die Politik bemüht sich, die Bedingungen für die Pflegeberufe zu verbessern. Sie sind nicht gut bezahlt, Tarifverträge kaum bekannt, werden aber vorbereitet. Die Not ist groß, denn Pflegerinnen und Pfleger fehlen in allen Einrichtungen  von Krankenhäusern bis Altenheimen.

**3.** Die Rechte der Arbeitnehmer in den Betrieben sind gesetzlich geregelt durch das Betriebsverfassungsgesetz und die Mitbestimmung. In allen Betrieben, die mehr als fünf Arbeitnehmer beschäftigen, kann ein Betriebsrat gewählt werden. Dieser vertritt die Interessen der Arbeitnehmer. Diese Konsenskultur zwischen Kapital und Arbeit ist oft mühsam, fördert aber Erfolg und den sozialen Frieden. Mitbestimmung in staatlichen und privaten Unternehmen gibt es in allen EU-Ländern, allerdings unterschiedlich geregelt.

**4.** Millionen von Arbeitsnehmern mit Migrationshintergrund erwirtschaften einen Teil des Bruttoinlandsprodukts und zahlen jährlich Steuern und Sozialabgaben in Milliardenhöhe. Jeder fünfte derjenigen, die an der Gründung einer Firma interessiert sind, hat einen Migrationshintergrund. Diese neu gegründeten Firmen haben schon ca. 2,3 Millionen Jobs geschaffen. Das sind Jobs nicht nur in Handel und Gastronomie, sondern auch im Dienstleistungsbereich und in der Industrie.

## Made in Germany

**1.** Deutschlands Handelsüberschuss – mehr Exporte als Importe – ist größer als in jedem anderen Land. Exportschwerpunkte der deutschen Industrie sind Straßenfahrzeuge, Maschinen, chemische Produkte, Elektrotechnik und die Umwelttechnik.

**2.** Deutschland gehört zu den G-7, den großen westlichen Industrieländern, die den Weltmarkt beherrschen. Die größten deutschen Unternehmen sind Volkswagen, BMW, Daimler, Siemens (Elektrotechnik), Bosch

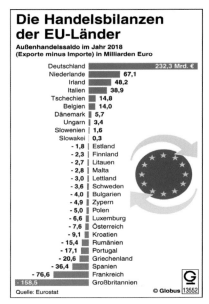

**Die Handelsbilanzen der EU-Länder**

Außenhandelssaldo im Jahr 2018
(Exporte minus Importe) in Milliarden Euro

| Land | Mrd. € |
|---|---|
| Deutschland | 232,3 Mrd. € |
| Niederlande | 67,1 |
| Irland | 48,2 |
| Italien | 38,9 |
| Tschechien | 14,8 |
| Belgien | 14,0 |
| Dänemark | 5,7 |
| Ungarn | 3,4 |
| Slowenien | 1,6 |
| Slowakei | 0,3 |
| Estland | - 1,8 |
| Finnland | - 2,3 |
| Litauen | - 2,7 |
| Malta | - 2,8 |
| Lettland | - 3,0 |
| Schweden | - 3,6 |
| Bulgarien | - 4,0 |
| Zypern | - 4,9 |
| Polen | - 5,0 |
| Luxemburg | - 6,6 |
| Österreich | - 7,6 |
| Kroatien | - 9,1 |
| Rumänien | - 15,4 |
| Portugal | - 17,1 |
| Griechenland | - 20,6 |
| Spanien | - 36,4 |
| Frankreich | - 76,6 |
| Großbritannien | - 158,5 |

Quelle: Eurostat

© Globus 13552

(Automobilzulieferer) und die Deutsche Telekom. Mit Autos werden die höchsten Umsätze erzielt. Durch eine starke Industrie und die nicht einseitige Abhängigkeit von Finanzdienstleistungen ist das Land auch in Krisenzeiten gut aufgestellt. Dennoch ist nicht zu übersehen, dass große Traditionsfirmen wie ThyssenKrupp oder Bayer im globalen Wettbewerb um ihre Zukunft kämpfen. Und Werke wie Siemens, BMW, Daimler oder Volkswaren gehen neue Wege. Autofirmen machen sich fit für die Elektromobilität und das autonome Fahren.

**3.** Die westdeutsche Wirtschaft ist aber eine überwiegend mittelständische Wirtschaft. Die westdeutsche und zunehmend auch die ostdeutsche mittelständische Wirtschaft sind internationaler geworden. Sie werden jetzt auch digital und suchen zusammen mit Start-ups neue digitale Geschäftsmodelle.

**4.** Die IT-Branche wächst zurzeit überdurchschnittlich. München, Berlin und Hamburg sind besonders attraktiv für junge Gründer. EXIST, ein Förderprogramm des Bundesministeriums für Wirtschaft und Energie unterstützt bei der Vorbereitung von Existenzgründungen und vergibt Stipendien. So entstehen junge Firmen, die z.B. Analysen für Unternehmensprozesse, eine Verschlüsselungstechnik für die Datenspeicherung in der Cloud oder ein Chatsystem für Firmen im Dialog mit ihren Kunden entwickeln.
Die Rahmenbedingungen für Start-ups müssten noch besser werden. Dazu gehören grenzüberschreitende Bedingungen in Europa, damit die verschiedenen Rechtsformen in den einzelnen EU-Ländern kein Hindernis mehr sind, z.B. die Schaffung einer europäischen GmbH. Die jungen Unternehmen in der Digitalwirtschaft brauchen Fachkräfte; sie fordern europäische Gesetze für eine bessere Beteiligung der Mitarbeiter am Gewinn: um die Motivation zu steigern und um zu vermeiden, dass gut ausgebildete Fachkräfte vom Silicon Valley abgeworben werden.

Nicht das Silicon Valley mit seinen schnellen Lösungen sollte Vorbild sein, sondern solide Innovationen im Industriebereich in der Vernetzung von Maschinen, Fabriken und Produkten. München organisiert jährlich die Gründermesse „Bits und Pretzels", auf der junge Start-ups ihre Konzepte vorstellen, mit Investoren sprechen und alles über Trends, das Gründen und Scheitern erfahren.

## Wirtschaft in West und Ost

**1.** Die westliche Marktwirtschaft stand jahrzehntelang im Gegensatz zur östlichen Planwirtschaft. Prinzip der Marktwirtschaft ist der Wettbewerb; ihr Motor sind Wachstum und Gewinn. Gesteuert wird der Wirtschaftsprozess über den Preis, dessen Höhe von Angebot und Nachfrage, Überangebot und Mangel abhängt. Hinzu kommen Privateigentum, freie Berufs- und Arbeitsplatzwahl sowie freier Geldverkehr, verbunden mit dem Bank- und Steuergeheimnis. Das Gesetz verbietet Absprachen zwischen Konkurrenten und den Zusammenschluss von Firmen, der den freien Wettbewerb gefährden könnte. Das Idealziel der Marktwirtschaft sind stabile Preise, ein hoher Beschäftigungsstand, ein außenwirtschaftliches Gleichgewicht und stetiges Wachstum. Realität ist, dass Rezessionen in regelmäßigen Abständen dieses Ideal trüben. Kritiker merken an, dass Wohlstand nicht allein auf Wachstum beruht, sondern u.a. auch auf Bildung und Umweltverträglichkeit.

**2.** In der Bundesrepublik wurde das freie Spiel der Marktprinzipien zugunsten der von allen bezahlten Bereiche eingeschränkt. In der sozialen Marktwirtschaft greift der Staat in diese Bereiche regulierend ein, insbesondere bei Gesundheit, Wohnen, Verkehr, Erziehung, Rechtspflege, Bildung, Forschung und Entwicklung, die im allgemeinen nationalen Interesse stehen. Auch Solidarleistungen zur Vermeidung existenzieller Notlagen gehören dazu, wie zum Beispiel das

Wohngeld oder bei Arbeitslosigkeit das Arbeitslosengeld. Ein wesentliches Moment der sozialen Marktwirtschaft ist die Tarifpartnerschaft von Gewerkschaften und Unternehmerverbänden (siehe S. 141).

**3.** Um die marktwirtschaftlichen Kräfte zu stärken hat sich die Bundesregierung aus vielen Unternehmen zurückgezogen (siehe die Deutsche Post, die Lufthansa, die Privatisierung der Bahn ist bisher nicht erfolgt). Subventionierung und Regulierung prägen dennoch weite Teile der Wirtschaft. Der Staat ist besonders in Krisenzeiten gefragt. In der Wirtschaftskrise 2008/09 rettete er Banken vor dem Zusammenbruch, brachte Konjunkturpakete auf den Weg und unterstützte Kurzarbeit. Auch in der Corona-Krise griff der Staat helfend ein (siehe S. 145) und die EU-Kommission gewährte Zuschüsse und Kredite für die Mitgliedstaaten. Gefahren für die Marktwirtschaft drohen heute von Monopolbildungen und internationalen Konzernen, die den freien Wettbewerb einschränken. Europa braucht ein neues Wettbewerbsrecht, das in die Zeit passt.

**4.** Das größte Privatisierungsgeschäft betrieb bis Ende 1994 die Treuhandanstalt in Berlin. Sie wurde gegründet, um die mehr als 8000 staatseigenen Betriebe der ehemaligen DDR an die Marktwirtschaft anzupassen, d.h. sie zu privatisieren (zu verkaufen), zu sanieren oder „abzuwickeln"; 47 000 Betriebe wurden insgesamt privatisiert. Die Arbeit der Treuhand ist insofern einmalig, als es bisher keine Umwandlung einer Volkswirtschaft in dieser Größenordnung gegeben hat. 1,5 Millionen Arbeitsplätze sind entstanden und zwei Drittel von 4 Millionen gingen verloren. Der Arbeitsplatzabbau hat besonders von ostdeutscher Seite viel Kritik erfahren. Die Privatisierung sei „im Prinzip richtig" gewesen, „falsch waren die Methoden und das Tempo", schrieb Helmut Schmidt (Ex-Bundeskanzler).

## Das Stichwort ☞
### Abwicklung, abwickeln

*Diese Wörter waren Schlüsselwörter der wirtschaftlichen Umstrukturierung in den neuen Bundesländern. Sie bedeuten „Auflösung", „Liquidation", „Stilllegung" bzw. „auflösen", „liquidieren", „stilllegen". Positiv dagegen sind „Sanierung" bzw. „sanieren".*

**5.** Politik und Wirtschaft unterschätzten die Unterschiede zwischen Ost und West: Das Leistungsgefälle war groß und die Menschen waren nach 40 Jahren DDR auch andere. Die Erwartungen an Wohlstand waren hoch, aber die Entwicklung verlief anders als nach dem Zweiten Weltkrieg. Die Einführung der Mark und die Übertragung westdeutscher Sozialmodelle, die nur in einer dynamischen Wirtschaft funktionieren können, führten zum Crash, zur Kostenexplosion in den Betrieben, zu De-Industrialisierung und Arbeitslosigkeit. Die wirtschaftliche Situation in den neuen Bundesländern verschärfte sich, als die traditionellen Märkte der ostdeutschen Industrie, nämlich die finanzschwachen osteuropäischen Länder, wegbrachen. Der Export ostdeutscher Waren ging 1990/91 um 75% zurück. Die riesigen Kombinate wie auch mittlere und kleinere Betriebe überlebten die Wende nicht. Tatsache ist, dass die Treuhand zwar die Betriebe auf ihre Überlebenschancen prüfte, aber der Privatisierung (= den Verkauf) vor einer aktiven Wirtschaftspolitik den Vorrang gab. Sie subventionierte die Umstrukturierungen und löste dadurch einen „Goldrausch" westdeutscher Unternehmer aus. Diese Entwicklung hat weitreichende negative Folgen bis heute (siehe S. 158). Noch 30 Jahre nach der Vereinigung sind die Mehrzahl der Spitzenpositionen in westdeutscher Hand. Ca. ein Viertel der Positionen sind von Ostdeutschen besetzt. Festgestellt wurde dies für die Bereiche Politik, Wissenschaft, Kultur, Justiz, Wirtschaft und für die Bundeswehr. Die Treuhand ist zu einem Symbol für die Macht aus dem Westen geworden. Unterschiede schmerzen noch heute. Sie zeigen, dass die deutsche Einheit eine konfliktreiche soziale und kulturelle Nachgeschichte hat. Ostdeutsche beklagen eine gewisse Herablassung ihnen gegenüber und Besserwisserei der Westler. Diese Sorgen greift die AfD auf, schürt Angst und gewinnt Wählerstimmen auf dem rechten Rand.

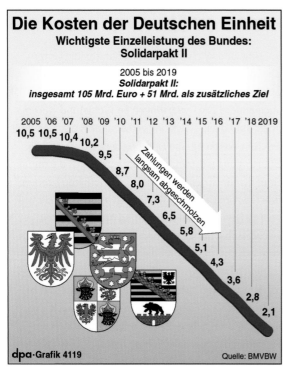

**Die Kosten der Deutschen Einheit**
**Wichtigste Einzelleistung des Bundes:**
**Solidarpakt II**

2005 bis 2019
*Solidarpakt II:*
**insgesamt 105 Mrd. Euro + 51 Mrd. als zusätzliches Ziel**

2005 '06 '07 '08 '09 '10 '11 '12 '13 '14 '15 '16 '17 '18 2019
10,5 10,5 10,4 10,2
9,5
8,7
8,0
7,3
6,5
5,8
5,1
4,3
3,6
2,8
2,1

Zahlungen werden langsam abgeschmolzen

dpa·Grafik 4119        Quelle: BMVBW

**6.** Neben privaten Investitionen flossen Milliardenbeträge in die neuen Bundesländer: für staatliche Förderprogramme, den Ausbau des Verkehrsnetzes, für die Modernisierung von Schulen, Krankenhäusern und Wohnungen, den Wohnungsbau, für Maßnahmen des Umweltschutzes, die berufliche Fortbildung und Umschulung. Gleichzeitig trieb der Staat den Ausbau der Verwaltung und des Justizwesens voran. Die Gelder kommen vom Bund, den alten Bundesländern, der Europäischen Gemeinschaft und aus den Förderungsfonds. Alle Bundesbürger leisten einen sogenannten Solidaritätszuschlag („Soli" genannt"), der auf die Löhne und Einkommen bis 2021 erhoben wurde.

## Das Stichwort ☞ Solidarpakt II

*Der Fonds „Deutsche Einheit" sollte den fünf östlichen Bundesländern nach der Wende wirtschaftlich „unter die Arme greifen". Aber die Schulden wuchsen und die Mittel reichten nicht aus. 1995 stellte dann der Solidarpakt weitere 81 Milliarden Euro zur Verfügung, die Ost und West bis 2004 angleichen sollten. 2005 musste der Solidarpakt II in Höhe von 156 Milliarden gestartet werden. Diese Förderung ist 2019 ausgelaufen. Es wird geschätzt, dass insgesamt fast 2 Billionen Euro in die neuen Bundesländer geflossen sind. Trotzdem sind die Lebensverhältnisse noch immer nicht völlig angeglichen.*

Es hat sich herausgestellt, dass Zukunftssicherung nur durch Investitionen in die Köpfe und in Innovationen möglich wird, weniger als bisher durch die Förderung der Infrastruktur, des Städte- und Straßenbaus. Positiv zu bewerten für Ostdeutschland ist natürlich auch die Tatsache, dass der Lebensstandard gestiegen ist, und vor allem, dass jeder reisen kann , wohin er will, sofern das Portemonnaie dies zulässt.

**7.** Inzwischen haben Innovationen und eine gewisse Aufbruchstimmung dennoch neue Fakten geschaffen. Besonders in den Ballungsräumen in Sachsen (Mikroelektronik in Dresden), Thüringen (optische Industrie in Jena), Eisenach (Automobilbau und Autozulieferer), Brandenburg (Luft- und Raumfahrt-Industrie) und Sachsen-Anhalt (Photovoltaik-Industrie im Raum Bitterfeld) sind sogenannte industrielle Leuchttürme entstanden, die auch auf den Weltmarkt ausstrahlen.

**8.** Negativ schlägt zu Buche, dass manche Regionen im Osten nur dünn besiedelt sind und dass seit dem Mauerfall ca. zwei Millionen Menschen dem Osten den Rücken gekehrt haben. Inzwischen ist die Binnenwanderung aber fast ausgeglichen. Doch das Lohniveau und die Produktivität liegen noch zurück, mit Ausnahme der großen Städte und Wirtschaftszentren.

Die Arbeitslosenquote ist im Osten noch höher als im Westen. Der Wirtschaft fehlen die großen Zentren von Konzernen und auch der Nachwuchs (s. S. 158)

9. Staat und Wirtschaft müssen in Forschung und Entwicklung, Bildung und Wissenschaft investieren.Mit Ernst Werner von Siemens, Gottlieb Daimler und Robert Bosch war Deutschland das Land der Tüftler und Erfinder, die die Marke Made in Germany weltbekannt machten. Heute konzentriert sich das Land darauf, in Zukunftstechnologien wie z.B. der Künstlichen Intelligenz sowie der Biotechnologie vorn zu sein, auch unter schwierigen Weltmarktverhältnissen (siehe S. 151ff.). Pluspunkte für den Standort Deutschland bringen die gute Ausbildung, die hohe Produktivität der Arbeitnehmer, das soziale Klima, die Infrastruktur, politische Stabilität und nicht zuletzt die Rechtssicherheit. Nachhaltigkeit ist zu einem Erfolgsfaktor in der Wirtschaft geworden. Voraussetzung ist, dass alle Prozesse in Frage gestellt werden: Wo kommen die Rohstoffe her und wie werden sie verarbeitet? Wie kann Energie eingespart werden? Wie werden Mitarbeiter geschult?

Während der weltweiten Epidemie 2020/21 unterstützten Konjunkturpakete in Milliardenhöhe die Wirtschaft. Der Staat bezahlte Kurzarbeit. Finanzielle Hilfen können auch Unternehmen und Selbstständige beanspruchen, Künstler, Theater, Opern, auch Familien, besonders Kinder und Alleinerziehende. Die Staatsschulden steigen enorm und es gibt viele Unzufriedene, vor allem Querdenker, die die Einschränkungen des öffentlichen Lebens ablehnen.

## Aufgaben

1. Welche Erfindungen haben diese Forscher im 19. Jahrhundert gemacht? Rudolph Diesel, Otto Lilienthal, Werner von Siemens, Georg Simon Ohm.
2. Mit welchen Entdeckungen sind die folgenden Namen im 20. Jahrhundert verbunden? Alfred Wegener, Otto Hahn, Max Planck, Konrad Zuse, Werner Heisenberg.

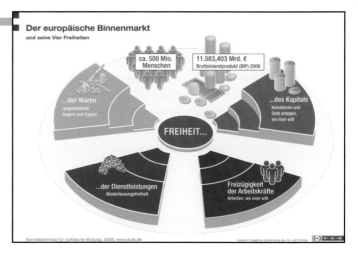

# Die EU und Europas Krisen

1. In Artikel 8a des EWG-Vertrags heißt es: „Der Binnenmarkt umfasst einen Raum ohne Binnengrenzen, in dem der freie Verkehr von Waren, Personen, Dienstleistungen und Kapital ... gewährleistet ist." Und seit dem 1.1.1993 ist er „verwirklicht". Insgesamt erwarten die Europäer von der europäischen Integration neue Absatzmärkte, mehr Stabilität und eine bessere Wettbewerbsfähigkeit auf dem Weltmarkt. Die Realität aber sieht differenzierter aus: Viele EU-Staaten haben sich verschuldet und das Jahr 2015 brachte neue Gefahren, die Europa verändern werden.

2. Rückblick: In den ersten zehn Jahren der Europäischen Gemeinschaft – seit 1958 – wurden schnelle Fortschritte erzielt. Die sechs Gründungsstaaten Deutschland, Frankreich, Italien, die Niederlande, Belgien und Luxemburg schafften alle Zölle und Quoten in ihrem Binnenhandel ab. Der Kapitalverkehr ist seit 1990 frei, d.h. Gelder können über die Grenzen fließen und angelegt werden, wo die Bedingungen am günstigsten sind. Und am 1.1.1993 sind dann auch die Grenzkontrollen für einen Großteil des grenzüberschreitenden Verkehrs mit Waren weggefallen. Der Reisende kann privat ohne Einschränkungen zum eigenen Bedarf einkaufen und die Waren einführen. Waren, die gewerblichen Zwecken dienen, müssen weiterhin im Bestimmungsland versteuert werden, denn die Steuern – z.B. die Mehrwertsteuer – sind in den einzelnen Ländern der EU unterschiedlich hoch.

**3.** „Eine simple Idee – aber schwer zu verwirklichen", hieß eine Überschrift in der „Süddeutschen Zeitung" kurz vor Beginn des Binnenmarkts: Der Politik der Liberalisierung und des Freihandels stellen sich Protektionismus und nationale Interessen entgegen. Bisher sind Tausende von Richtlinien in Brüssel beschlossen worden, aus denen der Binnenmarkt derzeit zusammengesetzt ist. Eine Richtlinie setzt flächendeckend eine Innovation durch, z.B. den Ersatz der alten Glühbirne durch Energiesparlampen. Die Richtlinie übt Druck auf die Länder aus, den Rechtsakt in ein nationales Gesetz zu übernehmen. Mit Recht wenden Kritiker ein, dass vieles, z.B. im Baurecht, überreguliert ist.

**4.** Im freien Warenverkehr soll der Grundsatz gelten, dass das in einem Land der Gemeinschaft hergestellte Erzeugnis auch gut ist, um im anderen angeboten zu werden. In Wirklichkeit werden viele Einwände gegen den freien Warenverkehr erhoben, um nationale Produkte zu schützen. Beispiele: Die Deutschen öffneten nur unwillig ihre Grenzen auch für Bier, das nicht den strengen Vorschriften für deutsches Bier entspricht; die Franzosen verteidigen die besondere Herstellung ihres Baguettes, um das typische Flair zu erhalten. Österreich machte vor dem Beitritt zur Bedingung, dass typisch österreichische Ausdrücke gleichberechtigt neben hochdeutschen Begriffen stehen, also „Tomate" und „Paradeiser", „Blumenkohl" und „Karfiol", „Schlagsahne" und „Schlagobers". Einig ist man sich, dass die kulturelle Vielfalt in der Gemeinschaft erhalten bleiben muss.

**5.** Wenn im digitalen Zeitalter neue Dienstleister in den Markt einzelner Länder drängen, gibt die EU Orientierungshilfe. Neue Ideen sollen eine Chance erhalten; sie will aber auch die Sicherheit und die Rechte der Kunden schützen und Steuergesetze anwenden.
In Handelsfragen ist die Gemeinschaft, nicht mehr der einzelne Mitgliedstaat, zuständig. Ein Gründungsfehler aber bleibt: Für die Geldpolitik ist die EZB zuständig, die Haushaltspolitik aber wird in den einzelnen Ländern gemacht. Um die Zustimmung zu Handelsverträgen zu verbessern, sollen die EU-Länder bei Verhandlungen und deren Abschluss in Zukunft stärker mitreden. Dann muss Europa aber bei internationalen Verhandlungen mit einer Stimme sprechen, um global nicht zu verlieren.
Die EU unterstützt den Freihandel und den internationalen Warenaustausch gegen eine Politik des Protektionismus, der Abschottung. Handelsabkommen sollen geschlossen werden, die aber Europas Umwelt- und Verbraucherschutz berücksichtigen.

## Das Stichwort ☞
### Institutionen der Europäischen Union
*Neben Frankfurt (Europäische Zentralbank = EZB) stehen auch die Standorte weiterer Institutionen fest: der Europäische Rechnungshof: Brüssel; die Europäische Umweltagentur: Kopenhagen; die Polizeistelle Europol: Den Haag; die Europäische Drogenüberwachungsstelle: Lissabon; die Europäische Stiftung für Berufsbildung: Turin; das Übersetzungszentrum: Luxemburg usw.*

**6.** Der Europäische Binnenmarkt ist mit über 500 Millionen Verbrauchern der größte gemeinsame Markt der Welt. Doch die Entwicklung verlief nicht immer „rund": Deutschland und Frankreich verletzten den Maastricht-Vertrag (Verschuldung über 3%), die Verschuldung verschiedener EU-Länder folgte und die gemeinsame Währung geriet in Turbulenzen. Rettungsschirme wurden aufgespannt, um die Märkte zu beruhigen und Mitgliedsländer aus der Staatsverschuldung zu helfen. Die Sparauflagen führten in Europa zur Schwächung der Wirtschaft und zu hoher Arbeitslosigkeit, vor allem der Jugendarbeitslosigkeit. Der EZB-Präsident forderte eine politische Union, die die Währungsunion ergänzen muss. Die nationalen Parlamente sind aber immer weniger bereit, Kompetenzen an Brüssel abzugeben.

## Das Stichwort ☞
### Europäischer Rettungsschirm (ESM)

*Die starken Euro-Länder stehen für die schwachen ein mit Krediten (mit günstigen Zinsen) und Bürgschaften zur Stabilisierung der Europäischen Wirtschafts- und Währungsunion. Die überschuldeten Staaten müssen dafür ihre Situation analysieren und sparen.*

Die Regierungschefs beschlossen den ESM, den Europäischen Stabilitätsmechanismus und den Fiskalpakt (Begrenzung der Schulden = Schuldenbremse).

**7.** Die EZB (S. 44), die Europäische Zentralbank, ist politisch unabhängig. Ihre Aufgabe ist, auf die Geldwertstabilität zu achten. Sie kaufte unbegrenzt Anleihen überschuldeter Länder auf. Dadurch sanken die Zinsen und entlasteten diese Länder. Danach flutete die EZB die Märkte mit billigem Geld, senkte die Zinsen und erhob von Banken Strafzinsen, wenn sie ihr Geld nicht als Kredite ausgaben. Die Folgen: Die Euro-Krise beruhigte sich und die Sparer stöhnen unter der Null-Zinspolitik. Um in Zukunft Finanzkrisen zu vermeiden, schuf das Europäische Parlament gesetzliche Grundlagen für eine europäische Bankenaufsicht. Seit 2014 überwacht die EZB besonders wichtige Banken im Euroraum und kontrolliert deren Liquidität (Bankenunion). Die Banken müssen eine Bankenabgabe in einen europäischen Fonds einzahlen, mit dem marode Banken abgewickelt werden können.

Inzwischen haben sich einige Krisenländer erholt. Doch Europa ist in einem schlechten Zustand: Die Gegensätze zwischen den Ländern haben sich verschärft. Populismus und Nationalismus hinterlassen ihre Spuren. Gegner Europas formieren sich in verschiedenen Ländern, rechtsnationale Parteien werden stärker und haben sogar Regierungsgewalt übernommen. Die zentrifugalen Kräfte drohen Europa zu zerstören.

### Die organisierte Sicherheit

Wie bekämpft die Europäische Union das organisierte Verbrechen? – In Maastricht wurde 1992 die Gründung einer europäischen Polizeibehörde beschlossen, die 1999 koordinierend tätig wurde: EUROPOL. Denn so vorteilhaft die Öffnung der Binnengrenzen für Wirtschaft und Tourismus ist, so wenig darf sie der internationalen Kriminalität – Waffen- und Drogenhandel, Geldwäsche, Terrorismus – zugutekommen.

EUROPOL in Den Haag (Niederlande) ist ein unionsweites System zum Austausch von Informationen innerhalb eines Europäischen Polizeiamtes. Es dient der Unterstützung der Zusammenarbeit der Polizei. EUROPOL kann auf das Schengener Informationssystem (SIS) zurückgreifen, das wichtigste Fahndungssystem in Europa. Eine europaweite Vernetzung der Datenbanken wurde vorgenommen.

2004 schufen die EU-Innen- und Justizminister eine zweite Sicherheitsbehörde: die europäische Grenzschutzagentur Frontex in Warschau (Polen). Sie koordiniert die Zusammenarbeit der EU-Mitgliedstaaten beim Schutz der Außengrenzen (Landgrenzen, Flughäfen, Seegrenzen) gegen illegale Einwanderung. Frontex bekam ab 2016 mehr Rechte, mehr Personal von den Mitgliedstaaten und mehr Ausrüstung und wird selbst als Grenz- und Küstenwache die Länder an den Außengrenzen unterstützen. Das zentrale europäische Überwachungssystem „Eurosur" sammelt Daten der Schiffsüberwachung von Drohnen, Radaranlagen und Bewegungssensoren.

Seit immer mehr Flüchtlinge über verschiedene Routen nach Europa drängen, steht der Grenzschutz im Dilemma zwischen Auftrag und Menschlichkeit. Für Europa steht die Frage im Raum, wie sich Flüchtlingspolitik mit europäischem Geist und Werten verträgt.

### *Aufgaben*

1. Welche Folgen haben offene Grenzen?
2. Wie beurteilen Sie die Arbeit von Frontex?

# Umweltsorgen

## Belastungen der Umwelt

**1.** Die Bundesregierung hat schon 1982 mit Maßnahmen zur Luftreinhaltung und zum Schutz der Wälder begonnen. 1986 wurde das Bundesministerium für Umwelt, Naturschutz und Reaktorsicherheit eingerichtet und die Bundesländer bekamen ihre Umweltministerien. Im Jahr 2000 entstand das Erneuerbare-Energien-Gesetz (EEG), das den Anteil von Wind-, Wasser-, Sonnenenergie und Geothermie an der Stromerzeugung in Deutschland gesteigert hat. Umfangreiche Fördermittel wurden zur Verfügung gestellt.
2008 hat Deutschland die Förderung für erneuerbare Energien sowie der Wärme-Kraft-Kopplung (Erzeugung von Strom und Wärme für Haushalte und Industrie) erhöht und ein Klimapaket beschlossen. Es steht Geld für die Windkraft und für Biomasse zur Verfügung, weniger für die Photovoltaik. Gefördert werden auch Hausbesitzer, die mit Solaranlagen, Holzpellets oder Wärmepumpen Energie erzeugen oder ihre Häuser besser isolieren (Wärmedämmung, siehe auch Öko-Häuser, S. 64). Die Reform des EEG im Jahr 2016 hatte zum Ziel, die Strompreise stabil zu halten.
Der Solarmarkt hat sich inzwischen mehrfach geändert. Deutsche Firmen wie Solarworld, die zum weltweiten Erfolg der Branche beigetragen hatten, wurden insolvent. Der Staat fuhr seine Förderung zurück. Heute lohnt es sich aber für den Bürger wieder, selbst erzeugten Ökostrom auch selbst z.B. für Wärmepumpen oder das Elektroauto zu nutzen: Neue Gesetze machen auch den Bau solarthermischer Großanlagen attraktiver. Bis 2030 soll der Anteil erneuerbarer Energien auf 65% steigen.
Die UN-Klimakonferenz in Paris 2015 hat ein neues weltweites Klimaabkommen beschlossen, das 2020 in Kraft treten und das Kyoto-Protokoll ablösen wird. Der Vertrag verpflichtet alle 196 beteiligten Staaten (2017 Kündigung der USA) zum Klimaschutz: Die Erderwärmung soll auf 1,5 bis 2 Grad begrenzt und die $CO_2$ Emissionen sollen in der 2. Hälfte des Jahrhunderts auf null gesenkt

werden. Das Institut für Klimafolgenforschung in Potsdam stellt aber bereits fest, dass 1 Grad Erwärmung erreicht ist und dass 3-4 Grad mit erheblichen negativen Folgen, z.B. mit Wetterextremen, wahrscheinlich werden. Es sei denn, die Weltgemeinschaft schafft eine Kehrtwende.

**2.** Lesen Sie den folgenden Auszug aus einem Papier des BUNDES (Bund für Umwelt und Naturschutz Deutschland), der größten Naturschutzorganisation in Europa.

### Waldzustand und Umweltmonitoring

Vor fast 50 Jahren machte der BUND auf das Waldsterben aufmerksam. Hinweisschilder mit dem Text: „Hier sterben die Kiefernwälder" stellte der Bund Naturschutz schon 1972 im bayerischen Kelheim auf. Es hagelte Proteste, die Schilder mussten entfernt werden. Zwei Jahre später bestätigte der Umweltminister den Befund. Es überschlugen sich bald darauf die Warnungen und ein Spruch wurde in die Welt gesetzt, klar und kompromisslos: „Erst stirbt der Wald, dann stirbt der Mensch."

Nachdem sich der Wald über Jahre etwas erholt hatte, geht es ihm heute wieder ziemlich schlecht. Die Luft ist zwar sauberer geworden, aber Stürme, Dürre, Hitze und Schädlinge setzen den Bäumen zu und der Klimawandel macht sich negativ bemerkbar.
Der Wald bedeckt ca. ein Drittel der Fläche Deutschlands. Er ist nicht mehr ursprünglich, sondern gepflegt und bewirtschaftet, d.h. Nutzholz wird geschlagen

*Nationalpark Hainich*
*(Weltnaturerbe Buchenurwald in Thüringen)*

und verkauft. Durch massive Waldschäden ist der Wert von Holz zuletzt stark gesunken, denn 2% der Fläche ist in Deutschland bereits abgestorben, besonders im Harz, 80% sind gefährdet, besonders Fichten. Naturschützer fordern mehr Vielfalt, mehr widerstandfähige Mischwälder (= Nadel- und Laubbäume, keine Fichten-Monokulturen) und mehr Wildnis. Der Umbau des Ökosystems braucht Bäume, die sowohl Kälte im Winter als auch Hitze und Dürre im Sommer aushalten. Der Wald als $CO_2$-Speicher und Erholungsraum ist in großer Gefahr.

In der Europäischen Union wurde ein Netz von Naturschutzgebieten (Natura 2000) aufgebaut, in dem Pflanzen und wildlebende Tiere und ihre natürlichen Lebensräume geschützt sind. Leider werden nicht in allen Ländern diese Schutzzonen respektiert und Baumbestände gefällt.

**3.** Die EU wollte Reformen in der Landwirtschaft umsetzen: Mittlere und kleine Unternehmen (Öko-Betriebe) sollten stärker gefördert werden. 5% der Felder sollten ökologisch belassen werden (ohne Pestizide), Monokulturen sollten verhindert werden. Leider ist die große Agrarreform misslungen: Wiesen dürfen zu Äckern werden und Düngen ist erlaubt. Die GAP, die „Gemeinsame Agrarpolitik" ist wieder im Fokus, damit aktive Bio-Landwirte nicht aufgeben.

Gemeinsam haben eine Stiftung für Umweltschutz und der Deutsche Bauernverband das öffentlich unterstützte Projekt F.R.A.N.Z. (Für Ressourcen, Agrarwirtschaft & Naturschutz mit Zukunft) gestartet, das die steigende Nachfrage nach landwirtschaftlichen Produkten und den Erhalt der Artenvielfalt im Blick hat.

Demobetriebe sollen dem Naturschutz dienen und gleichzeitig wirtschaftlich arbeiten. Ihr Erfolg soll in Netzwerken kommuniziert werden.

## *Aufgaben*

1. Wissen Sie, was der BUND ist? (Siehe S. 79)
2. Wie werden Umweltprobleme in Ihrem Land diskutiert? Und welche?

**4.** Die Luftreinhaltung ist ein wichtiger Aspekt der Umweltsorgen. Seit Jahren überschreitet die Bundesrepublik die Grenzwerte für Stickoxide in den Großstädten. Diesel-Fahrzeuge müssen sauberer werden, damit die Luft besser wird.

Negativ ist der hohe Nitratgehalt des Grundwassers vor allem in Norddeutschland. Dünger und Gülle auf den Feldern sind die Ursache. Ebenso wie die Luftreinhaltung ist die Reinhaltung des Wassers und die Verbesserungen zum Schutz von Flüssen und Seen Gegenstand der Umweltpolitik. Die Gewässer sind sauberer geworden und werden zum Teil renaturiert, d.h. in einen ursprünglichen Zustand zurückverwandelt.

### Das Stichwort ☞ Grundwasser

*In Deutschland gibt es über 1180 Vorkommen von Grundwasser, die den Wasserverbrauch steuern. Wasser ist das am strengsten überwachte Grundnahrungsmittel. Wasserwerke kontrollieren das Trinkwasser und Wasserschutzzonen schützen es. In der Nähe dieser Vorkommen müssen Landwirte ökologisch wirtschaften und es gibt Regeln, die die Reinheit des Wassers sicherstellen sollen.*

**5.** Sieben Alpenstaaten – Österreich, Deutschland, Frankreich, Italien, Schweiz, Liechtenstein, Slowenien sowie die Europäische Union – haben 1991 eine „Übereinkunft zum Schutz der Alpen" (Alpenkonvention) auf den Weg gebracht und sich für den Schutz eines grenzüberschreitenden Ökosystems ausgesprochen.

**Alpen brauchen noch mehr Schutz**

Von Jahr zu Jahr zieht es immer mehr Menschen in die Bergregionen, zum Wandern, Bergsteigen oder auf Klettersteige. Die Berge sind absolut „in" für jüngere Leute wie auch für ältere. Das hat zur Folge, dass sich an manchen Wochenenden Karawanen von Ausflüglern und Touristen über das ausgebaute Wegenetz zu komfortablen Hütten mit schöner Aussicht hinaufbewegen. Klettersteige boomen. Sie sind für Ungeübte ein gefährliches Ziel und werden von Naturschützern sehr kritisch betrachtet.

Im Winter strömen die Skifahrer in die Berge, obwohl wegen des Klimawandels die Schneefallgrenze steigt und traditionelle Skiorte nicht mehr schneesicher sind. Nicht zu übersehen ist auch, dass das Abschmelzen der Gletscher neue Gefahren mit sich bringt, da das Zurückgehen des Eises und damit des Dauerfrosts zu Bergrutschen und Felsabgängen führt. Der Bund Umwelt und Naturschutz mahnt: In Bergwäldern darf es keine Kahlschläge mehr geben. Außerdem keine künstliche Beschneiung, keine weiteren Straßen in den Alpen und vieles mehr (siehe S. 79).

Das Bundesnaturschutzgesetz schafft Möglichkeiten, Gebiete zu Nationalparks zu erklären; Tiere und Pflanzen sind dann besonders geschützt. Heute gibt es 16 Nationalparks an der Nord- und Ostsee, in Mecklenburg-Vorpommern, Sachsen (Sächsische Schweiz) und Bayern (Bayerischer Wald und Berchtesgaden).

# Alternative Energien und Klimaschutz

**1.** Ein Energiemix aus Mineralöl, Erdgas, Steinkohle, Braunkohle, erneuerbaren Energien und Kernenergie sichert die Versorgung in Deutschland. 2011 leitete die Politik eine Energiewende ein: Acht alte Atommeiler wurden sofort abgeschaltet, die restlichen 9 sollen bis 2022 schrittweise vom Netz gehen und von alternativen Energien ersetzt werden (= Atomausstieg). In dieser Zeit ist geplant: der Ausbau erneuerbarer Energien (Offshore-Windparks, Wasserkraft, Geothermie, Solarstrom, vor allem Sanierung alter und Neubau energieeffizienter Häuser), Bau neuer Hochspannungsleitungen von der Nordsee nach Süden. Der Bau von neuen Gaskraftwerken und leider auch der Betrieb klimaschädlicher Kohlekraftwerke bis 2035 sind zur Über-

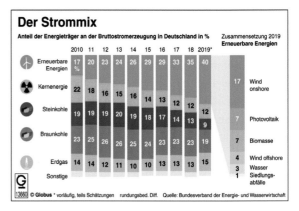

Der Strommix
Anteil der Energieträger an der Bruttostromerzeugung in Deutschland in %　Zusammensetzung 2019 Erneuerbare Energien

| | 2010 | 11 | 12 | 13 | 14 | 15 | 16 | 17 | 18 | 2019* | |
|---|---|---|---|---|---|---|---|---|---|---|---|
| Erneuerbare Energien | 17% | 20 | 23 | 24 | 26 | 29 | 29 | 33 | 35 | 40 | |
| Kernenergie | 22 | 18 | 16 | 15 | 16 | 14 | 13 | 12 | 12 | | 17 Wind onshore |
| Steinkohle | 19 | 19 | 19 | 20 | 19 | 18 | 17 | 14 | 13 | 12 / 9 | 7 Photovoltaik |
| Braunkohle | 23 | 25 | 26 | 26 | 25 | 24 | 23 | 23 | 19 | | 7 Biomasse |
| Erdgas | 14 | 14 | 12 | 11 | 10 | 10 | 13 | 13 | 13 | 15 | 4 Wind offshore |
| Sonstige | | | | | | | | | | | 3 Wasser / 1 Siedlungsabfälle |

13660 © Globus * vorläufig, teils Schätzungen　rundungsbed. Diff.　Quelle: Bundesverband der Energie- und Wasserwirtschaft

brückung bis zur vollständigen Versorgung mit neuen Energien gedacht. Brandenburg, ein Braunkohleland neben Nordrhein-Westfalen, Sachsen und Sachsen-Anhalt, betreibt das klimaschädliche Braunkohlekraftwerk Jänschwalde.

Die Richtung ist aber klar erkennbar: Der grüne Kraftwerkspark wächst und der konventionelle Kraftwerkspark (= Stein- und Braunkohle-Kraftwerke und Atomkraftwerke) schrumpft. Mehrere alte Braunkohle-Kraftwerke wurden bereits abgeschaltet. Der Rückbau der Atommeiler wird Milliarden kosten und die Stromkonzerne steuern um zu mehr alternativen Energien.

Die ganze Branche ist im Umbruch. RWE (= Rheinisch-Westfälisches Elektrizitätswerk, seit 1898) kündigt an, sein Geld in Zukunft mit Ökostrom zu verdienen. Der Konzern verstromt immer weniger Braunkohle und ist heute schon der drittgrößte Grünstromproduzent Europas. Gleichzeitig ist er mit dem Braunkohletagebau im Rheinland auch einer der größten $CO_2$-Emittenten Europas; bei Köln sind Dörfer in Gefahr, die dem Tagebau weichen sollen. Tatsache ist aber auch,

*Braunkohlekraftwerk Jänschwalde (Brandenburg)*

dass die Emissionsrechte für Braunkohle teurer werden, allerdings sehr langsam, und die Fördermittel für erneuerbare Energien steigen, Rückenwind für den Umbau. Eine Befragung hat ergeben, dass im Rheinland die meisten für einen schnellen Kohleausstieg sind. In den ostdeutschen Bundesländern dagegen sind weniger als 50% dafür, denn hier hängen viele Arbeitsplätze von der Braunkohle ab und industrielle Arbeitgeber fehlen. Der Ausstieg aus der Kohle ist deshalb der Beginn von Hilfen in Milliardenhöhe, die den Umbau finanzieren sollen. Ein Gesetz sieht Hilfen für die Infrastruktur vor und die Ansiedlung von Bundesbehörden.

**2.** Alternative Energiequellen sind unerschöpflich; sie werden nicht durch einmalige Nutzung verbraucht wie Kohle und Erdöl. Man nennt sie deshalb auch erneuerbare oder regenerative Energien. Dazu gehören Wasserkraft, Wind-, Sonnen- und Bioenergie sowie Geothermie (= Strom aus ca. 100 Grad heißem Wasser unter der Erde). Ihr Anteil ist auf 43 % der Energieerzeugung gestiegen.

**3.** Große Solaranlagen vermarkten den Strom direkt an der Strombörse. Kleine private Photovoltaik-Anlagen, die zum Beispiel umweltbewusste Bürger auf dem eigenen Dach installieren, bekommen eine Vergütung. Das 2021 erneuerte EEG-Gesetz (Erneuerte-Energien-Gesetz) befreit kleine private Anlagen von der EEG-Umlage. Damit die Energiewende gelingt, soll Solartechnik wieder angekurbelt werden. Überschüssiger

Strom kann an Mieter weiterverkauft werden. International gesehen ist die Solartechnik inzwischen von der teuersten zur preiswertesten Erzeugung von Strom geworden. Und diese Entwicklung geht weiter. Forscher arbeiten an neuen Materialien und Produktionsverfahren. Der Strom wird billiger als der von konventionellen Stein- und Braunkohle-Kraftwerken; Heizen mit Erdöl und Erdgas wird unwirtschaftlicher.

**4.** Windkraftwerke brauchen gute Windverhältnisse; sie entstehen u.a. in Form von Offshore-Parks in der Nordsee, z.B. der Windpark „DanTysk" westlich der Insel Sylt (70 Windräder), der 2015 ans Netz gegangen ist. Die Windparks Nordsee Ost und Sandbank folgen. Hier investiert die Stadt München, die als erste Millionenstadt ganz auf regenerative Energiequellen umsteigen will: durch Windparks, Geothermie-Kraftwerke oder Flusskraftwerke. Die Offshore-Windenergieanlagen können schon ca. 3 Millionen Haushalte mit Strom versorgen. Ihr Ausbau läuft erfolgreich auch ohne Subventionen.

**5.** Erneuerbare Energien liefern nur Strom, wenn die Sonne scheint und der Wind weht. Fieberhaft wird an der Entwicklung von Stromspeichern gearbeitet. Konzepte mit verschiedenen Speicherkapazitäten werden

getestet, die das Stromnetz flexibel halten sollen. Zukunftweisend könnten die Power-to-Gas-Technologie sein (P2G), die Strom in Biogas verwandelt, das sich dann speichern lässt, oder auch Batteriespeicher mit Lithium-Ionen-Technologie. Für den Eigenverbrauch reichen einfache Speichertechnologien im Keller.

Aber es gibt auch Proteste. Nicht immer sind die Bürger begeistert, wenn vor ihrer Haustür ein Windpark entsteht und Strommasten aufgestellt werden. Es laufen Klagen gegen Windräder, die viele Gutachten erfordern und den Bau verzögern. Es fehlen auch geeignete Flächen und die Genehmigungen sind langsam. Aber die Zeit drängt, denn die Atomkraftwerke werden 2022 abgeschaltet. Deutschland hat gute Ergebnisse bei den erneuerbaren Energien erreicht, bei den Übertragungskapazitäten für den Strom besteht noch Handlungsbedarf. In der Nordsee und in Norddeutschland entsteht ein Windpark nach dem anderen und damit Stromüberschüsse, die nach Süden weitergeleitet werden müssen.

**6.** Fracking als Methode der Gas- und Ölgewinnung durch Zertrümmern tieferer Gesteinsschichten trifft in einem dicht besiedelten Land wie Deutschland auf heftigen Widerstand der Bevölkerung, die eine Verschmutzung des Trinkwassers befürchtet. „Unkonventionelles Fracking" in über 3000 Meter Tiefe zur Gewinnung von Schiefergas ist verboten, „konventionelles Fracking", das es bisher schon gibt, nur mit Umweltauflagen erlaubt.

## Das Stichwort ☞ Emissionshandel

*Seit 2005 gibt es den Emissionshandel, der das klimaschädliche Kohlendioxid verringern soll: Fabriken und Kraftwerke kaufen von der Leipziger Energiebörse EEX (Auftraggeber ist die Bundesrepublik Deutschland) Zertifikate (1 Zertifikat = 1 Tonne Kohlendioxid), müssen dazukaufen, wenn sie den Grenzwert überschreiten, und verkaufen, wenn sie ihren $CO_2$-Ausstoß verringern. Dieses europäische Modell sollte Vorreiter für die Klimapolitik weltweit sein.*

*Die Zertifikate waren aber wegen des Überangebots in den letzten Jahren zu billig und boten keinen Anreiz mehr, in emissionsarme Anlagen zu investieren. Inzwischen steigt der Preis aber und zeigt Wirkung. Die Erlöse fließen in den Energie- und Klimafond.*

*Der Bund gibt Milliarden für die Energiewende aus, aber die Bilanz ist gemischt:*

a) *Trotz Sanierungen und Effizienzvorgaben bei Neubauten ist der Verbrauch fossiler Brennstoffe (Erdgas, Heizöl, Fernwärme) gestiegen.*

b) *Der $CO_2$-Ausstoß ist 2019 etwas gesunken. Das Ziel 40% weniger $CO_2$ gegenüber 1990 wurde mit 35% fast erreicht.*

c) *Der Anteil an Ökostrom beträgt 49% (2020). Das Ziel: 65% bis 2030.*

d) *Der Ausstieg aus der Kohle erfolgt stufenweise bis 2038.*

e) *Der Atomausstieg ist endgültig. Ein Atomlager ist noch nicht in Betrieb.*

*Deutschland ist das erste Land, das Ausstieg aus der Kohle und Atomausstieg gleichzeitig realisieren will.*

## Aufgaben

1. Wie wird der Energiemix der Zukunft aussehen?
2. EU-Gesetze schreiben vor, dass bei allen großen Bauplanungen die Folgen für die Umwelt geprüft werden müssen. Wie ist ihre Meinung dazu?

# Verkehrswege und Verkehrswende

**1.** Die dicht besiedelte Bundesrepublik hat auch eines der dichtesten Verkehrsnetze der Welt: ein Autobahn- und Fernstraßennetz von 229 800 Kilometern, ein Eisenbahnstreckennetz von 38 500 Kilometern, Häfen, 7700 Kilometer Wasserstraßen und ein enges Luftverkehrsnetz im schon überfüllten Luftraum über Mitteleuropa. Im Europäischen Binnenmarkt ist Deutschland zum Transitland für Europa geworden. Mit der Erleichterung der Handelsbeziehungen zu den ost- und südosteuropäischen Ländern sind auch hier neue Verkehrsströme entstanden. Die bisher getrennten Verkehrsnetze von Ost- und Westdeutschland wurden zusammengeführt.

**2.** Daneben hat die zunehmende Mobilität in unserer Gesellschaft zu mehr Verkehr in den Ballungsräumen geführt. Auch die Beschäftigung hat zugenommen und damit die Zahl der Pendler zwischen Zuhause und Arbeit. Es mangelt an bezahlbarem Wohnraum in den Städten, die die Jobs bieten. Eine Folge sind Staus und Schäden für Umwelt und Gesundheit. Deutschland ist wie Österreich und die Schweiz auch Durchgangsland nach Süden. Die Autobahn München – Kufstein (= deutsch-österreichische Grenze) – Innsbruck – Brenner-Pass (= österreichisch-italienische Grenze) ist eine der wichtigsten Verkehrsverbindungen für den Personen- und Güterverkehr über die Alpen. Die Folge ist eine starke Umweltbelastung für die Alpenregion. Der Bau eines Brenner - Basistunnels zur Entlastung der Brenner-Strecke schreitet voran, wird aber frühestens 2026 betriebsbereit sein.

**3.** Deutschland bemüht sich um eine neue Mobilitätspolitik. 71% des Güterverkehrs läuft über die Straße und nur 18% über die Schiene. Nicht der Ausbau der Straßen, sondern ein leistungsfähiges Schienennetz ist die Lösung. Ca. 64,8 Millionen Kraftfahrzeuge, davon 3 Millionen Lkws und 47.1 Millionen Pkws, aber die Zahl der E-Autos steigt dank der Kaufprämie.

Das Auto, Verkehrsmittel Nummer eins, ist zum größten Sorgenkind geworden. Die Zahl der Staus erreicht Rekordhöhe. Neue Entwicklungen bahnen sich an: Umweltzonen in Großstädten, Verkehrsleitsysteme. Post- und Paketdienste; städtische Betriebe stellen auf E-Fahrzeuge um. Die großen Auto-Unternehmen beschleunigen den Carsharing-Markt mit E-Autos in den Großstädten.

Auch Schiffe sollten mit Elektroantrieb ausgestattet werden.

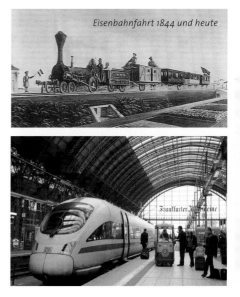

*Eisenbahnfahrt 1844 und heute*

Das Fahrrad ist „in", denn besonders Großstädte bauen das Netz der Fahrradwege aus. Über 70 Millionen Fahrräder sind in Deutschland schon unterwegs und täglich werden es mehr. Hinzu kommen seit 2019 E-Scooter, die ebenfalls die Fahrradwege beleben, aber mehr als Lifestyle-Angebot genutzt werden.

Das Auto muss Radfahrern Platz machen, damit die Stickoxide und der Feinstaub in den Städten gesenkt werden.

Die Entwicklung von Elektroantrieben wird vorangetrieben (Stichwort Elektromobilität). Es wird darauf ankommen, ob eine erfolgreiche Produktion von Elektro-Batterien gelingt, denn Batterien werden das Herz der neuen Mobilwelt sein. Die Zahl der Stromanschlüsse für E-Autos (= Ladesäulen) wächst kontinuierlich und zwar staatlich gefördert. Ideal sind natürlich private Ladeboxen, die das Auto über Nacht aufladen. So sind auch Distanzen über Land leicht zu bewältigen. Aber was oft vergessen wird: Die Verkehrswende setzt die Energiewende voraus, denn was nützen E-Autos, wenn der Strom aus Kohle erzeugt wird. Dennoch: Der Weltmarkt setzt auf Elektromobilität; die Autobauer werden folgen müssen. Um Gewinne zu erzielen, verkaufen sie allerdings weiter teure Geländewagen und SUVs (= Sport Utility Vehicles), die beliebt, aber umstritten sind.

Um den Ausstoß von $CO_2$ und die Nutzung von fossilen Brennstoffen zu begrenzen, befasst sich die Grundlagenforschung mit der Entwicklung von Speicherbatterien und deren Produktion. In Deutschland nimmt die Forschung eine Spitzenposition ein, z. B. in Salzgitter.

In der Elektrowelt werden viele Arbeitsplätze verloren gehen und die Autoindustrie ist gezwungen, den Strukturwandel vom Verbrennungsmotor zum Elektromotor zu gestalten. Wenn es um das autonom fahrende, digital vernetzte und elektrische Auto geht, müssen die Autobauer aufpassen, dass sie den Anschluss in der internationalen Konkurrenz nicht verlieren. Künstliche Intelligenz (KI) wird für das autonome Fahren gebraucht, während der Mensch weiter die Verantwortung hat. In dieser Welt müssen die Autokunden aber erst noch ankommen. Der öffentliche Verkehr – U-Bahnen, autonome Busse und Taxis – werden zuerst davon profitieren.

**4.** Intercity- und ICE-Züge verkehren zwischen den Großstädten im Stundentakt und fahren auch über die Landesgrenzen. Sprinter auf neuen Schnelltrassen machen dem Flugzeug Konkurrenz, dem Auto auf jeden Fall. Seit 2012 sind daneben kostengünstige Fernbusse zwischen den großen Städten unterwegs. Das bisherige Monopol der Bahn ist zu Ende und die Bürger nehmen die günstigen Angebote begeistert an.

**5.** Die großen Flüsse Donau, Rhein, Elbe, Main, Weser sind zum großen Teil schiffbar und haben eine erhebliche Bedeutung für den Gütertransport. Hinzu kommen künstliche Wasserstraßen, die Meere (Nord-Ostsee-Kanal) und Flüsse (Mittellandkanal, Main-Donau-Kanal, Elbe-Havel-Kanal) miteinander verbinden. So ist ein Wasserstraßennetz zwischen den großen Seehäfen und den Industriezentren entstanden. Für die Nutzung der Wasserstraßen sprechen die Sicherheit und die hohe Umweltverträglichkeit.

**6.** Deutschland hat 19 internationale Flughäfen. Drehscheibe im deutschen Flugverkehr ist der Rhein-Main-Flughafen in Frankfurt mit 70 Millionen Fluggästen im Jahr. Die Deutsche Lufthansa hat sich nicht nur im Passagierverkehr, sondern auch im Frachtverkehr einen Namen gemacht. Der Großflughafen Erding bei München hat sich zu einem zweiten Drehkreuz neben Frankfurt entwickelt.

Um die Umweltschäden im Luftverkehr zu mindern, wird in Zukunft das zurzeit noch teure $CO_2$-neutrale, synthetische Kerosin Verwendung finden. Die Plattform „Compensaid" der Lufthansa bietet seinen Passagieren an, die für den Flug benötigte Kerosinmenge aus $CO_2$-neutralen Kraftstoffen über einen Aufpreis für einen späteren Flug zu bezahlen und damit die Klimafolgen zu kompensieren.

In einem Kompetenzzentrum in Cottbus soll die Herstellung synthetischer Kraftstoffe aus elektrischer Energie erforscht werden. Solche Verfahren für mehr Klimaschutz im Luftverkehr müssen im großen Maßstab wettbewerbsfähig werden.

## Neue Technologien

**1.** Als Forschungsstandort hat Deutschland ein beträchtliches Potenzial: 20 000 forschende Industrieunternehmen, über 400 Hoch- und Fachhochschulen, 16 Großforschungsanlagen, 80 Max-Planck-Institute mit dazugehörigen Forschungseinrichtungen und 66 Fraunhofer-Institute. Das Fraunhofer-Institut in Erlangen IIS ist das größte der Gruppe. Außerdem die Helmholtz Gemeinschaft und die länderorientierte Leibniz-Gemeinschaft.

Anfang 2019 gab es 164 Start-ups, die auf KI (= Künstliche Intelligenz) basieren, vor allem in Berlin, München

*ADM Aeolus*

und Hamburg. 26 wissenschaftliche Standorte befassen sich mit KI-Forschung. Die Branchen Kraftfahrzeug- und Maschinenbau, Chemie und Elektrotechnik erhoffen sich zusätzliche Wertschöpfung.

Das Modell Humboldt-Professoren der Alexander-von-Humboldt-Stiftung holt internationale Forscher nach Deutschland und stattet sie mit Fördergeldern aus. Das Netzwerk besteht aus über 26 000 Humboldtianern in über 140 Ländern. Wissenschaftler, die aus Bürgerkriegsländern fliehen mussten, finden hier neue Aufgaben.

Deutschland verfügt über eine leistungsfähige Infrastruktur bei der Grundlagen- und angewandten Forschung und belegt sogar Platz 1 im „Bloomberg Innovation Index 2020". Zu den Stärken gehört auch, dass besonders häufig aus Forschung ein Produkt wird. Im Vergleich zu den Wirtschaftsregionen München, Berlin, Hamburg, Köln/Bonn, Rhein-Main, Leipzig/Halle und Dresden nehmen die Regionen Stuttgart und Ingolstadt die Spitzenplätze ein. Deutsche Unternehmen finanzieren ca. 70% der Investitionen in Forschung und Entwicklung.

**2.** Deutschland exportiert hauptsächlich Maschinen, Kraftwagen, chemische Erzeugnisse, Datenverarbeitungsgeräte, elektrische und optische Erzeugnisse. Deutschland ist mit 26 000 Patentanmeldungen 2018 das innovativste Land in Europa, weltweit Nummer zwei nach den USA (Zahlen des EPA = des Europäischen Patentamts in München). Bosch und Siemens liegen vorn. In den letzten Jahren ist das Land ein attraktiver Standort für die moderne Wissenschaft mit neuen, zukunftweisenden Forschungsgebieten geworden.

**Umwelttechnologie:** Bis 2050 soll die Stromerzeugung überwiegend alternativ sein. Dies ist eng verbunden

mit dem Ziel einer zunehmenden Digitalisierung. Der intelligente Einsatz moderner Informations- und Kommunikationstechnologie (IKT) hilft in vielen Bereichen, Energie einzusparen.

Die Windenergie ist eine im Vergleich junge Branche. Durch ihre Nutzung sind in den letzten Jahren mehr als 149 000 Arbeitsplätze entstanden. Etwa 12,3% der Stromversorgung in Deutschland stammt aus der Nutzung der Windenergie. Deutschland verfügt inzwischen über rund 27 300 Windenergieanlagen in Nord- und Ostsee. Abstandsregeln zur nächsten Siedlung und Bürgerprotest verhindern jedoch den weiteren Ausbau und gefährden die Energiewende.

**Luft- und Raumfahrt:** Das erfolgreiche europäische Verkehrsflugzeug Airbus bauen Firmen in Frankreich, Deutschland, Großbritannien, Spanien, Belgien und Italien. Kurz- und Mittelstreckenflugzeuge aus dem Airbus-Programm werden komplett in Hamburg zusammengebaut und ausgeliefert.

Die Airbus-Group, bis 2013 EADS (= European Aeronautic Defence and Space Company), ist eine Fusion europäischer Luftfahrtkonzerne und sitzt an mehr als 70 Entwicklungs- und Produktionsstandorten in Europa. Die deutsche Luft- und Raumfahrtindustrie (BDLI) weist auf ihre zentrale Rolle bei Schlüsseltechnologien wie der satellitengestützten Telekommunikation und der Navigation hin. Europäische Umweltsatelliten wie die MetOp-Satelliten (Meteorological Operational Satellites) arbeiten in einer erdnahen polaren Umlaufbahn und sind eine ideale Ergänzung zu geostationären Wettersatelliten. Sie können innerhalb eines Tages die gesamte Erdoberfläche abtasten. Sie liefern z.B. Daten für die Beobachtung von Wirbelstürmen und damit für frühzeitige Rettungseinsätze.

Im August 2018 startete der Wettersatellit Aeolus der ESA vom Weltraumbahnhof Kourou in Französisch-Guayana in die Erdumlaufbahn. Er soll die Wettervorhersage verbessern und Winde global bis zu einer Höhe von 30 Kilometern beobachten.

## Das Stichwort ☞ ESA

*(= European Space Agency), die Europäische Welt-*
*raumorganisation. Der ESA gehören 22 Mitgliedstaa-*
*ten an. Sie ist das europäische Tor zur Welt. Ihr Ziel ist*
*die Erforschung der Erde und des Sonnensystems über*
*die Entwicklung satellitengestützter Technologien. Der*
*Hauptsitz der ESA befindet sich in Paris. Das Deutsche*
*Zentrum für Luft- und Raumfahrt (DLR) in Köln und*
*Oberpfaffenhofen bei München vertritt die Interes-*
*sen der Bundesrepublik Deutschland. Das Europäische*
*Raumflugkontrollzentrum ESOC (European Space Ope-*
*rations Centre) ist für die Überwachung der ESA-Satel-*
*liten in erdnahem oder interplanetarem Orbit verant-*
*wortlich und befindet sich in Darmstadt. Das Europä-*
*ische Astronautenzentrum EAC (European Astronauts*
*Centre) trainiert Astronauten für künftige Missionen*
*und liegt in Köln.*

**Navigationssystem „Galileo":** Ein weiteres Projekt der Europäer ist das zivile Navigationssystem „Galileo", eine Konkurrenz zum amerikanischen GPS. Es wird das autonome Autofahren unterstützen und z.B. auch die exakte Position von Hilfesuchenden ausmachen. Benötigt werden dazu exakte elektronische Karten, zentimetergenaue Messungen und ultrapräzise Satellitensignale. Genau da hilft das europäische Satellitensystem. Das voll ausgebaute System wird 30 Satelliten auf 3 Umlaufbahnen umfassen, dazu 3 Satelliten als Reserve. Die Fertigstellung ist für das Jahr 2021 vorgesehen. Produziert werden diese Satelliten von der Firma OHB System AG in Bremen, die Start-ups fördert, um neue Ideen für die Zukunft zu gewinnen.

**Raketenprogramm „Ariane:** Die Neuentwicklung „Ariane 6" ist fertiggestellt. Probleme bereitet die kostengünstige Konkurrenz, der US Raketenbauer Space-X.

**Medizintechnologie:** Als besonders innovativ und wachstumsstark gilt die Medizintechnik-Branche. Medizinprodukte helfen Leben retten, heilen und verbessern die Lebensqualität der Menschen. Dazu gehören Geräte für Diagnostik, Chirurgie und Intensivmedizin, auch Implantate für schwache Herzen und kranke Gelenke usw. Die Branche beschäftigt insgesamt 95 000 Menschen. 95% der MedTech-Unternehmen sind mittelständische Unternehmen mit weniger als 250 Mitarbeitern.

**Industrie 4.0:** Die Bezeichnung „Industrie 4.0" besagt, dass eine vierte industrielle Revolution eingeleitet wird. Die erste industrielle Revolution war die Mechanisierung mit Wasser- und Dampfkraft, die zweite die Massenfertigung mit Fließbändern und elektrischer Energie, die dritte oder digitale Revolution der Einsatz von Elektronik. Industrie 4.0 will sich die industrielle Produktion mit Informations- und Kommunikationstechnik verknüpfen. Ziel ist eine selbstorganisierte Produktion von der Idee über die Fertigung bis zum Recycling.

## Meldungen aus der Presse:

**Die Polarstern**
Die Polarstern, eines der leistungsfähigsten Polarforschungsschiffe der Welt, wird vom Alfred-Wegener-Institut für Polar- und Meeresforschung (AWI) in Bremerhaven betrieben. Sie dient der Erforschung der Polarmeere und versorgt die ständig besetzten Forschungsstationen in der Arktis (Koldewey-Station) und Antarktis (Neumayer-Station III). Mit ihren 20 000 PS starken Motoren kann sie bis zu 1,5 m dickes Eis mit einer Geschwindigkeit von ca. 5 Knoten durchfahren.

Ein Jahr, 2019 bis 2020, hielt sich das Schiff in der Arktis auf. Die Drift über den Nordpol und viele Messstationen sollen Klimaprozesse untersuchen und der Politik eindeutige Fakten liefern.

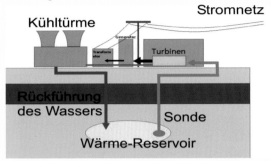

### Geothermie in München

Im Süden von München wurde ein Geothermie-Kraftwerk gebaut, das durch eine Thermalwassertemperatur von 140°C aus einer Tiefe von 2000 bis 4000 Metern Heizwärme erhält und ab 2020 für 80 000 Haushalte Wärme erzeugt. München will bis 2040 mit insgesamt 5 Kraftwerken die erste deutsche Großstadt werden, in der die Fernwärme zu 100 Prozent aus erneuerbaren Energien besteht.

### Mission eRosita

2019 startete das bisher größte deutsch-russische Gemeinschaftsprojekt. Eine Rakete brachte das Weltraumobservatorium Spektrum-RG mit zwei Röntgenteleskopen ins All. Eins davon ist eRosita, das vom Max-Planck-Institut für extraterrestrische Physik entwickelt wurde. eRosita wird den gesamten Himmel im Röntgenlicht scannen und ca. 100 000 Galaxienhaufen beobachten. Es geht darum, mehr von der Dunklen Materie und der Entstehung des Alls seit dem Urknall zu verstehen.

### Schwarze Löcher

Reinhard Genzel, Direktor am Max-Planck-Institut in Garching bei München, erhielt 2020 zusammen mit Roger Penrose und Andrea Ghez den Nobelpreis für Physik für ihre Forschungen an schwarzen Löchern.

# Bewusstseinswandel

**1.** In Deutschland ist man zu Recht stolz auf die gelungene friedliche Revolution 1989. Denn es waren nicht nur die Politiker, sondern es war der Mut vieler namenloser Bürger, die die Einheit herbeigeführt haben. Willy Brandts Ausspruch, dass jetzt „zusammenwächst, was zusammengehört" entsprach den Erwartungen. Skeptischer äußerte sich Egon Bahr in seinem Buch „Gedächtnislücken": „.... ich sehe nicht, dass das Ziel der inneren Einheit, so wie es postuliert worden ist, erreicht wird. Aber ich sehe, dass die junge Generation hineinwächst

in die Selbstverständlichkeit des neuen Staates. Das ist dann auch eine Einheit." In Europa ist besonders unter Jugendlichen eine europäische Identität entstanden, und zwar durch Reisen, Freundschaften und berufliche Auslandsaufenthalte und Kontakte.

**2.** In den ersten Jahren der Wiedervereinigung war Identitätskrise das Schlagwort. Diskussionen zu den Themen Nation und Nationalbewusstsein waren an der Tagesordnung. Dann trat eine Trendwende ein. Man hatte wieder Zuversicht und besann sich auf etwas mehr Selbstbewusstsein. In der Mitte Europas begann Deutschland eine wichtige Rolle zu spielen. Die Partnerschaft zu Frankreich ist dabei das Fundament. Mit dem Nachbarschaftsvertrag 1991 ist auch ein wichtiges Kapitel zu Polen aufgeschlagen worden, das von

Überwindung der Skepsis gegenüber dem Nachbarn, geprägt ist, aber leider durch die national ausgerichtete Politik Polens in letzter Zeit getrübt ist.

**3.** Insgesamt hat sich das gesellschaftliche Klima in letzter Zeit gewandelt. Das Jahr 2015 war ein Einschnitt. Die Flüchtlingskrise hat vieles verändert. Der Wutbürger wurde geboren, der Fakten ignoriert und der Demokratie misstraut. Rechtsextremismus wird zu einem zentralen Thema. Ihn gibt es in Ost- und Westdeutschland. In den neunziger Jahren verübte eine rechtsextreme terroristische Vereinigung aus Jena (Nationalsozialistischer Untergrund = NSU) eine Reihe von Morden an ausländischen Kleinunternehmern. Erschreckend sind politisch motivierte Anschläge auf Unterkünfte von Asylbewerbern, von Brandanschlägen und Gewalttaten sowie von Hassbotschaften im Internet gegen Politiker und Ehrenamtliche bis zum Mord. Emotionalisierung, Gerüchte und falsche Tatsachen verbinden sich mit Enthemmung und Gewalt.
Wie auch in anderen europäischen Ländern sind in Deutschland rechtspopulistische, fremdenfeindliche politische Bewegungen entstanden. Sie kommen zum Teil aus der Mitte der Gesellschaft und haben sich mit der Flüchtlingskrise verstärkt. Sichtbar werden sie in Demonstrationen der „Pegida" (= Patriotische Europäer gegen die Islamisierung des Abendlandes) gegen Überfremdung und eine aus ihrer Sicht verfehlte Einwanderungs- und Asylpolitik. Übergänge zur Partei AfD (= Alternative für Deutschland) sind fließend. Neonazis sind lose vernetzt und haben keine zentralen Köpfe. Gruppierungen tun sich zusammen und schlagen plötzlich zu, was die Sicherheitsbehörden vor große Probleme stellt. Sie versammeln sich zu Großveranstaltungen und Rockfestivals, u.a. auch in Sachsen und Thüringen.

In Ostdeutschland fühlen sich viele von den demokratisch gewählten Parteien nicht mehr repräsentiert, von den Politikern und der Presse (Schlagwort „Lügenpresse") nicht ernst genommen und von der

### Einkommensvergleich Ost und West

**Lohnunterschiede zu Westdeutschland** in Prozent

| | |
|---|---|
| Brandenburg | - 13,9 % |
| Mecklenburg-Vorp. | - 15,3 |
| Thüringen | - 16,9 |
| Sachsen-Anhalt | - 17,1 |
| Sachsen | - 18,2 |
| **Osten gesamt** | **- 16,9** |

bezogen auf Monatsentgelte ohne Sonderzahlungen, Jan. 2017 bis Sept. 2019

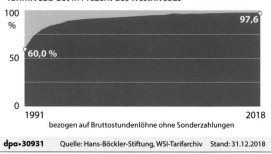

**Tarifniveau Ost** in Prozent des Westniveaus

97,6
60,0 %
1991 — 2018
bezogen auf Bruttostundenlöhne ohne Sonderzahlungen

dpa•30931    Quelle: Hans-Böckler-Stiftung, WSI-Tarifarchiv    Stand: 31.12.2018

Globalisierung abgehängt. Die Ablehnung der westdeutschen „Migrationsgesellschaft" äußert sich in der Forderung nach direkter Demokratie, aber auch nach einem starken und fürsorglichen Staat. Über die Ursachen wird intensiv diskutiert. Die einen sehen die Gründe in Fehlern des Vereinigungsprozesses 1989: Dreißig Jahre Wende seien nicht aufgearbeitet worden. Umbruch und Aufbruch war für viele ein Zusammenbruch. Die Lebensverhältnisse in Ost und West sind auch dreißig Jahre nach der Wende nicht ausgeglichen. Westdeutsche Firmen übernahmen die Industrie und haben oft heute noch das Sagen. Die Rolle der Treuhand ist umstritten. Die Kinder gingen nach Westdeutschland und die Versorgung besonders auf dem Lande ist zum Teil schwierig geworden. Manche Bahnlinie wurde, da unwirtschaftlich, geschlossen. Ostdeutsche haben das Gefühl, dass ihre Lebensleistung nicht anerkannt wird, fühlen sich zweitklassig. Blinde, nicht für Fakten offene Emotionen entladen sich deshalb gegen Flüchtlinge, die vom Staat unterstützt werden. Die Einheit war eine große Chance, die Gewinner, aber auch Verlierer kennt. Zukunftweisend können in dieser Situation nur offene Diskussionen, miteinander reden und das Aufarbeiten von Gegensätzen sein. Dabei ist festzuhalten, dass besonders die Frauen in Ostdeutschland das gesellschaftliche Klima positiv verändert haben. Sie waren zu DDR-Zeiten berufstätig und wirtschaftlich unabhängig, unterstützt von ausreichend Kindertagesstätten. Diese Haltung brachten sie mit in die Wiedervereinigung.

Nicht zu übersehen ist auch, dass sich die Bürger gegen rechts engagieren und die Werte einer offenen Zivilgesellschaft verteidigen. Sie gehen auf die Straße, demonstrieren und bilden Initiativen gegen rechts. Demokratie lebt von Geduld, politischen Prozessen und der Bereitschaft, andere Meinungen anzuhören. Unsicherheit und Angst dürfen das politische Handeln nicht beeinflussen. Die Leipziger Initiative Aufbruch Ost möchte mit Aktionen den Osten stärker in die Öffentlichkeit rücken, Zeitzeugen interviewen und eine „ehrliche Aufarbeitung der DDR, der Wende sowie der Nachwendezeit" unter Beteiligung ostdeutsche Stimmen anpacken.

*Marianne Birthler, Bürgerrechtlerin und ehemals Chefin der Stasiunterlagenbehörde, äußert sich in einem Interview so: „Der Beitritt hatte zur Folge, dass die Ostdeutschen ihr Schicksal nicht in die eigenen Hände nahmen. Für das politische Erwachsenwerden nach Jahrzehnten der Diktatur wäre das aber wichtig gewesen. Doch die meisten Ostdeutschen sahen den Westen zunächst unkritisch und wollten alles genauso wie dort haben – die Schulen, Autos, Waschpulver und Klamotten. Der kritische Blick auf den Westen entwickelte sich erst später. Dadurch sind Chancen vergeben worden. Die Lektion, die ich 1990 zu lernen hatte, war: Demokratie bedeutet nicht, dass alles so läuft, wie wir, die Leute aus der DDR Bürgerbewegung, uns das so vorstellten. ... Ostdeutsche sind kaum an wichtigen Entscheidungen beteiligt. Von den 5000 Topfunktionen in Politik, Konzernen, Redaktionen oder Gewerkschaften besetzen sie nur 1,7%. Das ist wie bei den Geschlechtern, da fehlen Frauen ja auch. ... Karrieren werden über Jahrzehnte aufgebaut.*

*Netzwerke spielen eine Rolle, auch das Vertrautsein mit Machtverhältnissen und die Fähigkeit, auf dieser Klaviatur zu spielen. Im Osten war es auch weniger üblich, sich vorzudrängen und gezielt den nächsten Karriereschritt anzusteuern, man wurde eher gefragt. ... Und zehn Jahre später? Als die Ostler das System verstanden hatten, war der Kuchen verteilt."*

**4.** Ein weiteres Problemfeld beschäftigt die Deutschen mit Blick auf die Zukunft. Das ist die Gestaltung und Entwicklung der Europäischen Union. Heute bekennen sich die meisten nach wie vor zu Europa, aber Skepsis und Zukunftsängste bestimmen den Alltag. Reformen kommen nicht voran. Die Bürger sind sensibel, wenn es um den Schutz von Umwelt, von Arbeitnehmer- und Verbraucherrechten geht. Wichtig ist ihnen rechtsstaatliche Transparenz. Ein bürgernahes, soziales Europa könnte Skepsis überwinden.

Mit besonderer Sorge wird beobachtet, dass demokratische Prinzipien in Gefahr geraten sind und dass Nationalismus den Zusammenhalt der Mitgliedstaaten bedroht. Die westliche Nachkriegsordnung, die vor allem von den USA aufgebaut wurde, wird infrage gestellt, internationale Beziehungen sind im Umbruch und Europa ist in Gefahr. Die europäischen Länder müssten zusammenrücken. Da beruhigt ein Satz des früheren Kommissionschefs José Manuel Barroso: „Europa ist wesentlich belastbarer, als viele glauben." (Interview in der SZ vom 4. März 2019)

*Proeuropäische Bürgerbewegung Pulse of Europe*

### Das Projekt Europa in Gefahr

Länder mit eigenen Traditionen haben sich nicht gegen Unterdrückung und Gewalt zusammengeschlossen, sondern für etwas Neues: für eine Gemeinschaft, die sich wirtschaftlich mit seinen weltweit einzigartigen sozialen Standards in der globalisierten Welt behaupten will. Die EU schafft einen Raum des Rechts, der für alle Länder der Gemeinschaft gilt. Deutschland ist vielfach Modell für die betriebliche Mitbestimmung, die Konsenspolitik der Sozialpartner, die Integrationspolitik für Ausländer und die Rechtsordnung.

Aber die EU krankt an einem fundamentalen Widerspruch, der seit ihrer Gründung besteht. Übernationale Strukturen sind im vereinten Europa entstanden, aber daneben artikulieren sich nationale Interessen. Auch Deutschland hat gemeinsame Beschlüsse verwässert. Als Schwachstellen haben sich herausgestellt: nationale Egoismen, Staatsverschuldung, mangelnde Kontrollmechanismen, Verletzung der Stabilitätskriterien usw. Für die einen gibt es zu viel Europa (Richtlinien aus Brüssel werden als Diktat empfunden), für die anderen gibt es zu wenig Europa (Forderung einer politischen Union). Für die einen ist Europa ein Friedensprojekt, für die anderen nur ein Wirtschaftsraum, der nationale Vorteile verspricht. Brüssel ist für viele ein Bürokratiemonster, das sich in Verboten manifestiert. In Wirklichkeit ist die EU eine Erfolgsgeschichte, die dem Verbraucher mehr Rechte, Geld und mehr Sicherheit brachte: Abschaffung der Roaming-Gebühren, Rechte für Flug- und Bahnreisende, die Datenschutzverordnung. Das Europäische Parlament wirkt in alle Lebensbereiche hinein, die Sicherheit der Lebensmittel, die Qualität der Luft und der Gewässer, die Sicherheit der Daten usw., aber emotional ist Straßburg und Brüssel für viele Menschen weit weg. Die meisten kennen kaum Politiker und Parteien. Europäische übernationale Wahllisten für die Europawahlen wären eine Lösung.

Bleibt die Idee von einem vereinten Europa nur ein schöner Traum? War sie allzu idealistisch gedacht? Tatsache ist, dass Populisten und Nationalisten das Rad der Geschichte zurückdrehen und den Nationalstaat wieder stärken wollen.

Die Idee von Europa als Friedensprojekt gerät damit in Gefahr. Mit der Zuwanderung ist plötzlich nicht mehr Freiheit, sondern mehr Sicherheit gefragt, die vielfach national gelöst wird.

Tatsache ist aber auch, dass Europa nach wie vor eine gewisse Faszination ausübt und eine Verheißung ist für Flüchtlinge vor allem aus Bürgerkriegsländern, die Frieden, Sicherheit und die Hoffnung auf ein besseres Leben suchen. Die Flucht von Hunderttausenden nach Europa hat den Kontinent in seine größte Krise geführt. Eine Lösung ist nicht möglich, solange Kriege, Elend und Armut die Menschen aus ihrer Heimat vertreiben und solange Diplomatie und Hilfe außerhalb Europas an ihre Grenzen stoßen. Gefordert wird u.a. eine andere Politik für und in Afrika, damit Menschen nicht gezwungen sind, ihr Land zu verlassen. Der Rechtsstaat muss sich durch Grenzen schützen, Europa seine Außengrenzen, und gleichzeitig müssen humanitär legale Lösungen der Einwanderung geschaffen werden. Nicht populistische Polarisierung, sondern demokratische Lösungen, Ideen und langfristige Alternativen können die politischen Ziele sein. Europa hat sich immer durch eine Kultur des Kompromisses ausgezeichnet und trotz Rückschlägen das Gespräch auf verschiedenen Ebenen bevorzugt, um Vertrauen zu schaffen und Lösungen zu erarbeiten. Mit europäischem Recht im Hintergrund kann dieser Ansatz helfen, internationale Konflikte zu entschärfen.

# Historische Rückblende

## Das 19. Jahrhundert

**1806** Der deutsche Kaiser Franz II. nennt sich von nun an nur noch Kaiser von Österreich. Das ist das Ende des Heiligen Römischen Reiches deutscher Nation. Napoleonische Kriege. Nach 20-jährigen Kriegswirren ist der Absolutismus des Fürstentums „von Gottes Gnaden" am Ende. Der Staatsbürger verlangt nach Einfluss, nach einer Verfassung und einem Parlament.

**1810** Gründung der Berliner Universität durch den Kulturminister Preußens, Wilhelm von Humboldt. Fichte, der erste Rektor, rüttelt in seinen Reden den nationalen Widerstand gegen Napoleon wach.

**1813** Niederlage Napoleons bei Leipzig.

**1814/15** Eine Neuordnung Europas nach den Napoleonischen Kriegen ist das Ziel des Wiener Kongresses. Resultat ist der Deutsche Bund, der seinen Sitz in Frankfurt am Main hat, unter der Führung des österreichischen Fürsten Metternich. Der Bund besteht aus 39 Staaten. Der Habsburger Monarchie unter Metternich gelingt es, allerdings durch Unterdrückung liberalen Geistes, die Völker – Deutsche, Ungarn, Tschechen, Slowaken, Kroaten, Serben, Italiener – zusammenzuhalten. Die restaurative Politik Metternichs bringt zwar 30 Jahre Frieden durch die Abwehr nationaler Strömungen, gleichzeitig aber ist sie nicht im Stande, einer sich wandelnden Gesellschaft evolutionär Rechnung zu tragen.

**1817** Gründung der Burschenschaften als liberale und nationale Bewegungen.

**27.05.1832** Das Hambacher Fest: Die erste Großdemonstration in der deutschen Geschichte für Freiheit und nationale Einheit. Kundgebung vor der Kulisse der Hambacher Schlossruine (Pfalz).

**1848** Die Revolution der französischen Kleinbürger und Arbeiter weitet sich auf Preußen, Österreich und Bayern aus. Es geht um die nationale Einheit, um eine freiheitliche Verfassung und um die Garantie der Bürgerrechte. Die Paulskirchenversammlung in Frankfurt/Main arbeitet eine vorbildliche Verfassung aus, die aber mangels einer zentralen politischen Macht nicht durchgesetzt werden kann. Verfassungen und Parlamente werden von den Monarchen, d.h. von oben, ausgearbeitet bzw. eingerichtet.

**1848** Karl Marx und Friedrich Engels veröffentlichen das „Kommunistische Manifest". Neben den Bemühungen des Bürgertums um einen Nationalstaat artikulieren sich die revolutionären Ideen in Hinblick auf das Industrie-Proletariat. In Preußen – wie auch in Österreich – haben die konservativ-reaktionären Kräfte die Oberhand; eine sozialdemokratische Arbeiterpartei setzt sich in Deutschland bis zum Ersten Weltkrieg parlamentarisch nicht durch.

**1862–1871** Fürst Otto von Bismarck, der konservative preußische Ministerpräsident (1871–1890 Reichskanzler), erreicht die Einigung Deutschlands im kleindeutschen Rahmen, d.h. ohne Österreich.

**1871** Kaiserproklamation im Schloss Versailles nach dem deutsch-französischen Krieg 1870/71. Dieses Zweite Kaiserreich war im Geist preußisch und konservativ. Die deutschen Staaten behalten ihre Hoheit in Recht, Kultus und Verwaltung. Das Wilhelminische Kaiserreich ist gekennzeichnet durch widerstrebende Elemente: eine unerhört dynamische industrielle Entwicklung (Krupp-Werke in Essen, Elektrokonzern Siemens und Halske in Berlin, Chemiekonzern Bayer u.a.) und eine Umwandlung des sozialen Gefüges; Aufstieg der Sozialdemokratie trotz der restriktiven Sozialistengesetze. Nach außen betreibt das Reich Großmachtpolitik, z.B. imperialistische Kolonialpolitik im Konflikt mit England und Frankreich, die mit deutlich nationalistischen und chauvinistischen Tendenzen einhergeht.

## Das 20. Jahrhundert

**1914** Ermordung des österreichischen Thronfolgers in Sarajewo und Ausbruch des Ersten Weltkriegs.

**1914–1918** Der Erste Weltkrieg, der zehn Millionen Menschen das Leben kostet, verändert die Welt total: Die Weltmächte USA und Russland (ab **1922** UdSSR), China und Japan gestalten von nun an die Weltgeschichte mit. Drei Monarchien – die deutsche, russische und die habsburgisch-österreichische – danken ab. Am 9. November **1918** wird die Republik ausgerufen.

**1919** Frauenwahlrecht: Nach jahrzehntelangen Kämpfen der Frauenbewegungen können Frauen am 19. Januar 1919 in Deutschland zum ersten Mal das aktive und passive Wahlrecht ausüben.

**1919** Aus den Territorien der Habsburger Monarchie entstehen die Tschechoslowakei, Ungarn, Jugoslawien und Österreich. Gründung der Republik Polen. Südtirol wird von der neu gegründeten Republik Österreich abgetrennt.

**1919** Unterzeichnung des Versailler Vertrags, der Deutschland die alleinige Kriegsschuld anlastet. Die Folge sind hohe Reparationszahlungen.

**1919** Die Weimarer Verfassung tritt in Kraft. Der erste Reichspräsident der Weimarer Republik ist der Sozialdemokrat Friedrich Ebert. Er wählt Weimar zum Ort der Nationalversammlung, ein Ort zwischen Berlin und München, der gegen separatistische Tendenzen gerichtet war.

**1929** Der Börsenkrach in New York führt zur Weltwirtschaftskrise.

**1930** In den Wahlen wird die NSDAP (= Nationalsozialistische Deutsche Arbeiterpartei) Adolf Hitlers zweitstärkste Partei.

**1932** Es gibt 6 Millionen Arbeitslose. Hitler überrollt das Land mit einer demagogischen Propagandamaschinerie, die parlamentarische Rechtsstaatlichkeit verliert jede Basis. Sie wird von der Forderung nach dem autoritären Führerstaat zunichte gemacht. Bei den Wahlen 1932 verlieren die alten Parteien der Republik die Mehrheit.

**1933** Hitler wird von Reichspräsident Hindenburg zum Reichskanzler ernannt. Die Parteien und die Länderregierungen werden gewaltsam aufgelöst. Mitglieder der SPD, die gegen das Ermächtigungsgesetz gestimmt haben und Kommunisten werden von nun an verhaftet, misshandelt und ermordet. Die ersten Konzentrationslager entstehen in Dachau (bei München) und in Oranienburg (bei Berlin). – Die faschistische Diktatur wird durch eine Wahl legalisiert. Die Aufrüstung beginnt.

**1935** Die Nürnberger Gesetze legalisieren die Diskriminierung und Verfolgung der Juden.

**1938** Hitler marschiert in Österreich ein. Die Sudetendeutschen in der Tschechoslowakei fordern den Anschluss an das nationalsozialistische Deutschland. England und Frankreich geben der aggressiven Außenpolitik Deutschlands um des Friedens willen nach und willigen in die Abtretung des Sudetenlandes ein. In der Folge dieser Ereignisse verliert die Tschechoslowakei 1939 ihre staatliche Existenz. (Diese wird 1945 wieder hergestellt, die Sudetendeutschen werden vertrieben.)

**9./10.11.1938** Reichskristallnacht: Zerstörung von Synagogen, jüdischen Friedhöfen, Wohn- und Geschäftshäusern durch die Nationalsozialisten; Verhaftung, Berufsverbote und Konfiskation jüdischen Vermögens.

**August 1939** Nichtangriffspakt mit Stalin.

**1. Sept. 1939** Deutsche Truppen marschieren in Polen ein.

**ab 1940** Deutsche Truppen besetzen Frankreich, Belgien, Holland, Dänemark, Norwegen, Jugoslawien und stehen vor Moskau. – Die USA treten in den Krieg ein.

**1943** Die deutsche 6. Armee geht in Stalingrad zu Grunde, aber der Krieg dauert noch zwei Jahre und nimmt immer brutalere Formen an. Schon seit 1933 gibt es Konzentrationslager, aber erst ab 1943 ist die Maschinerie des Todes perfekt. Bis zum Krieg sind die KZs vorwiegend Internierungs- und Arbeitslager. Nach 1939/40 werden in Osteuropa die Vernichtungslager zur „Endlösung der Judenfrage" gebaut. Verschleppt werden auch Menschen, die in der wirren Ideologie des NS-Regimes keinen Platz haben: Geistliche, sog. „Arbeitsscheue", Homosexuelle, geistig Behinderte.

**Januar bis Mai 1945** Die Konzentrationslager werden von der Roten Armee (Auschwitz – Birkenau) und von amerikanischen und britischen Truppen (Buchenwald, Bergen-Belsen, Dachau, Mauthausen) befreit. Noch kurz vor Kriegsende, als die Rote Armee vorrückt, schickt die SS Tausende von Häftlingen auf Gewaltmärsche Richtung Westen und versucht, die verräterischen Beweise zu vernichten.

**ab 1942** Amerikaner und Engländer fliegen Luftangriffe auf die deutsche Rüstungsindustrie und auf die Großstädte.

**1943** Verhaftung und Hinrichtung der Widerstandskämpfer der Weißen Rose (Kreis um Hans und Sophie Scholl), die an der Münchner Universität in Flugblättern zum Widerstand und zur moralischen Erhebung aufgerufen haben.

**6. Juni 1944** Die Alliierten landen in Frankreich.

**20. Juli 1944** Das Bombenattentat auf Hitler misslingt. Seiner Rachejustiz fallen viele Widerstandskämpfer (u.a. Graf Stauffenberg) zum Opfer.

**Februar 1945** Jalta-Konferenz, auf der Stalin (UdSSR), Roosevelt (USA) und Churchill (Großbritannien) das Vorgehen der Alliierten beschließen: Festlegung der Oder-Neiße-Grenze bis zu einer Friedenskonferenz, Einteilung Deutschlands in Besatzungszonen.

**30. April 1945** Selbstmord Hitlers.

**8. Mai 1945** Deutschland wird von der Roten Armee und den West-Alliierten besetzt. Waffenstillstand und bedingungslose Kapitulation.

**1945** Als Vertreter der Siegermächte treffen sich: Churchill und Attlee (Großbritannien), Truman (USA) und Stalin (UdSSR). Sie beschließen die Errichtung eines Alliierten Kontrollrats, die völlige Entmilitarisierung Deutschlands, ordnen die Aufhebung der nationalsozialistischen Gesetzgebung und die Bestrafung der Kriegsverbrecher an. Das Potsdamer Abkommen: Die Gebiete östlich der Oder-Neiße werden unter die Verwaltung Polens und der Sowjetunion gestellt. Das restliche Deutschland wird in eine französische, britische, amerikanische und

sowjetische Zone aufgeteilt. In Berlin werden vier Sektoren eingerichtet.

**1945** Deutsche Kriegsverbrecher werden in den Nürnberger Prozessen abgeurteilt.

## 40 Jahre Teilung: 1949–1989

**1948–1949** Berlin-Blockade: Die UdSSR sperrt alle Wege zwischen Westberlin und Westdeutschland. Die Stadt wird von den USA und Großbritannien über eine Luftbrücke versorgt.

**1949** Gründung der Bundesrepublik Deutschland und der Deutschen Demokratischen Republik (= DDR, aus der sowjetischen Besatzungszone). Der erste Kanzler der Bundesrepublik, Konrad Adenauer, betont im Bundestag, dass die Bundesrepublik Deutschland „allein befugt" sei, „für das deutsche Volk zu sprechen" (Alleinvertretungsanspruch). Er betreibt die Integration in den Westen; zur gleichen Zeit schließt sich die DDR unter Walter Ulbricht den östlichen Verbündeten an. Zwischen Ost- und Westeuropa entsteht der sogenannte „Eiserne Vorhang"; die Zeit des „Kalten Krieges" beginnt. 1955 werden zwei Bündnissysteme geschaffen: im Westen die NATO, im Osten der Warschauer Pakt. Zwei getrennte Wirtschaftssysteme entwickeln sich: die EWG (= Europäische Wirtschaftsgemeinschaft) und das östliche COMECON.

**23. Mai 1949** Konrad Adenauer unterzeichnet das Grundgesetz.

**1952** Die UdSSR schlägt den Westmächten vor, einen Friedensvertrag mit Deutschland, vertreten durch eine gesamtdeutsche Regierung, abzuschließen. Die Westmächte und die Bundesregierung lehnen ab und fordern freie Wahlen. Die DDR-Regierung verlangt für Besucher Aufenthaltsgenehmigungen und kappt in Berlin die Telefonverbindungen zu den West-Sektoren.

**1953** Europäische Menschenrechtskonvention tritt in Kraft.

**1953** Die Regierung der DDR nimmt die Erhöhung der Arbeitsnormen um mindestens zehn Prozent nicht zurück. Volksaufstand: Am 17. Juni retten nur noch Panzer der sowjetischen Armee die Herrschaft des SED-Regimes. Der politische Aufstand der Arbeiter wird blutig niedergeschlagen.

**1954** Die UdSSR erklärt die Souveränität der DDR.

**1955** Die Bundesrepublik wird ein souveräner Staat. Sie wird Mitglied des Atlantischen Bündnisses (NATO).

**1956** Die DDR-Volkskammer beschließt die Schaffung der Nationalen Volksarmee (NVA). Zwei Wochen zuvor hatte die Bundeswehr ihren Dienst begonnen. Die DDR tritt dem Warschauer Pakt bei.

**März 1957** Am 25. März wurden die Römischen Verträge von Belgien, der Bundesrepublik Deutschland, Frankreich, Italien, Luxemburg und den Niederlanden in Rom unterzeichnet. Die Verträge bestehen aus dem EWG-Vertrag (Gründung der Europäischen Wirtschaftsgemeinschaft EWG) und dem Vertrag für die Europäische Atomgemeinschaft (EURATOM). Sie sind die Grundlage für die spätere Europäische Gemeinschaft (EU). Im März 2007 feierte die EU den 50. Jahrestag ihrer Gründung.

**1959** Der Europäische Gerichtshof für Menschenrechte wird in Straßburg errichtet: Schutz der in der Menschenrechtskonvention (1953) verbrieften Grundrechte; Kontrollsystem, das Beschwerden gegen Verstöße untersucht.

**1959** Deutschlandkonferenz in Genf mit Delegationen der Bundesrepublik und der DDR wird ohne Ergebnis vertagt.

**1960** Die Kollektivierung der DDR Landwirtschaft ist abgeschlossen.

**Juni 1961** Der Staatsratsvorsitzende der DDR Walter Ulbricht sagt auf einer Pressekonferenz in Ostberlin: „Niemand hat die Absicht, eine Mauer zu errichten."

**13.8.1961** Errichtung der Berliner Mauer.

**16.8.1961** Die DDR schließt die Grenzen zu Westdeutschland.

**1963** Elysée-Vertrag als Grundlage der deutsch-französischen Freundschaft.

**1968** Höhepunkt der studentischen Protestbewegung für eine Demokratisierung der Hochschule und die Veränderung der Gesellschaft. Kritik gegenüber allen Anpassungsformen der Leistungsgesellschaft (antiautoritäre Bewegung). – Entstehung der außerparlamentarischen Opposition (APO). Die RAF = Rote Armee Fraktion, verantwortlich für Attentate vor und nach 1970, erklärte sich 1998 für aufgelöst.

**1969** Die SPD unter Willy Brandt übernimmt zusammen mit der F.D.P. die Regierung (Bundeskanzler von 1974 bis 1982: Helmut Schmidt SPD, ab 1982 Helmut Kohl CDU). In seiner Regierungserklärung sprach Brandt von „Mehr Demokratie wagen" und kündigt Reformen und eine neue Ostpolitik an.

**August 1970** Unterzeichnung des Gewaltverzichtsabkommens mit der UdSSR, wenig später mit Polen. Mit dem Verzicht auf Gewalt und der Anerkennung bestehender Strukturen trägt die Entspannungspolitik zur Normalisierung bei.

**1970** Bundeskanzler Willy Brandt und DDR-Ministerpräsident Willi Stoph treffen sich in Erfurt und beginnen den deutsch-deutschen Dialog.

**1971** Bewohner von Westberlin dürfen wieder Besuche in Ostberlin machen.

**1971** Willy Brandt erhält für die neue Ostpolitik den Friedensnobelpreis.

**1972** Vier-Mächte-Abkommen über Berlin bringt Erleichterungen im innerdeutschen Transitverkehr. Deutsch-deutscher Grund(lagen)vertrag zwischen der Bundesrepublik Deutschland und der Deutschen Demokratischen Republik zur Entwicklung gutnachbarlicher Beziehungen.

**1974** DDR und Bundesrepublik richten „Ständige Vertretungen" ein (keine Botschaften).

**1974-82** Helmut Schmidt, Bundeskanzler, verbesserte zusammen mit dem französischen Staatspräsidenten Valéry Giscard d'Estaing die deutsch-französischen Beziehungen und ging damit entscheidende Wege zur europäischen Integration. In die Regierungszeit von Schmidt fiel der Terror der Roten Armee Fraktion (RAF). Er wird geehrt als großer Staatsmann. Sein Wort hatte bis zu seinem Tode 2015 als moralische Instanz großes Gewicht.

**1.8.1975** 33 europäische Staaten, die USA und Kanada unterzeichnen die KSZE (Konferenz über Sicherheit und Zusammenarbeit in Europa)-Schlussakte: Vereinbarungen über Gewaltverzicht, die Unverletzlichkeit der Grenzen, Zusammenarbeit. – Die KSZE wird 1992 zu einer festen Institution.

**1976** Der Sänger Wolf Biermann wird während einer Tournee in der Bundesrepublik ausgebürgert. Danach werden in der DDR weitere Schriftsteller verurteilt oder vertrieben.

**ab August 1989** Montagsdemonstrationen in den großen Städten der DDR.

**September 1989** Ungarn öffnet seine Grenzen. Innerhalb von drei Tagen verlassen 15 000 DDR-Bürger ihr Land über Ungarn und Österreich in die Bundesrepublik. Die Bürgerrechtsbewegungen „Neues Forum" und „Demokratie jetzt" melden sich zu Wort, etwas später die Gruppe „Demokratischer Aufbruch". Sie setzen sich für eine sich demokratisierende Gesellschaft ein, für einen „dritten Weg" zwischen Kapitalismus und Sozialismus. Sie erarbeiten eine gemeinsame Verfassung und wollen keine schnellen Lösungen.

**September/Oktober 1989** Demonstrationen in Leipzig, Ostberlin, Dresden und anderen Städten für Meinungs- und Versammlungsfreiheit („Wir sind das Volk – Keine Gewalt") und für Reformen. Einzelne evangelische Pfarrer stellen sich offen an die Spitze der Opposition.

**18.10.1989** Rücktritt von Partei- und Staatschef Erich Honecker. (1992 wird ihm in Berlin der Prozess gemacht. Auf Grund seines schlechten Gesundheitszustands wird das Verfahren aufgehoben. Honecker darf zu seiner Familie nach Chile ausreisen, wo er am 29.5.1994 stirbt.)

**4.11.1989** Eine Million Menschen demonstrieren in Ostberlin für Meinungsfreiheit und offene Grenzen.

**8.11.1989** Das Politbüro der SED tritt zurück.

**9.11.1989** Öffnung der Grenzen. Zehntausende fahren nach Westberlin. Auf der Mauer vor dem Brandenburger Tor wird begeistert gefeiert.

**13.11.1989** In Leipzig Demonstrationen für weitere Reformen. Aufschrift „Deutschland, einig Vaterland".

**Januar 1990** Die Zentrale des Staatssicherheitsdienstes in Ostberlin wird gestürmt.

**Februar 1990** Bundeskanzler Kohl und Außenminister Genscher erreichen in Moskau die prinzipielle Zustimmung des sowjetischen Staatspräsidenten Gorbatschow zur Vereinigung.

**März 1990** Zum ersten Mal seit 40 Jahren finden freie (Volkskammer-) Wahlen in der DDR statt.

**Juni 1990** Die beiden deutschen Parlamente verabschieden den Staatsvertrag, in dem die Schaffung einer Währungs-, Wirtschafts- und Sozialunion festgelegt wird. Diese politisch notwendige, aber durch die Eile wirtschaftlich nachteilige Entscheidung ist noch heute umstritten. – Erklärung zur Endgültigkeit der Oder-Neiße-Grenze zu Polen.

**1.7.1990** Der deutsch-deutsche Staatsvertrag tritt in Kraft. Die D-Mark gilt in ganz Deutschland. Die Personenkontrollen an der innerdeutschen Grenze sind abgeschafft.

**Juli 1990** Kohl und Gorbatschow treffen sich im Kaukasus. Kohl erhält die Zusage, dass das vereinte Deutschland die volle und uneingeschränkte Souveränität erhalten soll. Es kann über seine Bündniszugehörigkeit (NATO) selbst entscheiden.

**Juli 1990** Die Volkskammer der DDR beschließt die Wiederherstellung der fünf Länder.

**1.8.1990** Der Einigungsvertrag (eigentlich „Vertrag über die Herstellung der Einheit Deutschlands") regelt den Beitritt der DDR zur Bundesrepublik Deutschland. Er enthält die Bestimmungen zur Überleitung in Bundesrecht für alle Bereiche des öffentlichen Lebens (Justiz, Verwaltung, Kultur usw.) und legt besondere Bestimmungen für übergangsweise geltendes Recht der DDR fest.

**12.9.1990** 2+4-Vertrag („Vertrag über die abschließende Regelung in Bezug auf Deutschland"): Die Außenminister der alliierten Siegermächte des Zweiten Weltkriegs und die Außenminister der Bundesrepublik

Deutschland und der DDR unterzeichnen einen Vertrag, der dem vereinigten demokratischen Deutschland den Weg ebnet; der „Kalte Krieg" ist damit zu Ende. Die Siegermächte geben anschließend ihre Rechte und Verantwortlichkeiten für Berlin und Deutschland als Ganzes auf. Dem vereinten Deutschland wird die volle Souveränität eingeräumt.

**3.10.1990** Beitritt der DDR zur Bundesrepublik Deutschland.

**2./3.10.1990** Um Mitternacht wird die Vereinigung feierlich begangen. Vor dem Reichstagsgebäude in Berlin findet eine Feier statt, die in ein Fest und ein Feuerwerk überleitet.

**November 1990** Besuch Gorbatschows in Bonn. Unterzeichnung des „Vertrages über gute Nachbarschaft, Partnerschaft und Zusammenarbeit" beider Länder und des „Vertrages über die Entwicklung einer umfassenden Zusammenarbeit auf dem Gebiet der Wirtschaft, Industrie, Wissenschaft und Technik".

## Die Vereinigung und danach

**2.12.1990** Erste gesamtdeutsche Wahlen zum Bundestag.

**Juni 1991** Vertrag mit Polen über gute Nachbarschaft und freundschaftliche Zusammenarbeit. Im Bundestag fällt die Entscheidung für Berlin als Regierungs- und Parlamentssitz.

**1991** Stasi(Staatssicherheits)-Unterlagen-Gesetz: Jeder Bundesbürger kann ab 1.1.1992 beantragen, dass nach Stasi-Unterlagen über ihn gesucht wird; wurde er bespitzelt, bekommt er die Kopien sämtlicher Akten inklusive der Namen der Spitzel und Denunzianten.

**21./22.9.1991** Die Ausschreitungen Rechtsradikaler gegen Asylbewerberheime in Hoyerswerda (Sachsen) eskalieren.

**22.8.1992** Krawalle Rechtsradikaler in Rostock-Lichtenhagen (Mecklenburg Vorpommern): Jugendliche setzen einen Häuserblock in Brand und bringen dadurch 100 Vietnamesen in Lebensgefahr.

**23.11.1992** Bei einem Brandanschlag in Mölln (Schleswig-Holstein)

werden drei türkische Bewohnerinnen getötet. (Die Täter werden wenige Tage später festgenommen und nach einem längeren Prozess verurteilt.) – In vielen Städten finden daraufhin Demonstrationen gegen Ausländerfeindlichkeit statt. – Einige neonazistische Vereinigungen werden verboten.

**2.12.1992** Der Bundestag verabschiedet den Vertrag von Maastricht (Europäische Union).

**6.12.1992** In München und später in anderen Städten der Bundesrepublik wird mit Lichterketten gegen Fremdenhass, Rechtsradikalismus und Gewalt demonstriert.

**6.12.1992** Die Parteien einigen sich auf den Asylkompromiss: das Individualrecht auf Asyl bleibt erhalten, Missbrauch soll verhindert werden.

**1.1.1993** Der Europäische Binnenmarkt tritt in Kraft.

**26.5.1993** Der Bundestag verabschiedet die Änderung des Grundgesetzartikels 16 (Asyl): Flüchtlinge aus einem „sicheren Drittstaat" sind nicht mehr asylberechtigt.

**29.5.1993** In Solingen wird ein Brandanschlag auf ein von einer türkischen Familie bewohntes Haus verübt. Fünf Frauen und Mädchen verbrennen. Ein 16-Jähriger und drei weitere Jugendliche werden festgenommen.

**1991–1993** Assoziierungsverträge mit Ungarn, Polen, der Tschechischen Republik, der Slowakei, Rumänien und Bulgarien. Partnerschaftsabkommen mit der Ukraine und Russland im Frühjahr 1994. Die Verträge sehen einen schrittweisen Zugang zum Europäischen Binnenmarkt vor. Außerdem Bildung einer Freihandelszone mit Estland, Litauen und Lettland.

**November 1993** Der Vertrag von Maastricht tritt in Kraft. Die EG (Europäische Gemeinschaft) wird zur EU (Europäische Union); das bedeutet Zusammenarbeit in der Außen- und Wirtschaftspolitik, Vorbereitung einer gemeinsamen Währung, mehr Mitentscheidungsrechte für das Europäische Parlament, Regionalförderung wirtschaftlich schwächerer Staaten, Zusammenarbeit in der Innen- und Rechtspolitik. Das

Subsidiaritätsprinzip soll bürgernahe Entscheidungen fördern und unnötigen Zentralismus vermeiden.

**Februar 1994** Der Bundestag debattiert über Kunst und nationale Symbole. Der bulgarisch-amerikanische Künstler Christo darf 1995 den Reichstag in Berlin für 14 Tage mit Stoff verhüllen. Christo will in Zeiten des Übergangs Zeichen setzen und zur Auseinandersetzung mit der Geschichte herausfordern. Die Resonanz seiner Aktionen im Juni/Juli 1995 ist überwältigend.

**September 1994** Die russischen Truppen und die alliierten Streitkräfte verlassen offiziell die Bundesrepublik Deutschland. Sie werden in Berlin getrennt verabschiedet.

**01.01.1995** Beitritt Österreichs, Finnlands und Schwedens in die EU.

**26.03.1995** Das Schengener Abkommen über die Abschaffung der Personenkontrollen an innereuropäischen Grenzen tritt in Kraft. Dies betrifft derzeit nur bestimmte Staaten und wird bisher nicht konsequent durchgeführt. Ein Informationssystem (SIS) mit Fahndungscomputer in Straßburg soll Personendaten austauschen und somit nach der Öffnung der Grenzen zur Sicherheit beitragen.

**8. Mai 1995** 50. Jahrestag des Kriegsendes. Seit Beginn des Jahres finden unter dem Zeichen der Versöhnung und gegen das Vergessen Gedenkfeiern, Ausstellungen, Tagungen, Lesungen und Dankgottesdienste statt. Gefeiert wird in Paris, London, Moskau, Washington, Oslo, Warschau, Tel Aviv, in Berlin und in allen größeren deutschen Städten. Presse, Funk und Fernsehen bieten historisches Material, Gespräche und Interviews an historischen Stätten. Beteiligt sind Politiker, Künstler, Augenzeugen und nicht zuletzt auch die jüngere Generation. Niederlage oder Befreiung sind die politischen Reizwörter: Befreiend ist das wachsende Bewusstsein, dass Wachsamkeit, Widerspruch und Zivilcourage notwendig sind, auch in der Demokratie.

**Februar 1990** Deutsche Konzerne und Banken verpflichten sich, einen Entschädigungsfonds für ehemalige Zwangsarbeiter einzurichten.

**17. Juni 1991** Deutsch-Polnischer Nachbarschaftsvertrag

**1997** Vertrag von Amsterdam: Erweiterung der Rechte des Europäischen Parlaments.

**1997** Der Bundestag beschließt ein Gesetz, das die Unrechtsurteile unter dem NS-Regime annulliert.

**1.1.1999** Beginn der Europäischen Wirtschafts- und Währungsunion. Einführung des Euro als Währungseinheit mit festen Wechselkursen zu den nationalen Währungen. 1 Euro = 1,95583 DM

**März 1999** Agenda 2000: Die 15 Regierungschefs der EU einigen sich auf das Reformpaket Agenda 2000. Es regelt die Ausgaben von 600 Milliarden Euro bis zum Jahr 2006. Die Einigung ist Voraussetzung für die Ost-Erweiterung der EU (Aufnahme der Reformländer).

**19. Juni 1999** Die europäischen Bildungsminister stecken die Ziele zur Schaffung eines europäischen Hochschulraumes ab (= Bologna-Prozess): 1. Die Einführung eines Systems vergleichbarer Abschlüsse. 2. Die Einführung eines zweistufigen Systems von Bachelor- und Master-Studium. 3. Die Zusammenarbeit zwischen den Hochschulen.

**1.1.2000** Beitritt Griechenlands in die EU.

**23.3.2000** Zwangsarbeiter-Entschädigung: Nach monatelangen Verhandlungen einigen sich Deutschland, die USA und Israel sowie die fünf europäischen Staaten und Opferverbände in Berlin auf die Verteilung von zehn Milliarden DM in der Stiftung Erinnerung, Verantwortung und Zukunft.

**März 2000** EU-Beschäftigungsgipfel in Lissabon: Die Beschäftigungsquote (derzeit 60%) in der EU soll bis 2010 70% betragen. Die Sozialsysteme sollen überprüft werden. Die EU-Kommission wird detaillierte Analysen zum Lohnniveau und zu gesetzlichen Regelungen in den Mitgliedsstaaten machen. Ziel: Die Union soll der wettbewerbsfähigste und dynamischste Wirtschaftsraum der Welt werden.

**Juni 2000** Bundeskanzler und die Chefs der großen Energieunternehmen einigen sich über den stufenweisen Ausstieg aus der Kernenergie.

**August 2000** Ein Gericht in Halle verurteilt drei Skinheads als Mörder des Mosambikaners Alberto Adriano in Dessau zu langjährigen Haftstrafen.

**31.10.2000** Die erste feste Besatzung der Internationalen Raumstation ISS startet ins All. Sie bleibt vier Monate an Bord.

**11.12.2000** Der EU-Gipfel in Nizza beschließt eine EU-Charta der Grundrechte und ebnet den Weg für die Osterweiterung.

**2000** PISA (Programme for International Student Assessment): Studie im Auftrag der OECD, die schulische Leistungen regelmäßig mit einem standardisierten Verfahren untersucht, um die Bildungssysteme der Staaten zu vergleichen und die Bildungskompetenz der Schüler zu erfassen. PISA-Studie 2000: Teilnahme von ca. 180 000 Schülerinnen und Schüler im Alter von 15 Jahren in 32 Staaten. Die PISA-Studie war ein Schock: Deutschland auf Platz 20 von 32 Ländern, z.B. in der Leseleistung.

**Dezember 2001** Afghanistan-Konferenz auf dem Petersberg bei Bonn: Einigung auf eine Übergangsregierung, UN-Friedenstruppe sichert den Prozess.

**31. Dezember 2001** Abschied von der D-Mark, die ersten Euros sind da.

**Februar 2002** Im Februar 2002 berief der Bundeskanzler die Kommission „Moderne Dienstleistungen am Arbeitsmarkt". Unter der Leitung von VW-Vorstandsmitglied Dr. Peter Hartz („Hartz-Kommission") haben 15 Persönlichkeiten aus Politik, Wirtschaft, Gewerkschaften und Wissenschaft eine neue Ordnung für den Arbeitsmarkt entworfen: Hartz I: Einrichtung von Personal-Service-Agenturen, Hartz II: Einrichtung von Mini-Jobs und Ich-AGs, Hartz III: Umbau der Bundesanstalt für Arbeit in die Bundesagentur für Arbeit (BA), Hartz IV: Zusammenlegung von Arbeitslosen- und Sozialhilfe zum neuen Arbeitslosengeld II. Umgesetzt wurden die Reformen 2002 bis 2005.

**Oktober 2002** Deutschland legt sich fest: Nein zu einer militärischen Aktion gegen den Irak.

**Oktober 2002** Deutschland verfehlt die Stabilitätskriterien der EU. Mehr als 3% des Bruttosozialprodukts Schulden.

**Dezember 2002** 4,3 Mio. Arbeitslose, kein wirtschaftlicher Aufschwung in Sicht.

**22. Januar 2003** US-Verteidigungsminister Donald Rumsfeld bezeichnet Deutschland und Frankreich, die einen Krieg gegen den Irak ablehnen, als „altes Europa".

**Frühjahr 2003** Anti-Kriegsproteste: 85% der Deutschen sind gegen einen Militärschlag im Irak. Der Westen redet viel über die Ursachen des Terrorismus und viele sind sich einig: Globale Armut, Unwissenheit und Hoffnungslosigkeit, Intoleranz, Hass und Hochmut der Religionen sind Quellen des Terrorismus.

**März 2003** Bundeskanzler Gerhard Schröder stellt die Agenda 2010 vor. Die Agenda 2010 soll helfen, „Gerechtigkeit zwischen den Generationen zu sichern und die Grundwerte unseres Gemeinwesens zu stärken". Die Agenda setzte umfassende Reformen in Gang u.a. für folgende Bereiche: Renten, Gesundheit, Kündigung, Ausbildungsplätze, Arbeitslosen- und Sozialhilfe, Bildung (Ganztagsschulen), Handwerk, Gemeindefinanzen, Steuer.

**14.09.2003** Die Schweden lehnen die Einführung des Euro ab.

**12.02.2004** Zweihundertster Todestag des großen Philosophen Immanuel Kant.

**1. Mai 2004** Osterweiterung: 10 weitere Staaten treten der EU bei.

**2./3. September 2004** Ein Großbrand zerstört den Rokokosaal und 30 000 Bücher der Herzogin-Anna-Amalia-Bibliothek in Weimar. Die 1691 gegründete Bibliothek besitzt wertvolle Schätze aus der Blütezeit der deutschen Klassik, darunter die mit 3900 Bänden größte „Faust"-Sammlung und mittelalterliche Handschriften. Seit 1998 Weltkulturerbe der UNESCO.

**Sommer 2004** Demonstrationen gegen die Arbeitsmarktreformen.

**16. Februar 2005** Das Kyoto-Protokoll tritt in Kraft. 141 Staaten verpflichten sich, ihre Emissionen bis 2012 um 5% gegenüber 1990 zu verringern.

**25. April 2005** Bulgarien und Rumänien unterzeichnen die Verträge für den EU-Beitritt im Jahr 2007. Die EU wächst weiter.

**18. September 2005** Bundestagswahl: Ergebnis ist ein Kräfteverhältnis, das zur Großen Koalition von CDU und SPD führt. Grüne und F.D.P. gehen in die Opposition, zu der auch die neue Linkspartei gehört.

**22. November 2005** Angela Merkel wird zur ersten Bundeskanzlerin der Bundesrepublik Deutschland gewählt. Die Kanzler vor ihr waren: Konrad Adenauer (1949-1963), Ludwig Erhard (1963-1966), Kurt Georg Kiesinger (1966-1969), Willy Brandt (1969-1974), Helmut Schmidt (1974-1982), Helmut Kohl (1982-1998), Gerhard Schröder (1998-2005).

**Mai 2006** Die EU verabschiedet die Dienstleistungs-Richtlinie. Innerhalb der EU-Staaten öffnen sich die Märkte. Bürokratie wird abgebaut. Die Richtlinie muss innerhalb von drei Jahren in nationales Recht umgesetzt werden.

**Juni/Juli 2006** Fußballweltmeisterschaft in Deutschland.

**Herbst 2006** 10 Unis qualifizieren sich im Rahmen der „Exzellenzinitiative" als „Elite-Hochschulen". Bund und Länder fördern die Spitzenforschung.

**1. Januar 2007** Bulgarien und Rumänien treten der EU bei.

**2007** Die EU wird ein einheitlicher Zahlungsraum, der grenzüberschreitende Zahlungen und Kredite erlaubt.

**März 2007** Die EU feiert den 50. Jahrestag ihrer Gründung.

**August 2007** Im Gästehaus Meseburg (Mecklenburg) beschließt die Regierung ein umfangreiches Paket zum Klimaschutz.

**Dezember 2007** Verabschiedung des EU Reformvertrags von Lissabon unter portugiesischer Ratspräsidentschaft. Als Ersatz der abgelehnten EU-Verfassung soll er die Arbeitsmöglichkeiten der EU verbessern.

**Juni 2008** Das EU-Parlament beschließt die Rückführungs-Richtlinie zum Umgang mit illegalen Einwanderern (Bedingungen der Abschiebehaft und Mindestgarantien). Enttäuscht reagieren die Flüchtlingsorganisationen und Amnesty International.

**Herbst 2008** Die internationale Bankenkrise wirkt sich negativ auf das Wirtschaftswachstum aus. Der Export bricht ein, vor allem im Maschinenbau.

**2008/2009** Wirtschaftskrise. Die deutsche Wirtschaft schrumpft. Die Bundesregierung bringt zwei Konjunkturpakete auf den Weg, um die Wirtschaft wieder in Schwung zu bringen. Das zweite Konjunkturpaket stellt Geld für die Bildungsinfrastruktur (Neubauten, Sanierung von Universitäten und Schulen, Geräteausstattung) bereit sowie Hilfen für die Wirtschaft (Deutschlandfonds). Der Staat greift ein, wenn die Marktwirtschaft sich nicht selbst reguliert (Stützung der Banken, Finanzaufsicht und Regelung der Managergehälter).

**Mai 2011** Menschen aus Osteuropa (Polen, Estland, Litauen, Lettland, Ungarn, Tschechien, der Slowakei und Slowenien) brauchen in Deutschland keine Arbeitserlaubnis mehr.

**Juli 2011** Der Wehrdienst wird freiwillig. Statt des Zivildienstes wird der Bundesfreiwilligendienst für soziale Aufgaben eingerichtet. Die Freiwilligen nennt man auch „Bufdis".

**August 2011** Das Parlament beschließt den Atomausstieg.

**Seit 2010** Die Staatsschuldenkrise (Eurokrise) in mehreren Ländern der Eurozone (Griechenland, Irland, Portugal, Spanien, Italien) belasten die EU. Stabilisierungsmaßnahmen, sog. Rettungsschirme, schaffen Liquidität und unterstützen mit Bürgschaften.

**September 2012** Die EZB (= die Europäische Zentralbank) beschließt den unbegrenzten Ankauf von Staatsanleihen aus Krisenländern.

**Juli 2013** Kroatien wird 28. Mitgliedsland der EU.

**Februar 2014** Das europäische Zahlungssystem Sepa (= Single Euro Payments Area) startet.

**4. November 2014** Die Europäische Zentralbank übernimmt die Bankenaufsicht über die Großbanken Europas (24 in Deutschland).

**20. September 2015** Die Volkswagen AG gibt Manipulationen an Abgastestwerten von Dieselfahrzeugen in den USA zu.

**2014 - 2015** Die Bewegung „Pegida" (= Patriotische Europäer gegen die Islamisierung des Abendlandes") organisiert vor allem in Dresden jeden Montag eine Demonstration gegen Überfremdung und eine aus ihrer Sicht verfehlte Einwanderungs- und Asylpolitik. Es gibt Gegendemonstrationen.

**2015** Flüchtlinge aus den Kriegsgebieten des Nahen Ostens und aus Krisengebieten Afrikas strömen nach Europa auf der Suche nach einem besseren und sicheren Leben. Der Zusammenhalt der EU ist in Gefahr, denn die Mitgliedstaaten suchen nach nationalen Lösungen und schotten sich ab.

**13. November 2015** Der Terror des IS erreicht Europa: Anschläge in Paris.

**23. Juni 2016** In einem Referendum über den Verbleib Großbritanniens in der EU entscheiden sich 51,9% der Briten für ein Ausscheiden (= Brexit).

**19. Dezember 2016** IS-Anschlag auf den Berliner Weihnachtsmarkt mit 12 Toten.

**29. März 2017** Erklärung des Austritts Großbritanniens aus der EU gemäß Artikel 50.

**30. Juni 2017** Der Bundestag beschließt die Einführung der „Ehe für alle".

**24. September 2017** Bundestagswahl: Im neuen Bundestag sind sieben Parteien mit insgesamt 709 Abgeordneten vertreten (2013: 631 Abgeordnete). Die rechtspopulistische AfD zieht mit 12,6 % in den Bundestag ein.

**31. Dezember 2018** Ende der Steinkohlesubvention. Die Zeche Prosper-Haniel wird stillgelegt.

**19. Januar 2019** 100 Jahre Frauenwahlrecht

**23. Mai 2019** 70 Jahre Grundgesetz

**23. – 26. Mai 2019** Europawahl in den EU-Mitgliedsländern.

**26. Mai 2019** Neunte Direktwahl zum Europäischen Parlament in Deutschland: Die Volksparteien CDU/CSU und SPD verlieren, die Grünen legen zu und die AfD wird in zwei Ländern in Ostdeutschland die stärkste Partei.

**13. September 2019** 200. Geburtstag von Clara Schumann (Pianistin und Komponistin)

**Dezember 2020** Nach vierjährigen Brexit-Verhandlungen schließen Großbritannien und die EU einen Handels- und Partnerschaftsabkommen. Großbritannien hat am 31. Dezember 2020 den Binnenmarkt und die Zollunion verlassen.

**2020/21** Die Corona-Krise hat 2020 und 2021 das soziale Leben verändert und alle Bereiche von der Wirtschaft bis zur Kunst erfasst.

# Literatur

Die Literaturliste enthält eine Auswahl von Büchern, Schriften und Statistiken, aus denen zitiert wird und die während der Arbeit am Buch zu Rate gezogen wurden.

**Statistisches Jahrbuch 2019** für die Bundesrepublik Deutschland, hrsg. Statistisches Bundesamt, Wiesbaden 2019

## Kapitel 1

*dtv-Atlas zur deutschen Sprache*, Tafeln und Texte mit Mundart-Karten, Deutscher Taschenbuch Verlag, München 1992

*Deutsches Ausländerrecht*, Einführung von Helmut Rittstieg, Beck Jurist. Verlag, dtv Taschenbücher Bd. 5537, München 2005

*Beate Winkler*, Zukunftsangst Einwanderung, Beck'sche Reihe 471, München 1992

*Klaus-Dieter Henke (Hrsg.)*, Revolution und Vereinigung 1989/90, Deutscher Taschenbuch Verlag, München 2009

*Spezial Eurobarometer 386:* Die europäischen Bürger und ihre Sprachen, Befragung Februar-März 2012, durchgeführt von TNS Opinion &Social, koordiniert von der Europäischen Kommission

*Kristin Helberg*, Verzerrte Sichtweisen – Syrer bei uns. Von Ängsten, Missverständnissen und einem veränderten Land, Herder-Verlag, Freiburg 2016

*Philipp Ther:* Die Außenseiter. Flucht, Flüchtlinge und Integration im modernen Europa, Suhrkamp Verlag, Berlin 2017

*Zygmunt Bauman:* Die Angst vor den anderen. Ein Essay über Migration und Panikmache, Suhrkamp Verlag, Berlin 2016

*Özlem Topçu, Alice Bota, Khuê Pham,* Wir neuen Deutschen. Wer wir sind, was wir wollen, Rowohlt Verlag, Reinbek bei Hamburg 2012

*Ali Can:* Mehr als eine Heimat. Wie ich Deutschsein neu definiere, DUDEN, Bibliographisches Institut, Mannheim 2019

## Kapitel 2

*Heinz Stade, Falko Behr*, Erfurt. Den Wandel zeigen, Edition Leipzig , Leipzig 2005

*Jürgen Neffe:* Marx. Der Unvollendete, C. Bertelsmann, München 2017

## Kapitel 3

*18. Shell Jugendstudie „Jugend 2019",* „Jugendliche melden sich zu Wort", hg. Shell AG, Verlagsgruppe Beltz, Weinheim 2019

*Rupert Voß*, HerzSchlag – Mein Engagement für Menschlichkeit, Kösel-Verlag, München 2009

*Manja Greß / Florian Oertel*, Einsatz gegen Rechts, in: Nordbayerischer Kurier 18./19.06.2005 / dpa, Hamburg „Ein perfektes Team", x-bay stellt euch die Kandidaten des Jugendparlaments vor, in: Nordbayerischer Kurier vom 10./11. März 2007

*Ulrich Beck / Elisabeth Beck-Gernsheim*, Lebensformen im globalen Zeitalter: Fernliebe, Suhrkamp Verlag, Berlin 2011

*Christoph Butterwegge*, Armut in einem reichen Land. Wie das Problem verharmlost und verdrängt wird, Campus Verlag, Frankfurt/Main 2009

*Ines Geipel*, Generation Mauer. Ein Porträt, Klett Cotta, Stuttgart 2014

*Ahmad Mansour:* Generation Allah. Warum wir im Kampf gegen religiösen Extremismus umdenken müssen, S. Fischer Verlag, Frankfurt am Main 2015

*Georg Cremer*, Armut in Deutschland. Wer ist arm? Was läuft schief? Wie können wir handeln?, Verlag C.H. Beck, München 2016

*Oliver Decker / Johannes Kiess*, Die enthemmte Mitte: Autoritäre und rechtsextreme Einstellung in Deutschland / Die Leipziger Mitte-Studie 2016, Psychosozial Verlag, Gießen 2016
*Marco Maurer:* Du bleibst, was du bist – warum bei uns immer noch die soziale Herkunft entscheidet, Droemer Knaur Verlag. München 2015
*Alexander Hagelüken*, Das gespaltene Land. Wie Ungleichheit unsere Gesellschaft zerstört und was die Politik ändern muss, Droemer Knaur, München 2017

## Kapitel 4
*Grundgesetz GG*, 50. Auflage 2019, Beck-Texte im dtv, 5003, München
*Richard von Weizsäcker*, Von Deutschland aus, Reden des Bundespräsidenten, Corso bei Siedler, Wolf Jobst Siedler, Berlin 1985
*Europa-Recht*, Europäische Union, EG-Vertrag, Europäisches Prozessrecht, Europarat-Satzung, Menschenrechtskonvention, Beck-Texte im dtv, 22. Auflage, München 2007
*Das Bildungswesen in der Bundesrepublik Deutschland*, Darstellung der Kompetenzen, Strukturen und bildungspolitischen Entwicklungen für den Informationsaustausch in Europa, KMK, Bonn 2003, S. 33
*Jugendrecht* (u.a. Gesetz zum Schutze der Jugend in der Öffentlichkeit, Jugendarbeitsschutzgesetz, Berufsbildungsgesetz, Berufsbildungsförderungsgesetz, BaföG), Beck-Text im dtv, München 1993
*Markus Beckedahl, Falk Lüke,* Die digitale Gesellschaft. Netzpolitik, Bürgerrechte und die Machtfrage, Deutscher Taschenbuch Verlag, München 2012
*Richard David Precht*, Anna, die Schule und der liebe Gott. Der Verrat des Bildungssystems an unseren Kindern, Goldmann, München 2013
*Heinz Bude*, Das Gefühl der Welt. Die Macht von Stimmungen, Carl Hanser Verlag, München 2016
*Marcus Böick*, Die Treuhand. Idee – Praxis – Erfahrung 1990 -1994, Wallstein Verlag, Göttingen 2018
*Heribert Prantl*, Vom großen und kleinen Widerstand. Gedanken zu Zeit und Unzeit, Süddeutscher Verlag Edition, München 2018

## Kapitel 5
*Manfred Zettel*, Erste Lieb' und Freundschaft. Goethes Leipziger Jahre, Mitteldeutscher Verlag, Halle 2008
*Rüdiger Safranski*, Goethe und Schiller. Geschichte einer Freundschaft, Hanser Verlag, München 2009
*Rüdiger Safranski*, Goethe. Das Kunstwerk des Lebens. Biographie, Carl Hanser Verlag, München 2013
*Max Frisch*, Schweiz als Heimat? Versuche über 50 Jahre, hrsg. von Walter Obschlager, 2. Auflage, Suhrkamp Verlag, Frankfurt am Main 1990
*Wolfgang Koydl*, Die Besserkönner. Was die Schweiz so besonders macht, Orell Füssli Verlag, Zürich 2014
*Friedrich Dürrenmatt und Max Frisch*, in: Konturen. Magazin für Sprache, Literatur und Landschaft 1/1992, S. 47-58 „Schreiben ist das Schlechteste, was ich kann, darum muss ich's immer wieder probieren."
*Adolf Muschg* im Gespräch über Literatur, die Schweiz und die Staatskunst, in: Konturen 1/1994, S. 15–19
*Reiner Kunze*, Die wunderbaren Jahre, S. Fischer Verlag, Frankfurt am Main 1976
*Christa Wolf*, Auf dem Weg nach Tabou. Texte 1990–1994, Kiepenheuer & Witsch, Köln 1994
*Christa Wolf*, Hierzulande Andernorts, Erzählungen und andere Texte, 1994-1998, Luchterhand Verlag, München 1999
*Günter Grass*, Gegen die verstreichende Zeit, Reden, Aufsätze und Gespräche 1989 - 1991, Luchterhand Literaturverlag, Hamburg und Zürich 1991
*Erika und Klaus Mann*, Escape to Life, Deutsche Kultur im Exil, edition spangenberg, München 1991
*Ingo Schulze*, Simple Storys, Ein Roman aus der ostdeutschen Provinz, Berlin Verlag, Berlin 1998
*Ingo Schulze*, Adam und Evelyn, Berlin Verlag, Berlin 2008
*Robert Ide*, Geteilte Träume. Meine Eltern, die Wende und ich, Luchterhand Literaturverlag, Köln 2007
*Said, Freund:* In Deutschland leben, Ein Gespräch, C.H. Beck Verlag, München 2004
*Heiner Müller*, Krieg ohne Schlacht, Leben in zwei Diktaturen, Kiepenheuer & Witsch, Köln 1992

*Bertolt Brecht*, Gesammelte Werke, werkausgabe edition suhrkamp, Suhrkamp Verlag, Frankfurt am Main 1967
*Peter Michalzik*. Die sind ja nackt! Gebrauchsanweisung fürs Theater, DuMont Buchverlag, Köln 2009
*Jens Uwe Tellkamp*. Der Turm. Geschichte aus einem versunkenen Land, suhrkamp taschenbuch 4160, Suhrkamp Verlag. Frankfurt am Main 2008
*Eugen Ruge*, In Zeiten des abnehmenden Lichts. Roman einer Familie, Rowohlt, Reinbek bei Hamburg 2011
*Robert Manesse:* Die Hauptstadt, Suhrkamp, Berlin 2017

## Kapitel 6
*Jens Reich*, in: Reden über das eigene Land, C. Bertelsmann Verlag, München 1993, S. 16–32
*Arnulf Baring*, Deutschland, was nun?, Wolf Jobst Siedler Verlag, Berlin 1991
*Susan Neiman*, Fremde sehen anders, Suhrkamp, Frankfurt am Main 2005
*Julian Nida-Rümelin:* Der Akademisierungswahn: Zur Krise beruflicher und akademischer Bildung. Edition Körber-Stiftung, Hamburg 2015
*Albrecht von Lucke,* Die gefährdete Republik. Von Bonn nach Berlin 1949 – 1989 – 2009, Wagenbach Verlag, Berlin 2009
*Julian Nida-Rümelin / Nathalie Weidenfeld,* Digitaler Humanismus. Eine Ethik für das Zeitalter der Künstlichen Intelligenz, Piper Verlag, München 2018

## Anhang
*Egon Bahr, Peter Ensikat,* Gedächtnislücken. Zwei Deutsche erinnern sich, hrsg. Von Thomas Grimm, Aufbau-Verlag, Berlin 2012
*Robert Menasse,* Der europäische Landbote. Die Wut der Bürger und der Friede Europas, Paul Zsolnay Verlag, Wien 2012
*Adolf Muschg,* Vergessen wir Europa? Eine Gegenrede, Wallstein Verlag, Göttingen 2013
*Ulrich Beck,* Das deutsche Europa. Neue Machtlandschaften im Zeichen der Krise, Suhrkamp Verlag, Berlin 2012
*Helmut Schmidt*, Mein Europa. Mit einem Gespräch mit Joschka Fischer, Hanser Verlag, München 2013
*Roman Herzog*, Europa neu erfinden.

Vom Überstaat zur Bürgerdemokratie, Siedler Verlag, München 2014
Gesine Schwan, Robert Menasse, Hauke Brunkhorst, Weil Europa sich ändern muss. Ein Gespräch, Springer Fachmedien, Wiesbaden 2015
Andreas Rödder, Wer hat Angst vor Deutschland? Geschichte eines europäischen Problems, S. Fischer, Frankfurt/Main 2018
Jürgen Todenhöfer, Die große Heuchelei, Propyläen Verlag, Berlin 2019
Stephan Grünewald, Wie tickt Deutschland? Psychologie einer aufgewühlten Gesellschaft, Kiepenheuer & Witsch, Köln 2019
David Großmann, Die Erfindung der bedrohten Republik. Wie Flüchtlinge und Demokratie entsorgt werden. Verlag Das Neue Berlin, Berlin 2019

# Bildquellen

# Lösungen und Bildinformationen

**Seite 9:**
Die Staaten des Schengener Abkommens: Vollanwenderstaaten (dunkelblau); Nicht EU-Schengen-Mitglieder (IS, N, CH, FL) (hellblau); Zukünftige Mitglieder (BG, CY, HR, RO) (oliv); Kooperierende Staaten (GB, IRL) (grün)

**Seite 23**
(von Norden nach Süden, von links nach rechts):
Kreidefelsen auf Rügen; Nordsee-Insel Juist; Elbphilharmonie, Brandenburger Tor; Kölner Dom; Wartburg; Dresden, Heidelberg,; Frankfurt am Main; München; Bodensee; Zugspitze

**Seite 34:**
Die Tafelrunde in Sanssouci mit Friedrich II., dem preußischen König, und Voltaire (Gemälde von Adolph Menzel, 1850).

**Seite 56:**
1 Frankfurter; 2 Grünkohl; 3 Thüringer; 4 Weißwurst; 5 Currywurst; 6 Schlachteplatte

**Seite 57:**
1 Bauernbrot; 2 Brötchen; 3 Vollkornbrot; 4 Weißbrot; 5 Brezen; 6 Knäckebrot

**Seite 58 (von links nach rechts):**
4a, 3b, 1c, 2e, 6d, 5f

**Seite 59 u.:**
Das Kinder- und Jugendzentrum „Die Arche" wurde 1995 in Berlin gegründet. Ziel des Vereins ist es, Kinder von der Straße zu holen, sinnvolle Freizeitmöglichkeiten zu bieten und gegen soziale Defizite zu agieren sowie Kinder wieder ins Zentrum der Gesellschaft zu stellen.

**Seite 83:**
Fraktionen im Europaparlament, EVP: Europäische Volkspartei (Christdemokraten); S & D: Progressive Allianz der Sozialdemokraten (Socialists & Democrats); EKR: Europäische Konservative und Reformer; ALDE: Allianz der Liberalen und Demokraten für Europa; Grüne/EFA: Die Grünen/Europäische Freie Allianz; GUE/NGL: Konföderation der Vereinten Europäischen Linken/Nordischen Grünen Linken; EFDD: Europa der Freiheit und der direkten Demokratie; ENF: Europa der Nationen und der Freiheit

# Index